Wie goed doet...

Van Henny Thijssing-Boer verschenen eerder bij
Zomer & Keuning onder andere:

Een bruidsboeket als symbool
Gedreven door geluk (omnibus)
Uitzicht op morgen
Het spoor bijster

Henny Thijssing-Boer

Wie goed doet…

Spiegelserie

Zomer & Keuning familieromans – Amsterdam

Voor meer informatie: kijk op www.boekenwereld.com

Omslagontwerp: Karel van Laar
Omslagfotografie: Image Bank

ISBN 90 210 9432 0

I

Voor de zoveelste keer die avond wierp Marcus van Gijzel een blik op zijn horloge en opnieuw vroeg hij zich verbolgen af waarom Berbel nog niet terug was. Het was nota bene al tien uur geweest, hij zat inmiddels al meer dan drie uur in z'n eentje te kniezen. En dat op zaterdagavond, leuk was anders! Als hij dit van tevoren geweten had, had hij de deur ook achter zich dichtgetrokken en zou hij nu met een stel maten achter een pilsje in de kroeg zitten.

Jawel, hij had met Berbel mee kunnen gaan, maar daar had hij absoluut geen zin in gehad. Zodra het om Lonneke ging, Berbels elf jaar jongere zusje, haakte hij af. En het ging om haar, dat had het telefoontje van Berbels moeder wel duidelijk gemaakt. 'Kom alsjeblieft snel naar huis, Berbel! Lonneke is helemaal van streek, ze roept om jou. Pa is vreselijk boos en ik weet me er geen raad mee. Ik heb je nodig, je moet meteen thuiskomen.'

Op Berbels vraag wat er dan met Lonneke aan de hand was, had Berbel geen antwoord gekregen; haar moeder had de verbinding al verbroken. Berbel was meteen overbezorgd geweest. 'Ik moet naar huis, Marcus, er is iets ernstigs met Lonneke waar mam mijn hulp blijkbaar bij nodig heeft. Ga je mee?'

'Nee, dank je feestelijk!' Hij wist dat hij die woorden kwaad gegromd had. Logisch dat Berbel had willen weten waarom hij zo raar deed, terwijl zij zich grote zorgen maakte om haar zusje. Begreep hij dat dan niet? Opnieuw had hij allesbehalve vriendelijk gereageerd. 'Het is bij jou Lonneke voor en Lonneke na. Zij komt op de eerste plaats, ik op de tweede!' Het was hem heus niet ontgaan dat Berbel een moment tegen opkomende tranen had moeten vechten.

'Dat is gemeen van je, het is niet waar,' had ze zacht gezegd. Ze had eraan toegevoegd dat ze er nu niet dieper op in kon gaan omdat ze naar huis moest. Vervolgens was ze gegaan. Naar Lonneke, over wie ze eeuwig en altijd liep te moederen.

Zou hij bij Berbel zijn ingetrokken als hij van tevoren geweten had dat Berbel haar zus niet kon loslaten? Het was alweer bijna twee jaar geleden dat Berbel en hij besloten te gaan samenwonen. Berbel woonde in die tijd al in deze flat, die ze toen samen opnieuw hadden ingericht met smaakvolle meubels en elektrische apparaten zoals een koelkast en diepvries, een wasmachine, een vaatwasser, een magnetron en al die dingen waar je gewoon niet zonder kon. Hij had alles betaald omdat hij nu eenmaal wat ruimer bij kas zat dan Berbel. Zijn vader was eigenaar van een goed bekendstaande en goed lopende herenmodezaak. In de zaak was hij de rechterhand van pa, later zou hij zijn opvolger worden. Pa was zeker niet krenterig. Hij, Marcus, hoefde maar te kikken of pa deed – bij wijze van spreken – een graai in de kassa. Zo gemakkelijk was het indertijd ook gegaan met de herinrichting van Berbels flat. Pa had daar zeker niet moeilijk over gedaan, terwijl hij diep in zijn hart liever een ander meisje voor zijn enige zoon had gewenst. Daar was pa in het begin zo duidelijk over geweest dat het Berbel niet was ontgaan. Later roerde pa het gevoelige onderwerp niet meer aan en Berbel en hij spraken er ook niet meer over. Het geluk van hem, Marcus, ging bij zijn ouders voor alles.

Het was maar goed dat ze niet wisten dat hij de laatste tijd vaak twijfelde aan zijn eigen geluk. Jawel, hij hield van Berbel, maar niet meer zo allesoverheersend als in het begin. Hij vond haar een mooie vrouw waar hij mee voor de dag kon komen. Maar was dat voldoende voor een relatie? Berbel had een figuurtje waar menige man heimelijk een oogje op liet vallen en dat streelde zijn ijdelheid. Ze had glanzend, donker haar, grote blauwe ogen en een volle, gevoelige mond die hij maar al te graag had gekust. Berbel was zesentwintig jaar, twee jaar jonger dan hijzelf. Er zou waarschijnlijk niets aan de hand zijn als hij Lonneke wat beter om zich heen kon verdragen en hij zich bij Berbels ouders op zijn gemak voelde. Hij kon zich echter niet verplaatsen in het milieu van de familie Dekker.

Hij vond Berbels moeder een vrouw die in een achterbuurt niet uit de toon zou vallen. Rieks Dekker, Berbels vader, gedroeg zich vaak behoorlijk lomp, maar dat had waarschijnlijk een reden, bedacht Marcus. Rieks Dekker had zijn hele leven aan de lopende band gestaan in een tabaksfabriek. Vijf jaar geleden was hij afgekeurd vanwege een hernia. Hij was destijds twee keer aan zijn rug geopereerd, maar de kwaal was er eerder erger dan beter door geworden. De man leed dagelijks pijn en dan was het natuurlijk een hele opgave om desondanks vriendelijk en vrolijk te doen. Daar kwam dan ook nog eens bij dat ze zich van een uitkering moesten zien te redden, wat feitelijk onmogelijk was.

In huize Dekker was het armoedje troef, maar hij – Marcus – vond dat dat niet zijn pakkie-an was. Die mensen hadden hun verstand wat beter moeten gebruiken, dan had het er nu waarschijnlijk stukken beter voor hen uitgezien. Vroeger had Bien Dekker altijd een baantje buiten de deur gehad en zo haar steentje bijgedragen waardoor ze het wat ruimer hadden gehad. Berbels moeder, was drieënveertig geweest toen ze moest stoppen met werken omdat ze zwanger bleek te zijn, terwijl ze dacht dat ze in de overgang zat. Mooi niet dus! Het kind dat toen geboren werd, was inmiddels vijftien jaar en het oogappeltje van Berbel. Net als Berbel was Lonneke aantrekkelijk om te zien. De zusjes leken op elkaar. In tegenstelling tot Berbel had Lonneke echter geen blauwe, maar grote donkerbruine ogen.

Berbel was doktersassistente, ze werkte inmiddels al heel wat jaren bij dokter Wittenaar. Vanaf het allereerste begin had Berbel maandelijks honderd gulden van haar loon moeten afstaan voor Lonnekes schoolgeld en andere onkosten. Berbel beschouwde dit nog altijd als haar plicht, daar dacht hij – Marcus – anders over. Het loon dat Berbel verdiende was niet om over naar huis te schrijven, ze had het zelf hard nodig. Omdat ze er een gedeelte van moest inleveren, zat ze tegen het eind van de maand altijd krap bij kas. Berbel klaagde er nooit over, zij was van huis uit gewend dat er zuinig aan gedaan moest worden. Hij vond het echter nogal vervelend dat Berbel nooit eens royaal voor de dag kon komen. Wat was er nou mooier dan zomaar eens een smak geld over de balk te gooien waar je enorm veel plezier aan kon beleven. Dat kon Berbel zich niet veroorloven. Het zat trouwens ook niet in haar en zodoende draaide hij eeuwig en altijd op voor luxe uitjes en andere dingen die het leven veraangenaamden. Daar ergerde hij zich de laatste tijd soms groen en geel aan.

Hij zag aldoor meer minpuntjes in Berbel, hij vroeg zich af of ze wel samen verder moesten gaan. Waar hij zich het meest aan stoorde in hun relatie was zonder meer Lonneke Dekker. Zij zat op de havo, haar school stond bij wijze van spreken bij hen om de hoek. Haar ouderlijk huis daarentegen, stond aan de andere kant van de stad. In een volksbuurt waar hij zijn neus voor optrok. Dat had hij een keer tegen Berbel gezegd en daar had hij haar helaas mee bezeerd. Zo had hij ook diverse keren zijn ongenoegen uitgesproken over de veelvuldige bezoekjes van Lonneke. Berbel en hij waren haast nooit meer

7

echt samen, de laatste maanden wipte Lonneke op de voor hem meest onmogelijke tijden onverwachts binnen. Dan kreeg hij subiet een pestbui en daar had hij zichzelf mee, want natúúrlijk trok Berbel partij voor haar zus.

'Je moet het wat ruimer zien, Marcus. Het is zó logisch dat Lonneke graag bij mij is. Je weet zelf drommels goed dat de sfeer bij ons thuis vaak te wensen overlaat. Pa is niet de gemakkelijkste, mam doet niks anders dan de dubbeltjes omkeren en desondanks komen ze elke maand te kort. Dat komt hun humeur niet ten goede. Waarom denk je dat ik een aantal jaren geleden zo dolgelukkig was dat ik dit flatje kon huren en uit huis kon gaan! Toen Lonnekes vriendje, Niels Timmerman, hier nog in de stad woonde, was ze vaak bij hem thuis. Omdat ze smoorverliefd op hem was, maar ook omdat Niels' ouders zo lief voor haar waren. Het is alweer ruim drie maanden geleden dat de familie Timmerman van Groningen naar Tilburg verhuisde, omdat Niels' vader daar een restaurant kon overnemen. De man is nu niet meer in loondienst, maar eigen baas. Je kunt hem geen ongelijk geven, maar met het vertrek van haar vriendje kwam er een eind aan Lonnekes liefde. Bovendien mist ze nog steeds de gezelligheid van een warm gezin. Lonneke lijdt nog altijd aan liefdesverdriet, ze voelt zich verloren en in de steek gelaten. Dan is het toch heel begrijpelijk dat ze zo vaak bij mij komt! Daar kan en mag niks op tegen zijn, ze is toch warempel mijn zusje!'

Zo dacht Berbel erover. Zij had te doen met haar zusje, maar hij lapte Lonnekes zogenaamde liefdesverdriet aan zijn laars. Lonneke en Niels waren vijftien en zestien jaar, op die leeftijd kon je slechts spreken van kalverliefde. Nou, en die ging heus vanzelf weer over, zeker nu Niels uit Lonnekes leven verdwenen was. Voor hem een ander, let maar op, dacht Marcus en op hetzelfde moment hoorde hij de deur van de flat open en dicht gaan. Kort hierna stapte Berbel de huiskamer binnen. Aan haar gezicht en haar gespannen houding zag Marcus dat ze het moeilijk had. Deels uit medelijden, deels uit nieuwsgierigheid zei hij: 'Je ziet er belabberd uit, was het dan zo erg met Lonneke? Toe, zeg eens wat!'

Berbel was inmiddels op het tweezitsbankje gaan zitten. Ze sloeg haar ogen vol intens verdriet op naar Marcus. En nauwelijks verstaanbaar fluisterde ze: 'Lonneke is zwanger... Nog maar vijftien jaar en... al drie maanden zwanger.'

'Tjonge, da's niet best, daar schrik ik van! Weet ze het wel zeker? Ze kan zich toch vergissen?'

'Nee, het is de harde werkelijkheid. Veel te hard voor zo'n jong meisje. In heel haar doen en laten is ze nog een kind. Ik ben er kapot van. Het was een afschuwelijke avond, pa gedroeg zich verschrikkelijk...' Berbel vocht tegen de opkomende tranen.

Marcus concludeerde: 'Jouw vader zal nooit mijn vriend kunnen zijn, maar in deze situatie kan ik me voorstellen dat hij woedend is op Lonneke. Wie is de vader van het kind? Ik dacht dat Lonneke na het vertrek van Niels Timmerman zo vreselijk eenzaam was, dát viel achteraf bezien dus wel mee! Ze heeft de katjes in het donker geknepen, of... is het soms van Niels?'

'Ik weet het niet,' verzuchtte Berbel. Haar stem had nog nooit zo moe geklonken. 'Lonneke wil niet zeggen wie de vader is. Ze zweert bij hoog en laag dat het Niels niet is. Ik heb zo verschrikkelijk met haar te doen, Marcus... Ze zag er zo kwetsbaar uit. Mam deed niets dan huilen, pa ging als een wildeman tekeer. Later, toen ik hen te hulp schoot, bond hij wat in. Er zijn harde woorden gevallen tussen pa en mij, maar daar heb ik geen spijt van. Pa ging op een gegeven moment zo vreselijk ver dat ik me niet stil kón houden.'

'Jou kennende, trok jij uitsluitend partij voor Lonneke. Of dat altijd goed is betwijfel ik. Maar eerst schenk ik je een wijntje in, dat kalmeert je zenuwen. En dan moet je me precies vertellen wat er allemaal is gezegd.' Marcus sprong op uit zijn stoel en even later zette hij een glas rode wijn voor Berbel neer. Nadat hij in de schuimkraag van zijn pilsje had gehapt, spoorde hij Berbel aan. 'Nou, steek van wal! Ondanks het trieste van het geval, moet ik bekennen dat ik best nieuwsgierig ben naar wat jij je pa voor de voeten hebt gegooid. Volgens mij had jij hem moeten ontzien, die man heeft het momenteel niet gemakkelijk met zijn jongste dochter!'

'Dat ben ik zeer zeker met je eens,' zei Berbel zacht. Opstandig vervolgde ze: 'Pa wil dat Lonneke het kind laat weghalen. Met een verhit gezicht en een furieuze blik begon hij over abortus. Pa meende elk woord, Lonneke verzette zich tegen hem. Zij huilde en snikte dat ze het kindje wilde houden, dat ze er nu al veel van hield. Vanzelfsprekend kon ik het niet met pa eens zijn en steunde ik Lonneke openlijk. Daardoor kwamen pa en ik als kemphanen tegenover elkaar te staan. Voordat ik hen alle drie te hulp kon schieten, heb ik het een

9

en ander recht in pa's gezicht gezegd.' Berbel nam een slokje wijn waarna ze de draad weer opnam. 'Ik heb zijn blik gezocht en vastgehouden toen ik tegen hem zei dat hij zich diep moest schamen voor God. "Je bent een gelovig mens, je hebt Lonneke en mij in het geloof opgevoed. Je gaat trouw elke zondag naar de kerk, maar ik vraag me af of je morgen durft te gaan. En of je nog durft te bidden. Het één spoort niet met het ander, pa, want voor mij is een abortus gelijk aan een doodzonde. Je weet precies wat ik bedoel. Als je zegt dat het niet zo is, dan lieg je..." Toen viel er een oorverdovende stilte die minutenlang duurde,' vervolgde Berbel. 'Op een gegeven moment begon pa te praten. Nog zie ik hem voorovergebogen in zijn stoel zitten, en hoor ik hem zeggen: "Ik weet precies wat jij bedoelt, ik voel wat jij voelt. Wat ik van Lonneke eis is niks meer dan een wanhoopsdaad en dáár zou God begrip voor moeten tonen! Want wat moeten we anders, vertel jij me dat dan eens! Lonneke kán het kind niet krijgen, het komt er immers op neer dat je moeder en ik het zullen moeten grootbrengen. Daar pas ik vierkant voor! Ik heb er geen zin in en bovendien zijn wij niet meer de jongsten. En waar doen we het van? Ik ben niet vergeten wat een kind kost nog vóórdat het geboren is, om over de jaren daarna maar te zwijgen. We komen nu al te kort, met een baby erbij zullen we op een houtje moeten bijten. Is dat dan de tol die wij moeten betalen voor Lonnekes misstap...? Ik ben zo kwaad op haar, mijn handen jeuken, ik zou haar iets kunnen aandoen! Ik wou dat ze niet geboren was, dan had ze niet kunnen opgroeien tot de slet die ze geworden is. Ik vertik het, Berbel, om krom te moeten liggen voor haar en haar kind! Er komt een abortus, daar zorg ik persoonlijk voor!"
Dat gooide pa er allemaal uit terwijl Lonneke erbij zat,' zei Berbel aangedaan. 'Ik vermoed dat ik haar gezichtsuitdrukking op dat afschuwelijke moment niet zal kunnen vergeten. Ze keek mij aan met een vertrokken wit gezichtje en grote schrikogen die zich met tranen vulden. Ze bracht geen geluid uit, alleen haar mond vormde twee woordjes: help me... Het was een noodkreet waar ik niet aan voorbij kon gaan. Het was heel wonderlijk, maar ik wist opeens zo glashelder wat mij te doen stond dat het een ingeving van boven moet zijn geweest. Ik hoefde er niet meer over na te denken, ik kon gewoon kalm tegen pa zeggen: "Wat je daarnet allemaal zei kwam niet uit je hart, maar uit je hoofd dat met tomeloze woede en onmacht is

gevuld. Het is heel verschrikkelijk wat Lonneke is overkomen, niettemin moet ze nu met liefde en goede zorgen omringd worden. Ze ligt momenteel totaal in de vernieling, daar mag jij nu niet ook nog eens een flinke schep bovenop doen, pa! Om te voorkomen dat ze hier bij jou te weinig liefde krijgt en te veel verwijten die totaal zinloos zijn, komt Lonneke bij mij wonen. Ook de baby is mettertijd welkom bij mij. Help haar haar spulletjes inpakken, mam, ik kom haar morgen halen."

Een moment konden mijn ouders geen woord uitbrengen. In de stilte die viel, klonk Lonnekes zachte gefluister als bazuingeschal: "Dank je wel, Berbel…" Het bibberende lachje om haar lippen deed intriest aan, het was echter een uiting van geluk en daar maakte ze mij blij mee. We hebben daarna nog een poosje zitten praten. Ze vroegen zich af hoe ik het financieel zou redden, daar heb ik nog niet over nagedacht. Verder had ik alles wonderlijk keurig op een rijtje staan. Mijn ouders hebben geen moment tegengestribbeld, ze waren zichtbaar blij dat ik hun problemen had opgelost. Of hun houding ten opzichte van mij goed of fout is, kan me niks schelen. Het gaat mij louter en alleen om Lonnekes welzijn. Het kindje mag geboren worden en ik kan ervoor zorgen dat Lonneke niet onnodig bezeerd wordt. Er moet op haar gepast worden, in plaats van gespuugd. Want dat deed pa. Weliswaar vanuit zijn onmacht, maar toch wil ik zijn harde woorden het liefst zo snel mogelijk vergeten.' Berbel zocht Marcus' blik en zacht zei ze: 'Ik weet dat jij Lonneke moeilijk om je heen kunt verdragen, maar nu je weet hoe de zaken ervoor staan zul je het met mij eens zijn dat Lonneke gewoon bij ons móét komen. Toch…?'
'Mijn mening doet er immers niet meer toe. Achter mijn rug om heb jij alles al geregeld zoals het jou goeddunkt.' Marcus keek donker voor zich uit.
Berbel zei verdrietig: 'Ik kon echt niet anders, ik heb heus wel aan jou gedacht. Jij was er echter niet en ik moest ter plekke een beslissing nemen. Ik was doodsbang dat pa zijn dreigement ten uitvoer zou brengen en dat moest ik ten koste van alles zien te voorkomen. Lonneke draagt een nieuw leven bij zich, dat mag niet vernietigd worden. Toe, Marcus, zeg dan dat je het op dit punt met me eens bent…?'
Hij omzeilde haar vraag. 'Eerder zei jij dat je alles al op een geordend rijtje had, daar geloof ik niks van. Jij kunt nu nog niet voorzien wat er straks allemaal op je af zal komen. Het komende halfjaar

heb jij de zorg voor je zwangere zus, daarna ook nog eens een baby waar jij voor zult moeten opdraaien! Jouw streven mag dan nobel zijn, het is echter geen haalbare kaart, Berbel. Jouw vader klaagde over het vele geld dat opgebracht moet worden nog voor het kind geboren is. Van die zorgen heb jij hem verlost, dringt het echter wel tot je door dat jouw financiële situatie ook niet toereikend is voor dergelijke uitgaven?'

'Ik heb tegen pa gezegd dat ik de honderd gulden die ik afstond voor Lonneke nu zelf hard nodig heb. Dat begreep hij en met dat geld kom ik een heel eind. Als ik er elke maand iets van koop voor de babyuitzet, is die over een halfjaar wel compleet. We zullen geen gekke dingen kunnen doen en zoveel mogelijk moeten snuffelen in tweedehandswinkels. Over dat rotte geld, waar je altijd te weinig van hebt, wil ik me niet eens zorgen maken. Dat Lonneke haar kindje mag houden en dat ze, hopelijk, ooit weer gelukkig zal worden, is het enige dat voor mij telt. Haar levensgeluk mag niet abrupt voorbij zijn, ze is nog maar vijftien, ze moet zich nog helemaal ontplooien. Kun je daar dan niet een klein beetje begrip voor opbrengen, Marcus…?'

Hij keek van haar weg en bromde: 'Je doet nu net alsof wij al oud en belegen zijn. Wij hebben ons leven echter óók nog voor ons, hoor Berbel! Jij bent nog maar zesentwintig, ik twee jaar ouder. We zaten af en toe over trouwplannen te praten, maar ik vraag me nu af wat daarvan terecht moet komen. Je mag gerust weten dat ik het niet met je eens ben. Lonneke kwam hier voor mijn gevoel al veel te vaak over de vloer, en vanaf morgen zal ze me permanent voor de voeten lopen. En dan binnenkort ook nog een huilende baby in huis waar ik totaal niets mee heb. Ik betwijfel of ik dit allemaal kan en wil opbrengen, Berbel.'

'Denk je dat het voor mij allemaal zo gemakkelijk is?' zei Berbel. 'Mijn leven ziet er van het ene op het andere moment ook heel anders uit. Ik zou erom kunnen huilen als ik dat in jouw armen mocht doen. Aan jouw afwerende houding te zien, is daar echter bij jou nu geen ruimte meer voor. Of heb ik het mis…?'

Er lag hoop en verlangen in haar stem, maar dat ontging Marcus. Vol van veel, kon hij niet anders dan zeggen: 'Je moet me eventjes met rust laten, niet meer van me vragen dan ik op dit moment kan geven. Ik moet erover nadenken en de dingen voor mijzelf op een rijtje zetten. Ik ben niet als jij, ik kan mezelf niet volkomen wegcijferen. Ik help graag een mens in nood, ik ben echter niet van plan om mezelf voorbij te lopen. Het spijt me echt heel erg dat jij het plotseling zo moeilijk hebt en dat ik je… niet genoeg of vermoedelijk helemaal niet zal kunnen helpen. Het spijt me, Berbel.'

Zij fluisterde: 'Mij ook…' Na een loodzware zucht voegde ze eraan toe: 'Wat Lonneke betreft durf ik het wel aan, maar wat er opeens tussen ons beiden gebeurt maakt me bang. Omdat jij me daarnet het idee gaf dat jij niet met mij én Lonneke verder kunt. Wees liever heel eerlijk, ik wil graag weten waar ik aan toe ben…'

'Jij kunt alles nog terugdraaien als je kiest voor mij. Doe dat, Berbel, zie tijdig in wat je aan het wegsmijten bent! Wij houden van elkaar, dat hoort vóór alles te gaan!'

'Is dat wel zo, Marcus…? Het is de laatste tijd tussen ons niet meer zoals het geweest is en dat komt niet alleen door Lonneke. Maar dat doet er nu niet meer toe, ik heb mijn keus gemaakt… Ik moet kiezen voor Lonneke, omdat zij uiterst kwetsbaar is en zonder mijn hulp de vernieling in zal gaan. Het spijt me voor jou, toch zal ik datgene doen wat ik zie als een mij opgedragen taak.'

'Ik begrijp het,' zei Marcus, hoewel hij haar niet begreep. 'Jij wilde daarnet dat ik eerlijk was, welnu… dan kun ik je alleen nog zeggen dat ik mijn keus ook heb gemaakt en dat dit voor ons beiden einde verhaal moet zijn…'

'Het hing al een tijd in de lucht, ik was er al een beetje op voorbereid,' zei Berbel vlak.

Marcus knikte bevestigend. Hij keek van haar weg, desondanks zag Berbel dat zijn ogen vochtig waren en dat zijn handen trilden. Onder normale omstandigheden zou ze hem met haar liefde hebben getroost, maar op dit moment voelde ze dat zijn emoties in geen verhouding stonden tot de noodkreet die Lonneke haar geluidloos gezonden had: help me…

Prompt om zes uur die ochtend werd Berbel wakker en meteen realiseerde ze zich dat ze nog lekker een uurtje kon blijven liggen. Dokter Wittenaar was vanochtend met vakantie gegaan, de praktijk was de komende tien dagen gesloten. Ze was tien dagen vrij en ze ervoer het nu al als een ongekende weelde om even niets te hoeven, om het kalm aan te kunnen doen. Gewoonlijk stond ze om deze tijd meteen op, dan was ze gedoucht en aangekleed als Lonneke om zeven uur uit bed kwam. Meestal had ze dan gauw ook al het nodige in huis gedaan, zodat Lonneke, als zij uit school kwam, niet meteen aan de slag hoefde. Ze ontzag Lonneke zoveel mogelijk. Nu haar zwangerschap zichtbaar werd, was het voor haar gevoel net alsof het meisje in een waas van triestheid gehuld ging. Arme Lonneke, wat moest er van haar en van haar leven worden? Ze was nu vijf maanden zwanger, zij – Berbel – kon er met haar verstand niet bij dat er alweer twee maanden voorbij waren gegaan. Eind januari had ze het alarmerende telefoontje gekregen dat ze naar huis moest komen, inmiddels was het alweer eind maart.

Lonneke wilde nog steeds niet zeggen wie de vader van haar kindje was, ze hield bij hoog en laag vol dat Niels er buiten stond. Om de een of andere reden twijfelde Berbel daar sterk aan. Ze was ervan overtuigd dat Lonneke hem de hand boven het hoofd hield. Ze kon het niet bewijzen en ze kon er niet aldoor bij stilstaan. Ze had zo verschrikkelijk veel andere dingen aan haar hoofd, die haar kwelden en haar soms echt pijn deden. Ze miste Marcus nog erg, ze hield nog steeds van hem. En ze had niemand tegen wie ze haar hart eens kon luchten. Hun vroegere, gezamenlijke vrienden hadden allemaal openlijk partij gekozen voor Marcus. Met hem hadden zij te doen. Ze vonden het niet meer dan normaal dat Marcus ervoor bedankte om de zorgen van haar zusje én het kind dat op komst was, met zijn vriendin te moeten delen. Arme Marcus, werd er gezegd, hij stond dankzij Berbel opeens alleen en moest helemaal opnieuw beginnen.

Achteraf bezien had dat hem blijkbaar niet al te veel moeite gekost, want hij had alweer een nieuwe vriendin. Onlangs was ze hem op een zaterdagmiddag in de stad tegengekomen. Zijn arm had om het middel van een mooi, blond meisje gelegen. Toen hij Berbel zag, had hij lachend zijn wenkbrauwen en zijn schouders opgetrokken. Het was net geweest alsof hij haar duidelijk had willen maken: voor jou tien anderen! Hoewel zijn manier van doen haar vreselijk zeer had gedaan, had de aanblik van zijn nieuwe vriendin haar gesterkt in haar wil Marcus zo snel mogelijk te vergeten. Dat was overigens gemakkelijker gezegd dan gedaan. Ondanks die ander bleef zij hem missen. Kort nadat ze uit elkaar waren gegaan, had Marcus haar op een avond gebeld en verteld dat hij met hulp van zijn vader een appartement had gekocht. Zij begreep vast wel dat dat ingericht moest worden en dat hij niet aan de gang kon blijven met het kopen van nieuwe meubels en dergelijke. 'Ik heb een boedelbak gehuurd, morgen kom ik de spullen ophalen waarop ik recht heb.' Daar had zij begrip voor kunnen opbrengen; de mooie spulletjes waar zij zo blij mee was geweest, waren indertijd door Marcus betaald. Toen hij de volgende dag met een boedelbak vol spullen wegreed, zag haar flat er afschuwelijk geplunderd uit. Marcus had de tweezitsbank meegenomen, de twee bijpassende stoelen, evenals de salontafel. Ze had het opeens zonder magnetron moeten doen, zonder televisie, zonder wasmachine.

Het was nog een geluk dat ze haar oude meubels niet had weggedaan, maar op zolder had opgeslagen. Ze had de huiskamer er weer mee aangekleed. Met een huilend hart was ze in een hoekje van de driezitsbank gekropen; het had pijn gedaan te moeten zien hoe oud en tot op de draad versleten de troep was. Geld voor nieuwe meubels had ze niet, ze was al dolgelukkig toen ze voor een paar centen een tweedehands wasmachine op de kop had kunnen tikken. Sinds Marcus beslag had gelegd op zijn spullen, hadden Lonneke en zij geen tv meer kunnen kijken. Ooit zou ook die er wel weer komen, maar voorlopig zat het er niet in. Alles was zo schrikbarend duur en nu ze Marcus' deel van het huishoudgeld miste, moest ze werkelijk elk dubbeltje omkeren voordat ze het uit durfde te geven. Als de maandelijkse vaste lasten waren betaald, hield ze nauwelijks 450 euro over. Daar moesten ze alles van doen en dat kon gewoonweg niet. Ze had vreselijk veel zorgen om de babyuitzet, die moest er vóór alles komen. Ze kochten elke maand iets en telkens als ze zag hoe blij ze Lonneke ermee maakte, gaf dat goede gevoel haar de kracht om door te gaan. Zonder dat Lonneke het in de gaten had, daar waakte Berbel wel voor, beheerste haar zusje haar leven. Lonneke was haar allergrootste zorg. Dat er in haar eigen hart vaak genoeg tranen waren om Marcus en om alles wat er voor haarzelf verloren was gegaan, hoefde niemand te weten. Ze vond het een zegen dat geen mens aan de buitenkant kon zien hoe eenzaam zij zich soms voelde. En hoe wanhopig, vanwege de liefde voor een man die niet meer beantwoord werd. Berbel schrok op uit haar gepeins doordat ze tranen achter haar ogen voelde prikken. In gedachten gaf ze zichzelf een reprimande: Ben jij nou helemaal gek, stel je niet aan, zeg! Je hebt hier zelf heel bewust voor gekozen, dan moet je er nu ook vierkant achter staan. Zónder zelfmedelijden! 'Ja,' mompelde ze in zichzelf, 'ik weet het allemaal wel. Ik zal beter mijn best moeten doen.'

Hierna schoot ze uit bed en trok ze haar duster aan. In de gang bleef ze voor de spiegel staan die naast de kapstok hing. En nadat ze diep adem had gehaald en met beide handen door haar verwarde haren had gestreken, toverde ze een lach om haar mond en knikte ze zichzelf belonend toe. Zo moet het, zo is het goed.

In de keuken trof ze Lonneke, die druk bezig was met het dekken van de ontbijttafel. Berbel begroette haar met een vrolijk 'goedemorgen' en een warme kus op haar wang. 'Heb je lekker geslapen?'

'Jawel, hoor. Ik vond het zo raar dat jij nog niet uit bed was, het gebeurt nooit dat ik het eerst op ben. Heb je je verslapen?'

'Nee, ik heb vakantie, was je dat vergeten? Tien dagen hoef ik er niet om zes uur uit! Dat voelt als een luxe waar ik nog aan moet wennen.'

'Ik wou dat ik dat kon zeggen,' klonk het bedrukt. Lonneke sloeg haar bruine ogen op naar Berbel en zacht smeekte ze: 'Mag ik vandaag ook thuis blijven? Het is zo rottig op school...'

Berbel kreeg op slag medelijden met het jonge meisje. Ze besefte echter dat ze daar niet aan mocht toegeven. Ze voelde zich een moeke toen ze met een strenge blik zei: 'We gaan niet zeuren of zielig doen, hoor Lonneke! Je weet wat we afgesproken hebben: jij gaat gewoon naar school en je doet ook nog eens je uiterste best! Je zult hoe dan ook nog vier maanden door de zure appel heen moeten bijten. Eind juli komt de baby en dan is het zomervakantie. Als die voorbij is, ben jij weer de slanke Lonneke die je was en dan word je niet meer nagestaard. Dan zullen je vriendinnen hooguit jaloers zijn op jouw mooie baby!'

'Het kan net zo goed een heel lelijk kindje worden...'

'Nee hoor! Met zo'n mooi moedertje is dat uitgesloten.' Ze schoven aan tafel en nadat ze hadden gebeden, zei Berbel: 'Ik merk aan je dat je een steeds grotere hekel krijgt aan school, doen de kinderen echt heel lelijk tegen je? Als dat zo is moet je het zeggen, dan ga ik een keer met je docent praten.'

'Daar maak je het alleen nog erger mee! Ze zullen mij niet voor vol aanzien als mijn zus de kastanjes voor me uit het vuur moet halen. Ik word niet ronduit gepest, maar leuk is het op school niet meer. De jongens doen heel naar. Ze denken dat ik het niet zie, staan ze achter mijn rug om in groepjes naar me te wijzen en grinnikend van leedvermaak staan ze over me te kletsen. Dat zie ik heus wel, soms is het net alsof ik ogen in mijn achterhoofd heb. De meisjes zijn alleen maar nieuwsgierig. Zij willen weten hoe het voelt om zwanger te zijn en hoe het gekomen is. Dát zouden ze het liefst tot in de details horen, maar kunnen ze lang wachten. Zou ik de enige zijn van mijn leeftijd die met een jongen naar bed is geweest, Berbel...?'

Deze trok een gezicht. 'Dáár vraag je me wat! Jij was er vroeg bij, té vroeg, dat weet ik wel. We kunnen het echter niet terugdraaien en daarom moet jij proberen boven het getreiter en de praatjes van anderen te staan.'

'Jij hebt gemakkelijk praten, jij hoeft niet met een steeds dikker wordende buik naar school. Jij hebt alles mee, ik alles tegen. Dat is niet eerlijk, hoor Berbel!'

'Nu proef ik zelfmedelijden, want anders zou je niet zo praten. Je weet drommels goed dat ik momenteel ook de nodige tegenslagen heb. Je bent geen klein kind meer, je zou soms eens wat beter na moeten denken voordat je er van alles uitflapt wat nergens op slaat. We hebben het allebei niet gemakkelijk, Lonneke, maar als we onze schouders eronder zetten komen we er samen wél doorheen!'

'Als je zo praat doe je net alsof je mijn moeder bent. Nou dat is mooi niet zo, je bent gewoon mijn zus. Ik hoef jouw gepreek helemaal niet aan te horen! Ik word daar spuugzat van en jij snapt niet eens dat ik me zonder jouw bemoeizucht al rot genoeg voel. Nou, je bekijkt het maar, ik ga ervandoor.'

Het meisje schoof met kabaal haar stoel naar achteren en beende nijdig de keuken uit. Kort hierna sloeg de deur van de flat met een klap in het slot. Berbel schudde verdrietig haar hoofd. Meisje, meisje, wat heb jij jezelf aangedaan? Lonneke was vreselijk ongelukkig, dat straalde ze gewoon uit en dat deed haar enorm zeer. Je bent mijn moeder niet, had ze gezegd. Daar was Berbel van geschrokken, ze deed immers juist haar best om niet zo over te komen. Nam ze uit bezorgdheid om Lonneke die houding dan onbewust toch aan? Deed zij alles verkeerd terwijl ze het zo goed bedoelde? Het was bar moeilijk en ze kon er met niemand over praten, er was niemand die ze om raad kon vragen.

Heel in het begin had ze mam er een paar keer over aangesproken. Dat deed ze niet meer, want ze kende inmiddels haar antwoord. 'Jij hebt de zorg om Lonneke op je genomen, nu moet je doen wat jou goeddunkt. Pa en ik hebben het een stuk rustiger nu we weten dat je zusje bij jou in goede handen is. Ten opzichte van Lonneke geven wij je alle vrijheid.' Nou, dat was mooi makkelijk, zij had er echter niets aan. Ze ging bijna nooit meer naar huis, en Lonneke wilde er al helemaal niet naartoe. Zij was pa's harde woorden jegens haar niet vergeten. Ze werden blijkbaar allebei niet gemist, want noch pa noch mam belde met de vraag of ze eens langs wilden komen. En sinds Lonneke bij haar woonde, konden haar ouders haar flat niet meer vinden. Laat maar, dacht Berbel berustend, eens zal het wel weer goed komen of in ieder geval wat beter gaan.

Ging het met Lonneke maar wat beter. Ze kon het haar niet kwalijk nemen dat ze daarstraks zo nijdig was uitgevallen. Het was voor zo'n jong meisje immers onmenselijk moeilijk om gewoon naar school te gaan, terwijl haar zwangerschap zichtbaar werd. En Berbel stak telkens haar vinger op: je gáát naar school en je doet je best! Deed ze daar eigenlijk wel goed aan? Ze wilde zo graag dat Lonneke haar school afmaakte en dat ze na de havo en ondanks de baby, een vakgerichte studie koos. Zonder een gedegen opleiding kwam je tegenwoordig nergens meer en bleef je ergens onder aan de ladder bungelen. Dat wenste zij haar kleine zusje niet toe. Zij moest hogerop zodat ze later met tevredenheid zou kunnen zeggen: Zie je, ondanks alle tegenslagen heb ik het toch maar goed voor elkaar weten te krijgen. Zo wilde zij Lonnekes leven weer in goede banen leiden, zonder te weten of ze de juiste weg uitstippelde. Misschien moest ze toch eens een afspraak maken met Lonnekes docent. Twee wisten meer dan één. Ze wilde van hem horen óf Lonneke tot het eind van haar zwangerschap naar school kon. In haar hart wist ze al dat ze Lonneke dit niet mocht aandoen. In haar gedachten zag ze Lonnekes hoogzwangere lichaam al voor zich en daarboven het kinderlijke koppie van een jong meisje dat dit alles niet aankon. En zo zou ze dan binnen afzienbare tijd in de klas moeten zitten, tussen leeftijdgenootjes die niet eens wisten wat 'grote mensen'-zorgen waren? Ik heb echt hulp nodig, dacht Berbel, ik kan en mag in m'n eentje geen beslissingen nemen die voor Lonneke wellicht averechts werken. Vanavond zou ze een gesprek hebben met Lonneke. Hopelijk kon ze het meisje een beetje geruststellen. Ach, ze zou zoveel meer voor haar willen doen. Een televisie kopen, bijvoorbeeld, zodat Lonneke zich, nadat ze haar huiswerk had gemaakt, wat kon ontspannen.

Zelf miste ze het ook, je haalde uit de krant niet het nieuws dat de tv bracht. En bij een boeiende film kon je je gedachten verzetten. Zij verslond nu 's avonds het ene na het andere boek, maar voor Lonneke lag het allemaal wat gevoeliger. Zij miste de soapseries waar op school druk over gepraat werd en de gesprekken waaraan zij nu niet meer kon deelnemen.

In het begin was Lonneke regelmatig door een vriendinnetje gevraagd. 'Kom dan bij ons thuis televisie kijken, dan blijf je tenminste bij!' Maar dat wilde Lonneke niet. Ze zei dat haar vriendinnen het goed bedoelden, maar dat hun ouders haar met scheve ogen aankeken. 'Ze hebben veel liever dat hun dochter niet meer met mij omgaat. Net als pa vinden ze mij een slet.' Uit louter zelfbescherming had Lonneke haar vriendinnen de rug toegekeerd. Ze ging nauwelijks nog met hen om en kwam uit school direct naar huis. Vroeger ging ze vaak naar de disco, maar nu had die stakker geen verzetjes meer. Ze liep in oude spijkerbroeken van haar – Berbel – omdat die een maat groter waren. Binnen afzienbare tijd zouden die haar echter ook niet meer passen en dan zou er hoe dan ook positiekleding moeten komen.

Lonneke werd zienderogen eenzamer, was het dan een wonder dat ze weleens uit haar slof schoot? Eenzaam... dat rotgevoel kende zij ook en daarom juist wilde ze Lonneke ervoor behoeden. Wat kan ik in vredesnaam doen om het allemaal wat draaglijker te maken voor mijn kleine zusje, peinsde Berbel met een diepe denkrimpel in haar voorhoofd. Nadat ze er een poosje over had nagedacht, mompelde ze voor zich uit: 'Er zit niks anders op, ik moet er een baantje bij nemen.' In plaats van 's avonds boeiende boeken te lezen of met Lonneke een spelletje te doen, moest zij haar handen uit de mouwen steken. Er waren vast wel supermarkten die op koopavond en op zaterdag een invalkracht nodig hadden. Desnoods maakte ze kantoren schoon, als het maar geld in het laatje bracht. Voor een tweedehands televisie, zodat Lonneke 's avonds even de zorgen van zich af kon zetten. En voor nieuwe kleding waar ze allebei om zaten te springen. Voor een lekker stukje vlees in plaats van een gehaktbal of een speklapje.

Er waren gewoonweg té veel dingen die zij zich moesten ontzeggen. En ze was bang dat als de baby er eenmaal was, de geldzorgen zich zouden opstapelen. Ze had onlangs gekeken wat wegwerpluiers kostten, ze was zich gewoon een hoedje geschrokken. Misschien moesten zij het straks maar gewoon doen met ouderwetse katoenen luiers. Die konden gewassen en steeds weer gebruikt worden. Het was allemaal veel moeilijker dan zij van tevoren gedacht had. Ze wilde Lonneke liever niet belasten met haar geldzorgen en zodoende stond ze ook hier alleen voor. Ze had al eens overwogen om opslag te vragen, maar dat durfde ze niet. Niet meer nu ze wist hoe dokter Wittenaar over de situatie dacht.

Toen ze hem had verteld dat ze haar zusje bij zich had genomen en waarom, had hij op ernstige toon gezegd: 'Jij ben weliswaar een sterke vrouw, maar alles heeft zo zijn grenzen, Berbel! Jij offert je op voor je zus, maar vraag jij je weleens af wat er op deze manier van jouw leven terecht zal komen? Je hebt je vrienden er al mee verloren, vertelde je me, en ik garandeer je dat jij op den duur moederziel alleen zult komen te staan. Een jong meisje als Lonneke zal het geluk wel weer vinden, met het verstrijken van de jaren zul jij je kansen echter verliezen. De taak die jij op je hebt genomen is veel te zwaar voor je, Lonneke moet terug naar haar ouders. Ik wil gerust eens met je vader en moeder gaan praten om hen tot andere inzichten te brengen. Sorry dat ik het zeg, maar zij moeten zich schamen dat ze jou opzadelen met de zorgen om hun jongste dochter. Ze zouden het kind zelf in bescherming moeten nemen!'

Ze had geen zin gehad om dokter Wittenaar te vertellen hoe de sfeer thuis was en waar pa mee had gedreigd. Ze had met een stalen gezicht gelogen dat de kerk en iedereen zich er al mee bemoeide, maar dat zij vastbesloten was. 'Ik heb gekozen voor Lonneke en daar kan zelfs u me niet van afbrengen,' had ze misschien wel wat uit de hoogte gezegd. Dat vermoedde ze tenminste, want na dat gesprek had dokter Wittenaar niet meer naar haar of naar Lonnekes welzijn geïnformeerd. Als ze nu om loonsverhoging zou vragen, zou hij vast en zeker zeggen dat het allemaal haar eigen schuld was en dat hij zich niet geroepen voelde om haar krappe beurs te gaan spekken. Nou, dat hoefde ook niet, ze wist zelf maar al te goed dat ze haar eigen karretje moest trekken.

Zo, al piekerend en peinzend, kwam Berbel de dag door. Dat Lonneke ook had lopen nadenken, bewees ze die avond, toen ze opeens zei: 'Het spijt me heel erg, Berbel, dat ik vanochtend zo lelijk tegen je heb gedaan. Ik had een pestbui en die reageerde ik af op jou. Ik zal proberen dat voortaan niet meer te doen, en mocht het onverhoeds toch gebeuren, dan moet jij me een klap in mijn gezicht geven. Dat heb ik liever dan dat jij niks zegt en niks doet. Ik zag vanochtend heus wel dat ik jou pijn deed en dat heeft me de hele dag dwarsgezeten.'
'Zo erg was het nou ook weer niet,' zei Berbel vergoelijkend. 'Jij had een uitlaatklep nodig en die vond je in mijn persoontje. Heel begrijpelijk, want je hebt immers verder niemand tegen wie je je grieven kunt uiten. Zit er maar niet meer mee, ik heb het je helemaal niet kwalijk genomen, hoor!'
'Dat komt doordat jij altijd het eerst aan een ander denkt, aan mij vooral. Ik heb het nog niet met zoveel woorden tegen je gezegd, maar ik ben je echt heel erg dankbaar, Berbel! Dankzij jou mag ik mijn kindje houden. Als jij niet zo voor mij gestreden had, zou ik mijn leven lang verdriet hebben gehad. Om mijn baby, die pa zonder pardon bij me had laten weghalen. Dat had hij absoluut gedaan, want die zaterdagavond, vóórdat jij naar huis kwam, dreigde hij me met niet mis te verstane woorden: "Ik zorg er hoe dan ook voor dat het kind niet geboren wordt. Daar kun jij vast op rekenen!" Ik raakte toen zo overstuur dat ik hysterisch om jou ben gaan roepen. Onbewust voelde ik toen aan dat jij me zou helpen. En dat deed jij, je zorgde ervoor dat pa afzag van zijn wrede plannen. Ik ben jou dankbaar, maar ik haat pa. Om wat hij me heeft willen aandoen!'
Hoewel Berbel ook geen woord was vergeten van alles wat pa die avond had gezegd, probeerde ze zijn houding wat te relativeren. 'Je moet het niet allemaal te zwaar nemen, Lonneke! Toen jij die avond vertelde wat er met je aan de hand was, zijn pa en mam daar geweldig van geschrokken. Vooral pa zag er geen gat meer in. Daardoor gooide hij er van alles uit wat hij diep in zijn hart niet zo meende.

Probeer een beetje begrip op te brengen voor zijn situatie, daarmee voorkom je haatgevoelens. Die zijn echt funest, ze vreten energie. Zit ik nu weer te preken als een oude moeke in plaats van met je te praten als een zusje?' Bij dat laatste keek Berbel haar zus lachend aan. Lonneke was echter de ernst zelve. 'Dat had ik je niet voor de voeten mogen gooien. Feitelijk is het zo dat ik momenteel een moederfiguur nodig heb, want mam laat me domweg vallen als een baksteen. Pa heeft die bewuste zaterdagavond van zijn hart geen moordkuil gemaakt en sindsdien weet ik dat ze me thuis liever zien gaan dan komen. Ze houden niet van mij, misschien ook niet van jou. Want zeg nou zelf: hebben wij van onze ouders ooit liefde ontvangen? Warme zorg en aandacht? Ik kan me niet herinneren dat ik ooit bij pa op schoot heb gezeten, dat jij of ik door mam aangehaald werden. Er werd nooit gevraagd naar onze zielenroerselen als wij eens een keer wat slecht in ons vel zaten. Het allerergste vind ik dat ze geen van beide medelijden of medeleven voor jou toonden toen Marcus jou, door mijn schuld, in de steek liet. Het zit mij nog steeds behoorlijk dwars dat jij om mij de liefste die je had moest verliezen. Dat spijt me heel verschrikkelijk...' Lonnekes ogen vulden zich met tranen en haar mondhoeken trilden.

Het deed Berbel goed dat ze haar zusje te hulp kon schieten, dat ze naar waarheid kon zeggen: 'Het kwam inderdaad hard aan, maar jij mag de schuld niet bij jezelf zoeken. Tussen Marcus en mij was het al een hele poos niet meer zoals het hoorde te zijn. Marcus ging zich meer en meer aan mij ergeren, hij dacht steeds meer na over mij. Hij ergerde zich eraan dat ik aan het eind van de maand krap zat en dat hij altijd zijn beurs moest trekken als hij leuke dingen wilde doen die mijn budget te boven gingen. Zo ging hij zich ook ergeren aan pa en mam, aan het milieu waaruit wij komen. En zijn ouders waren zeer zeker niet blij met mij als hun toekomstige schoondochter. Zo kan ik nog veel meer opsommen, maar dat is zinloos. Ik zeg dit alleen omdat ik wil dat jij je niet schuldig voelt. Dat ik jou in huis nam, was de druppel die de emmer deed overlopen. Als dit echter niet was gebeurd, zou Marcus op een ander moment een punt achter onze relatie hebben gezet. Daar was ik al op voorbereid en zodoende kwam de breuk niet als een donderslag bij heldere hemel. Toe, Lonneke, maak er geen halszaak van! Marcus hield gewoon niet meer genoeg van mij. Daar sta jij helemaal buiten, dat besef je nu toch wel?'

Lonneke haalde haar schouders op. 'Als jij het zegt, dan zal het wel zo zijn. Ik vind het wel heel erg zielig voor je. Jij houdt nog wel van Marcus, dat merk ik aan de manier waarop jij over hem praat. Het is vreselijk als er zo heel abrupt een eind komt aan je liefde zonder dat je het zelf zo hebt gewild...'

'Ik geloof dat jij nu een beetje over je eigen gevoelens spreekt.' Berbel bestudeerde het jonge gezichtje tegenover haar.

Het duurde een poosje voordat Lonneke bekende: 'Zoals jij Marcus mist, zo mis ik Niels nog altijd. Oudere mensen gaan er domweg van uit dat je op mijn leeftijd niet kan spreken van een serieuze liefde. Ze doen er lacherig over, ze spotten ermee. Denk je dat ik dat niet heb gemerkt? Maar wij hielden echt heel veel van elkaar. We zouden niet uit elkaar zijn gegaan als Niels' ouders niet naar Tilburg waren verhuisd. Natuurlijk vind ik het fantastisch dat Niels' vader nu eigen baas is en dat Niels, na het afronden van zijn studie, bij zijn vader in de zaak gaat werken. Maar ik mis Niels... ik kán niet zonder hem.'

Lonneke huilde en hoewel haar tranen door Berbels ziel sneden, versterkten die het vermoeden dat ze aldoor al had gehad. Ze zou Niels' naam in dat verband willen noemen, maar ze besefte dat ze voorzichtig moest zijn. Lonneke was kwetsbaar en zij mocht de dingen niet overhaasten. Daarom zei ze: 'Ik begrijp niet goed waarom jullie het hebben uitgemaakt. De afstand tussen Groningen en Tilburg liegt er niet om, desondanks hadden jullie elkaar toch regelmatig kunnen opzoeken? Eens per maand of zo, totdat je oud genoeg bent om te trouwen of te gaan samenwonen?'

Lonneke veegde driftig langs haar ogen. Ze haalde diep adem en zei toen: 'Dat waren we in eerste instantie ook van plan, totdat Niels op een keer zei dat hij het op die manier niet zag zitten. Hij zei dat hij zich daarginds wilde kunnen ontplooien zonder gebonden te zijn aan een meisje dat hij nog maar af en toe te zien zou krijgen. Ook vanwege onze leeftijd vond Niels het toen opeens beter dat we elk een eigen weg zouden volgen. Die domkop had niet eens in de gaten dat ik zonder hem niks waard ben en dat ik niet alleen hem, maar ook zijn ouders verschrikkelijk mis. Ik hield van die mensen omdat ze zo lief voor me waren. Ze gaven mij wat pa en mam me niet kunnen geven. Niels' broers, Jan-Willem en Joost, behandelden mij als hun kleine zusje. Hen mis ik ook heel erg...'

'Ach, lieverd,' zei Berbel zacht, 'als je eens wist hoe ik met je te doen

heb. Jij mist een familie die je de liefde gaf die je niet kreeg van je eigen ouders. Ik vraag mij af hoe die mensen zouden reageren als ze
wisten dat jij zwanger bent van hun zoon.' Berbel had deze woorden
nu zeer bewust uitgesproken en op een reactie hoefde ze niet wachten. Lonneke keek haar met grote ogen vol schrik aan. Het meisje
had niet in de gaten dat zij zich voor het eerst blootgaf met haar gefluister: 'Hoe weet jij dat…? Of heb ik het soms een keer hardop in
een droom gezegd…?'
Berbel glimlachte. 'Je hebt het me daarnet verteld, niet met woorden,
maar toch heel duidelijk. Schrik maar niet, het is goed dat ik het weet,
nu kun jij er tenminste met iemand over praten. En je hoeft niet bang
te zijn, want als jij dat wilt, zal jouw geheim veilig zijn bij mij. Dit
mag je zien als een belofte die ik niet zal verbreken. Nu wij over dit
tere punt eindelijk vertrouwelijk kunnen praten, wil je me misschien
ook vertellen of Niels weet dat jij zijn kind draagt?'
Heel langzaam schudde Lonneke haar hoofd. 'Nee, Niels weet het
niet en hij mag het niet weten. Ik wil niet dat hij net zo ongelukkig
wordt als ik. Bovendien moet ik er niet aan denken dat zijn ouders
mij ook een sletje zullen vinden als ze weten wat er met mij aan de
hand is. Ze zeiden altijd dat ze trots op me waren, dat ze van me hielden. Ik zou het niet kunnen verdragen als die lieve mensen een verkeerd beeld van mij zouden krijgen.' Hier sloeg Lonneke haar ogen
op naar Berbel en zacht vroeg ze: 'Of ben ik een slecht meisje, Berbel…? Vind jij me diep in je hart ook een slet…?'
'Met het stellen van deze vraag kwets jij me behoorlijk. Ik had verwacht dat je me beter zou kennen. Het is maar goed dat ik jou door
en door ken, want zodoende durf ik openlijk aan eenieder te zeggen
dat mijn kleine zusje heel puur is. Jij bent nooit een roekeloze vlin-
der geweest, je hebt gewoonweg ontzettend veel pech gehad.'
Lonneke knikte en zuchtte tegelijk. 'Bedankt voor je vertrouwen in
mij. Niels en ik hadden het niet eerder gedaan. We durfden het niet
eens en toch gebeurde het op een keer zomaar… Toen zijn ouders
hadden verteld dat ze zouden gaan verhuizen en waarom, hadden
Niels en ik daar verschrikkelijk veel verdriet van. We wilden niet zo
ver van elkaar vandaan wonen, niet gescheiden worden. We hebben
er allebei om gehuild en die keer, toen we elkaar zo heel hard nodig
hadden, gebeurde het. Zonder dat we het wilden, voordat we het wisten. Een paar weken daarna verliet de familie Timmerman het dorp

en een week daarna werd ik niet ongesteld. De maanden die daarop volgden waren verschrikkelijk rottig, ik durfde het tegen niemand te zeggen. Op den duur moest ik ermee voor de dag komen voordat het zichtbaar werd. De rest weet je...'

Daarop zei Berbel bedachtzaam: 'Volgens mij is het niet goed dat Niels niet weet hoe hij jou achter heeft gelaten. Jij zit met de gebakken peren, terwijl Niels zijn handen in onschuld wast. Louter en alleen omdat hij door jou buitengesloten wordt. Vraag jij je nooit af of je daaraan wel goed gedaan hebt, Lonneke?'

Het meisje bloosde diep en koortsachtig zocht ze naar een uitleg waar ze Berbel tevreden mee zou kunnen stellen. 'Ik hou van Niels, hij echter niet meer van mij. Hij had het dorp nog maar een paar weken verlaten toen hij me schreef dat hij niks meer om me gaf. Hij liet toen zelfs doorschemeren dat hij zijn oog had laten vallen op een meisje dat bij hem in de buurt woont.' Hier zweeg Lonneke en Berbel had er geen idee van dat haar zusje een schietgebedje naar boven zond: vergeef me deze leugen uit nood, maar Berbel mag niet alles weten. Met nog steeds een rode blos op haar wangen vervolgde Lonneke: 'Het is bij ons eigenlijk net zo gegaan als bij jou en Marcus. Niels is op mij uitgekeken, omdat hij smoorverliefd is op een ander meisje. Dat geluk gun ik hem, ik pas er echter voor om met hem te móéten trouwen terwijl hij niet meer om mij geeft. Het zou een huwelijk zijn uit plichtsbesef van Niels' kant. Stel je dat eens voor, dat kán toch helemaal niet...?' Lonneke hoopte vurig dat Berbel hierin mee zou gaan. Dan was ze de komende tijd tenminste van een hoop gezeur af.

'Nee, lieve schat, alles wat ik je wens, dát zeer zeker niet! Het zou erop neerkomen dat jij weer net als thuis geen liefde zou krijgen. Ik ben blij dat je eindelijk eerlijk tegen me bent, nu weet ik tenminste zeker dat ik er goed aan heb gedaan jou onder mijn hoede te nemen. Ik zal voor je zorgen en eens zal het allemaal weer goed komen. Voor ons allebei...'

Je moest eens weten, dacht Lonneke, hoe gemeen ik daarnet tegen je heb gelogen. Ik kón niet anders, maar jij verdient dit lelijke gedrag niet van mij. Berbel was een schat, ze had werkelijk het allerbeste met haar voor en zo iemand zou je niet om de tuin mogen leiden. Op dit moment voelde Lonneke in meerdere opzichten haar eigen onmacht en die deed haar timide zeggen: 'Jij bent constant hartstikke lief voor mij en ik kan niks terug doen. Het is mijn schuld dat jij het nu financieel zo moeilijk hebt, dat merk ik heus wel hoor! Maar ik beloof je, als de baby er is, zal ik heel hard gaan werken zodat ik je alles kan terug betalen! Nog maar een paar maandjes, Berbel, dan draag ik mijn steentje bij.' Berbel schudde beslist van nee. 'Wat jij nu voorstelt wil ik per se niet! Ook als de baby er is wil ik dat jij doorleert. Dan kun je wel zoals de meeste studenten een zakcentje gaan bijverdienen, je school zal echter op de allereerste plaats komen. Omdat we het anders niet kunnen bolwerken, zal de baby naar een crèche moeten, en zal ik de kost voor ons drietjes moeten gaan verdienen. Ik krijg er heus niets van hoor, als ik een stapje harder moet lopen, dat mag jouw zorg niet eens zijn! Dat helpt je trouwens niets, want ik heb mijn plannetjes al heel nauwkeurig uitgestippeld en daar zul jij niets aan kunnen veranderen. Ik heb tien dagen de tijd om een baantje te zoeken voor de zaterdagen en voor de avonduren. Dat moet en zal me lukken! En kijk nu maar niet zo geschrokken, ik ben er voor mezelf al klaar mee en heb er zelfs zin in. Met wat extra geld zullen we weer eens een keer uitgebreid kunnen eten, nieuwe kleren kunnen kopen en de babyuitzet zal sneller klaar zijn. Stel je eens voor dat ik zomaar in een dolle bui een leuk knuffeldier voor de baby zal kunnen kopen, dat lijkt mij een ongekende weelde waar ik graag een offer voor breng. En jij hoeft helemaal niet met lede ogen toe te kijken, het huishouden, heb ik bedacht, zal dan grotendeels voor jouw rekening komen. Je bent er nu al handig in, dat is dus geen punt. Nietwaar?'

'Nee, natuurlijk niet! Ik sta dan gelijk met jou op, dan kan ik voor schooltijd nog een hoop doen. Nou en tussen de middag, na schooltijd en 's avonds, zal ik mijn handjes heus laten wapperen, hoor Berbel! En ook op zaterdag, als jij je ergens anders uitslooft, zal ik mijn uiterste best doen voor jou. Het zal een fantastisch gevoel zijn dat ik ook iets voor jou kan betekenen!'

'Dat doe je toch al, ik ben echter blij dat je zo positief tegenover mijn plannen staat. Op deze manier redden wij het samen en komen we waar we zijn willen. We zullen aan 'de boze buitenwereld' tonen dat de zusjes Dekker hun mannetje staan. Toch?'

Lonneke knikte en nadat ze een poosje in gedachten voor zich uit had gestaard, zei ze met een snikje in haar stem: 'Jij houdt je alsmaar groot, terwijl jij net zo ongelukkig bent als ik. We zijn gewoon twee eenzame zielen omdat we alleen maar elkaar hebben. En dat is niet genoeg...' Hier zweeg Lonneke omdat ze haar tranen niet langer voor Berbel kon verbergen.

Deze snelde op haar zusje toe, trok haar dicht tegen zich aan en fluisterde bewogen: 'Stil maar, rustig nou maar... Ik weet het allemaal wel, we missen allebei de liefde in ons leven. We hebben geen vrienden meer, geen ouders bij wie we om steun en goede raad kunnen aankloppen. We stikken zowat in de zorgen en toch, Lonneke, mogen we de moed niet verliezen. We moeten doorknokken, al was het alleen maar voor jouw kindje. Daar kijken wij met verlangen naar uit en ik weet heel zeker dat het jouw eenzaamheid zal opheffen. Zodra de baby er is zal jouw hart gevuld worden met ongekende liefde. Is dat dan voor jou geen veelbelovend vooruitzicht?'

Met dat laatste had Berbel bij Lonneke de juiste snaar geraakt. Haar tranen werden als vanzelf gedroogd. Berbel voelde die van haar nu opeens pijnlijk achter haar ogen branden. En met haar armen beschermend om Lonneke heen, voelde ze de leegte van haar eigen hart.

27

3

'Hier houd ik het niet vol,' mompelde Lonneke terwijl ze opstond en het balkon verliet waar ze een halfuurtje in de zon had gezeten. Ze liep naar binnen en mokte dat het veel te heet was. Gek eigenlijk, want vroeger had ze nooit last gehad van de warmte. Het zou dus wel aan haar liggen. Ze was ook zo afschuwelijk dik, haar buik zat haar voortdurend in de weg. Het duurde nu nog maar een paar weekjes, dan zou ze hopelijk weer een normaal figuur hebben. Zou het erg veel pijn doen, een kind krijgen? Ze zag heel erg op tegen de bevalling.

Alles was anders geworden sinds ze zwanger was, vooral zijzelf. Het was net alsof ze in één klap volwassen was geworden, dat was Berbel ook opgevallen. Zij had onlangs gezegd: 'Jij praat opeens heel anders, wijzer, ouder dan je in werkelijkheid bent. Ik weet niet of ik daar blij mee ben.'

Berbel was echt ontzettend lief voor haar. Ze had voorspeld dat als de baby er eenmaal was, zij – Lonneke – weer gelukkig zou zijn. Dat gaf haar een beetje moed, ze geloofde zelf ook wel dat de baby veel voor haar zou goedmaken. Misschien verlangde ze daarom wel zo verschrikkelijk naar haar kindje. Ze hoopte dat het een jongetje werd, dan kon ze hem tenminste Niels noemen. Hoe zou het zijn met Niels, ze verlangde zo naar hem. Daar bleek dan toch zeker wel uit dat het geen kalverliefde was geweest!

Als aandenken had ze slechts een foto van hem en een stapeltje brieven die hij haar had geschreven nadat hij had gezegd dat ze maar beter ieder een eigen weg konden gaan. Daar was Niels destijds al snel op teruggekomen, in de daaropvolgende brieven had hij haar gesmeekt of zij weer zijn meisje wilde worden. Hij kon haar niet vergeten en hield meer van haar dan ooit tevoren. Ze had er vreselijk om moeten huilen, en toch had ze hem teruggeschreven dat hij haar niet meer moest schrijven. In die brief had ze gelogen dat ze van een jongen uit haar klas was gaan houden. Ze had zelfs een naam genoemd. Sindsdien had ze niets meer van Niels gehoord en dat was precies haar bedoeling geweest. Ze kende zijn brieven inmiddels uit haar hoofd, zo vaak had zij ze herlezen. En vervolgens weer veilig verstopt voor Berbel. Dat verstoppen was een heel gedoe; in het kamertje van de baby moest ze eerst de commode een eind naar voren trekken, en aan de achterkant ervan plakte ze dan de brieven vast met plakband. Ze had de moeite er graag voor over, want het moest haar geheim blijven.

Het was alweer maanden geleden dat ze Berbel grove leugens over Niels op de mouw had gespeld. Ze had er nog geen moment spijt van gehad. Ze had er immers mee bereikt dat Berbel geen lastige vragen meer stelde of erger, dat ze contact zocht met Niels. Daar achtte ze Berbel toe in staat als zij de inhoud van Niels' brieven kende. Alleen het idee al maakte haar doodsbang. Niels mócht niet weten dat hij vader werd, daarmee zou zij zijn toekomst volledig ruïneren. Ze hoefden toch zeker niet allebei de dupe te worden van hun onbezonnen daad? Met Berbels hulp zou zij straks hopelijk de moederrol kunnen vervullen, Niels daarentegen kón nog helemaal geen vader zijn. Zij kende hem als geen ander en bovendien bewees zijn foto het. Die had ze al wel een miljoen keer bewonderd en gekust. Ze had opeens zin om nog één keer zijn lach te zien, zijn mooie, haast gitzwarte ogen, zijn lieve gezicht waarvan ze elk lijntje kende.

Terwijl ze dit bedacht koerste Lonneke al richting babykamer. Even hierna sjorde ze de commode van de muur weg en trok ze haar verborgen schat los van de achterkant. Ze wist precies in welke brief de foto zat en daar stond ze vervolgens lang mee in haar handen. Haar ogen zogen zich vast aan het beeld van een nog niet volgroeide jongen. Niels Timmerman was groot voor zijn leeftijd, maar opvallend tenger. Zijn middel zou je met twee handen kunnen omvatten, zijn lachende gezicht drukte een kinderlijke zorgeloosheid uit. Zijn donkere ogen sprankelden van een jongensachtige overmoed. Zelfs op de foto was te zien dat zijn kortgeknipte haar in plukjes rechtop bleef staan vanwege de vele gel dat hij erin had gesmeerd. In deze jonge knul kon je in de verste verte geen serieuze vaderfiguur ontdekken, wat dát betrof had Lonneke gelijk. Zij drukte een hartstochtelijke kus op de foto en fluisterde: 'Ik hou van je en daarom wil ik dat jij gelukkig wordt. Ik zal het zonder jou niet meer kunnen zijn, en ook dat mag jij niet weten…'

Ze streek driftig langs haar ogen en schrok zich een hoedje toen op dat moment de bel van de voordeur ging. Wie kan dat nou zijn, vroeg ze zich paniekerig af, en waar laat ik nu zo snel de brieven? Een ogenblik stond ze er besluiteloos mee in haar handen, vervolgens stopte ze ze onder het dekbedje van het kinderledikantje. Voordat ze het kamertje verliet, schoof ze de commode met een snel gebaar weer op zijn plaats. Met een verhit gezichtje opende ze de deur en keek ze verbluft in het gezicht van haar moeder. 'Mam...?'

Bien Dekker knikte. 'We horen maar niks van jullie en dus besloot ik zelf maar eens poolshoogte te gaan nemen. De tijd vordert voor jou, is het niet?'

'Ja, het duurt nog maar meer een paar weekjes. Kom verder...'

Bien stapte naar binnen en sloot de deur achter zich. Net als Lonneke voelde zij zich opgelaten en daardoor dacht ze er niet aan haar dochter een kus te geven of haar even tegen zich aan te trekken. Ze rebbelde erop los. 'Wat is het warm, hè? Ik kan er slecht tegen en nu moest ik voor jou ook nog een busreis maken. Als ik zeg dat dat een pretje was, zou ik liegen.'

'Waarom heb je het dan niet uitgesteld tot het wat koeler is?' vroeg Lonneke zich hardop af. Ze waren inmiddels in de huiskamer, waar Lonneke haar moeder een stoel wees. Bien ging zitten en keek met grote ogen om zich heen. 'Ik weet niet wat ik zie!' riep ze uit. 'Vroeger had Berbel het zo mooi voor elkaar en nu staat de oude troep er weer die ze destijds had afgedankt. Hoe kan dat nou!'

'Dat het je opvalt, bewijst dat je hier al een hele tijd niet geweest bent,' zei Lonneke stroef. 'Toen Marcus Berbel in de steek liet, heeft hij het grootste gedeelte van de nieuwe meubels meegenomen. Berbel en ik zijn er inmiddels al aan gewend dat we niet in een paleisje wonen. Wat heb je liever, thee of koffie?'

'Ik lust wel een glas fris, als je het in huis hebt het liefst cola.'

'Het spijt me, mam, ik kan je alleen ranja aanbieden. Berbel heeft uitgerekend dat een fles vruchtensiroop, die je met water moet aanlengen, stukken voordeliger is dan een fles cola of zo. We moeten noodgedwongen op de kleintjes letten en op den duur word je daar steeds behendiger in.'

Lonneke stond op en toen ze even later een glas ranja voor Bien neerzette, kon deze niet nalaten te zeggen: 'Je hoeft tegen mij niet zo beknibbelend te doen, hoor! Het is alweer maanden geleden dat Berbel mij vertelde dat ze er een baan bij had genomen. Die hele tijd genieten jullie dus al een dubbel inkomen en dat kunnen wij helaas niet zeggen. Het valt pa en mij eerlijk gezegd zwaar tegen dat er nooit eens een extraatje voor ons af kan. Wij missen nog steeds het geld dat Berbel vroeger aan ons afstond. Wij hebben het nodig, maar dat zal Berbel een zorg zijn!'

'Wat gemeen om dat te zeggen,' viel Lonneke boos uit, 'je weet heus wel dat Berbel er hopeloos beroerd voor staat! Ze heeft die baan er niet voor de lol bij genomen hoor, het was bittere noodzaak! Ze staat op koopavond en op de zaterdagen als verkoopster in een schoenenzaak en dat valt voor haar echt niet mee. Van een dubbel inkomen is geen sprake, het is zuiver een bijverdienste. Ik kan het niet uitstaan dat jij jaloers bent op Berbel, zij doet zo verschrikkelijk haar best voor mij. Ze heeft alles voor me over, dáár zou jij eens over na moeten denken!'

De duidelijke terechtwijzing trof Bien pijnlijk. Omdat ze vreesde dat het gesprek een voor haar vervelende wending zou nemen, begon ze over iets anders. 'Hoe is het eigenlijk met jou? Berbel vertelde ons dat jij na de grote vakantie het laatste jaar van de havo ingaat?'

'Ja, en ook dat heb ik louter aan Berbel te danken. Totdat ik zes maanden heen was, ben ik gewoon naar school gegaan. Daarna mocht ik dankzij Berbel thuisblijven. Zij heeft indertijd een gesprek gehad met mijn leraar, David Vrijman, en daar kwam uit voort dat ik huiswerk mee kreeg en de lessen thuis mocht maken. Hoewel ze er nauwelijks de tijd voor had, hielp Berbel me ermee, en meneer Vrijman kwam twee, soms drie keer in de week 's avonds langs om mij te begeleiden. Zodoende heb ik het gehaald en is het voor mij, ondanks alles, geen verloren schooljaar geweest. Ik hoefde niet met een vreselijk dikke buik naar school en daar zal ik Berbel en meneer Vrijman eeuwig dankbaar voor blijven.'

'Eeuwig lijkt me wat overdreven. En je dankbaarheid is niet meer dan normaal, want uiteindelijk is het allemaal je eigen domme schuld geweest,' zei Bien bestraffend. 'Pa is er nog steeds niet overheen. Ik probeer me er bij neer te leggen, maar dat valt niet mee. Nu ik zie dat je zowat op het laatst loopt, heb ik wel met je te doen. Je ziet er zo verschrikkelijk moe en afgetobd uit, voel je je ook zo?'

Wat een stomme vraag, dacht Lonneke verbolgen. Ze was niet van plan om haar moeder te vertellen hoe zij zich vanbinnen voelde, waar ze over prakkiseerde en vaak om moest huilen. Ze deed heldhaftig, quasi-luchtig: 'Ik heb daarnet te lang in de zon gezeten, daar ben ik moe van geworden. Over afzienbare tijd krijg ik mijn baby en die is bij Berbel en mij ontzettend welkom. Wil je de babykamer eens zien?

31

Het ziet er echt schattig uit…' Lonneke was bang dat ze teleurgesteld zou worden, Bien wipte echter meteen op.

'Ja, ik ben benieuwd.'

Kort hierna stonden ze in het piepkleine kamertje en zei Lonneke enthousiast: 'Het ledikantje en de commode hebben we op een rommelmarkt gekocht voor zeven euro per stuk! We hebben ze helemaal moeten afschuren, waarna we ze in de grondverf hebben gezet en afgelakt. Het was een heidens karwei, maar het resultaat mag er zijn. Toch?' voegde ze er wat onzeker aan toe.

'Ja, het ziet er allemaal netjes uit. Je hebt zelfs al een knuffelbeest, zie ik!' Voordat Lonneke kon zeggen dat ze die van Berbel had gekregen, vervolgde Bien: 'Ik heb in een speelgoedwinkel een keer met zoiets in mijn handen gestaan. Toen ik de prijs zag, heb ik hem echter maar snel weer teruggezet. Dat is nou achteraf maar goed ook, want een kind kan maar met één zo'n ding tegelijk spelen. Je moet het niet gaan verwennen, daar moet je voor oppassen!'

'Mag ik het wel liefhebben, mam…?'

Bien keek haar dochter verbaasd aan. 'Wat stel jij toch altijd rare vragen, wat moet ik daar nou op zeggen! Liefhebben,' smaalde ze, 'alsof het hebben van kinderen een sprookje is. Als jij had geweten waar je aan begon van tevoren, zou je je wel tien keer hebben bedacht voordat je zo schandelijk te ver was gegaan. Wie is eigenlijk de vader van je toekomstige kind? Het wordt tijd, Lonneke, dat je dat aan je moeder vertelt!'

'Als ik wist waar zij was zou ik het misschien doen, maar nu jij op deze manier tegen mij praat, voelt het alsof ik geen moeder heb. Een echte moeder zou me omarmd, getroost en gekust hebben en dat doe jij niet…' Lonneke sloeg haar ogen op naar Bien.

In de kinderlijk hunkerende blik las deze het onuitgesproken verlangen dat zij, in haar onmacht, niet geven kon. Ze kleurde van de zenuwen tot in haar hals en mompelde: 'Ik moet er weer eens vandoor, pa zal niet weten waar ik blijf. Ik heb gezien dat jij het redt, en dat is een hele geruststelling. Dag… kind.' Even hierna was Bien Dekker net zo onverwachts vertrokken als ze gekomen was. Zou de vrouw erbij stilstaan hoeveel pijn zij Lonneke had bezorgd?

Nadat Bien het huis van haar dochters ontvlucht was, kroop Lonneke in de huiskamer weg in een hoekje van de bank waar ze haar tranen vrijelijk liet stromen. En in tegenstelling tot alle voorafgaande keren, huilde ze ditmaal niet om Niels, maar om zijn moeder.

Berbel had er geen idee van wat er die middag in haar flat was gebeurd. Ze piekerde over haar eigen problemen toen ze bij de dokter op haar fiets stapte en naar huis reed. Het is beslist geen plezierige dag geweest, dacht ze. Vanochtend was het spreekuur behoorlijk uitgelopen en dat had het humeur van dokter Wittenaar nadelig beïnvloed. Dat had zij in eerste instantie tenminste gedacht, omdat hij zo afstandelijk en narrig tegen haar had gedaan. Gemakshalve had ze haar schouders erover opgetrokken, hij had immers wel vaker van die buien.
De morgen was voorbijgevlogen doordat ze het smoordruk had gehad. De telefoon had zowat niet stilgestaan, en tussen de bedrijven door had ze rekeningen uitgeschreven en herinneringsnota's verstuurd. Zoals zo vaak had zij zich erover verbaasd dat sommige mensen de diensten van hun huisarts niet stipt op tijd betaalden. Er was een bejaard echtpaar geweest bij wie zij de oren had moeten uitspuiten en zo zou ze nog talloze dingen kunnen opsommen.
Van twaalf tot halfeen was de praktijk gesloten. Dan ging dokter Wittenaar naar boven om te lunchen en zij bleef in haar 'hokje' om de boterhammen die ze van huis had meegenomen, op te peuzelen. Zo was de gang van zaken normaliter, maar vandaag was het anders verlopen. Ze had nauwelijks een boterham naar binnen gewerkt toen haar baas opeens binnen was gekomen, met nog steeds een niet al te vriendelijk gezicht. Op de een of andere manier stoort hij zich aan mij, had ze gedacht. Sinds Lonneke bij haar woonde en dokter Wittenaar wist dat ze er een baan bij had, was de verstandhouding tussen hen er niet op vooruitgegaan. Hij had al diverse keren gezegd dat ze er afgetobd uitzag, maar dat hij niettemin van zijn assistente eiste dat ze haar werkzaamheden voor hem optimaal vervulde. Goed, ze was een paar keer te laat gekomen doordat ze zich van vermoeidheid had verslapen. Dat vond ze zelf heel erg, ze schaamde zich ervoor. Desondanks vond ze dat het de beste kon overkomen, het was immers geen onwil.
Vanochtend was ze echter ruimschoots op tijd in de praktijk geweest. Daar kan hij me niet op aanvallen, had ze gedacht toen hij tijdens de lunchpauze opeens voor haar had gestaan. Hij was op een kruk te-

33

genover haar gaan zitten en had gezegd dat hij met haar moest praten. Zichtbaar nerveus had hij een paar keer gekucht voordat hij van wal was gestoken. Zij had haar oren niet durven geloven toen ze hem had horen zeggen: 'Zoals je weet is Thijs, de jongste van onze drie kinderen, kortgeleden als laatste de deur uit gegaan. Hij studeert nu in Leiden waar hij in een studentenhuis woont. Tot zover is er niets aan de hand en zou de situatie gezond zijn, als mijn vrouw er tenminste vrede mee zou kunnen hebben. Met het vertrek van Thijs is zij echter in een gat gevallen dat hoe dan ook voor haar opgevuld zal moeten worden. Vóór de geboorte van de kinderen was zij in de praktijk mijn rechterhand… ik denk dat het voor mijn vrouw zeer goed zou zijn als zij en ik weer op de vroegere voet verder gingen. Begrijp je?'

Ze had dokter Wittenaar recht aangekeken toen ze zei: 'Dat lijkt me niet zo moeilijk. Ik word door u op een beleefde manier de laan uitgestuurd. Toch…?'

'Privéomstandigheden geven mij niet het recht jou te ontslaan.' Hij had zenuwachtig met beide handen door zijn haar gestreken en een hoorbare zucht geslaakt. 'Dat is ook allerminst mijn bedoeling, ik wil je een voorstel doen.' Het kwam erop neer dat hij in de stad of erbuiten bij een van zijn collega's zou informeren of een van hen mogelijk een nieuwe assistente nodig had. Tot zolang zou zij gewoon op haar post kunnen blijven, met dien verstande dat zijn vrouw zich ondertussen alvast weer wat ging inwerken.

Dat betekent dus, dacht Berbel terwijl ze stevig doorfietste, dat ik mijn hokje met haar zal moeten delen, dat ik totaal geen vrijheid van werken meer zal hebben. Dat vooruitzicht lokte haar allerminst. Aan dokter Wittenaar had ze nog gevraagd: 'Is het alleen omdat uw vrouw zich verveelt, of… speelt mijn huidige leven er ook in mee? U keurt het niet goed dat ik in een schoenenwinkel sta, dat doe ik echter in mijn eigen tijd. Zonder u te benadelen!'

'Over dat laatste heb ik zo mijn twijfels,' had hij gezegd. 'Natuurlijk ben je vrij om te doen wat je wilt als je dagtaak er hier op zit. Momenteel heb ik weinig reden tot kritiek, maar dat zal vermoedelijk anders worden als het kind van je zus geboren is. Jou kennende zal het kind straks ook volop jouw zorg hebben. Als je hier achter de computer zit zullen je gedachten elders zijn en dat heeft voor mij hoogstwaarschijnlijk nadelige gevolgen. Jouw opoffering voor je zus en straks ook voor haar kind, zal net iets te ver gaan. Voor jezelf, maar ook zeer zeker voor mij. Voorlopig laten we het hierbij, we komen er later nog op terug.'

Hoe ze daarna de middag was doorgekomen, wist ze niet. Ze had de hele tijd wel kunnen huilen. Van onmacht en van verdriet. Ze had haar ontslag gekregen, daar kwam het feitelijk op neer, en die ellendige boodschap kón ze er niet ook nog bij hebben. Het was allemaal al zo moeilijk, moest ze dan nu ook nog eens opnieuw beginnen bij een andere dokter? Waarom had ze vroeger toch per se doktersassistente willen worden? Zo'n mooi beroep was het nou ook weer niet. Ze zat alle dagen alleen in een vertrek dat niet meer was dan een hokje. Zonder ramen, zonder licht van buiten, maar ook zonder collega's.

Sinds ze bij de schoenenwinkel werkte, was ze erachter gekomen hoe gezellig het was om samen met collega's koffie te drinken en tussen de bedrijven door een babbeltje te maken. Annemarie was echt een leuke meid en Wiert zat vol humor. Hij maakte iedereen steeds aan het lachen, maar daarnaast kon hij ook serieuze, diepgaande gesprekken voeren. Met de bedrijfsleider, Remco Plasman, kon ze het ook goed vinden en hij was tevreden over haar. In tegenstelling tot dokter Wittenaar, die geen pluimpje over zijn lippen kon krijgen, gaf Remco haar telkens complimentjes. 'Jij kwam hier met – wat het vak betreft – twee linkerhanden, maar in een mum van tijd had je het onder de knie. Ik zou je niet graag meer willen missen, wat mij betreft mag je fulltime bij me komen werken!'

Toen had ze zijn goed bedoelde woorden lacherig van de hand gewezen, nu kon het misschien geen kwaad als ze er eens serieus over nadacht. In elk geval hield ze dan de eer aan zichzelf, ze zou uit eigen beweging weggaan in plaats van weggestuurd te worden. Ze wist van Wiert en Annemarie hoe hun maandsalaris eruitzag. Het was minder dan wat ze bij dokter Wittenaar verdiende, maar het verschil was niet eens zo groot. Omdat ze heel zuinig moest zijn, kon ze het zich niet veroorloven met minder genoegen te nemen, maar ze zou het tekort weer kunnen aanvullen met een ander bijbaantje. Het is in ieder geval het overwegen waard, dacht Berbel, want bij dokter Wittenaar is de lol er voor mij nu in één klap af. Zij werd doodleuk opzij gezet omdat zijn vrouw zo nodig weer moest werken.

Waarom had zij altijd pech, wanneer brak de tijd aan dat het geluk ook weer eens met haar was? En hoe zag geluk eruit? Zelfs dat wist ze al haast niet meer... O, nu zat ze zichzelf weer in de put te praten en dat terwijl ze vlak bij huis was. Gauw een paar keer diep ademhalen, Lonneke mocht de zorgen zo dadelijk niet van haar gezicht kunnen aflezen. Lonneke was er nog veel beroerder aan toe, dat mocht zij vooral niet vergeten! Ze kon niet meer naar haar zusje kijken zonder diep medelijden met haar te krijgen. Ze was zo verschrikkelijk dik, het lieve vrachtje dat ze bij zich droeg was zichtbaar te zwaar voor haar. Haar gezichtje zag er dodelijk vermoeid uit. Ze had diepe, blauwe kringen onder haar ogen, die al heel lang niet meer glansden van levensvreugde. Arme Lonneke...

Berbel begroef manhaftig haar zorgen en medelijden toen ze de flat binnenstapte en ze Lonneke in de keuken begroette. 'Dag, lieverd! Wat ruikt het hier lekker, wat eten we?'

'Gebakken aardappelen met sla en een tartaartje. Dat was in de aanbieding en omdat we er nu vlees bij hebben, heb ik geen eitje op de sla gedaan, enkel plakjes tomaat. We krijgen gele vla toe, heb ik het zo goed gedaan?'

'Je bent een geweldig goed huisvrouwtje, je bent zo mogelijk nog zuiniger dan ik. Ik zie dat alles klaarstaat, dan gaan we snel aan tafel. Het is koopavond, over een uurtje moet ik alweer in de schoenenwinkel zijn. Het wordt dus weer haasten, want ik wil me straks ook nog even opfrissen en verkleden.'

Ze schoven aan tafel en nadat ze gebeden hadden, concludeerde Lonneke met een blik op Berbels gezicht: 'Er is iets met jou, dat zie ik! In je ogen zijn geen tranen en toch huilen ze een beetje. Heb je verdriet om Marcus?'

Berbel glimlachte en streek haar zusje vertederd over het haar. 'Ik mis hem steeds minder, ik raak eraan gewend dat hij gelukkig is met een ander. Nee, het is niet om Marcus, ik heb alleen een wat minder geslaagde dag achter de rug. Het zat allemaal behoorlijk tegen, mag ik wel zeggen.' Daarna vertelde ze Lonneke wat dokter Wittenaar had gezegd. Ze besloot die uiteenzetting met: 'Het is helemaal niet nodig dat jij meteen zo geschrokken kijkt, want achteraf valt het allemaal wel mee. Met een beetje geluk neemt Remco Plasman mij in vaste dienst en zo niet, dan kom ik wel ergens anders aan de slag. Ik blijf in ieder geval niet bij dokter Wittenaar en ik peins er al helemaal niet over om lijdzaam te moeten afwachten totdat een van zijn collega's belangstelling voor mij gaat tonen. Dát besluit heb ik daarnet genomen toen ik mijn fiets in de berging zette. Het komt wel weer goed, geloof me! Als het moet kan een mens veel meer dan hij zelf voor mogelijk houdt. Ik laat me domweg niet ondersneeuwen. Door niemand!'

'Ik wou dat ik zo sterk was als jij,' zei Lonneke zacht. 'Ik doe juist het omgekeerde. Ik heb vanmiddag wel een uur lang heel erg zitten huilen vanwege mam...'

Berbel keek haar verbaasd aan. 'Hoe kwam dat dan, miste je haar na al die tijd opeens?'

Lonneke schudde haar hoofd. 'Nee, maar ze stond vanmiddag opeens voor de deur. En ze deed helemaal niet lief tegen me, daar moest ik om huilen. En dat is stom, want ik weet immers wel dat mam ons niet kan geven wat wij graag willen. En toen verlangde ik opeens heel erg naar Niels' moeder. Zij sloeg zo vaak een arm om me heen en dan noemde ze me haar lieverdje...' Lonneke moest opnieuw een paar tranen drogen. Toen vertelde ze Berbel gedetailleerd wat Bien Dekker had gezegd, gedaan en nagelaten.

Ze was nauwelijks uitgesproken toen Berbel verontwaardigd uitviel: 'Ik heb er nu geen tijd voor, zodra dat wel het geval is zal ik naar huis bellen. Mam mag niet zomaar voor jouw neus staan, ik wil niet dat zij je overstuur maakt. Alles moet haar voorgekauwd worden, ongevoelig als ze is pikt ze dergelijke dingen niet zelf op. Zit er maar niet mee, er breken voor jou weldra betere tijden aan. Als je kindje er is, ga jij weer leven. Daar zorg ik voor, dat beloof ik je!'

Op dit moment had Berbel er geen idee van hoe ze deze, zo vlot uitgesproken belofte ooit zou kunnen vervullen. Veel later zou ze zeggen dat God op dat ogenblik heel dicht bij haar was geweest. Hij had haar de woorden ingegeven die zij tegen Lonneke had gezegd; ze zag het als een belofte van Hem, die Hij zonder twijfel zou vervullen. Nu vond ze het meer dan vervelend dat ze tegen Lonneke moest zeggen dat ze zich klaar moest maken omdat ze ervandoor moest.

'Het kost me moeite jou alleen te laten, want je bent de hele dag al alleen geweest. Er zit echter niks anders op, het is een troost voor me dat jij in ieder geval televisie kunt kijken. Ik vind het nog altijd reuze lief van jouw docent dat hij ons gratis en voor niks een tv cadeau deed. Het is weliswaar een oudje, dat al jaren nutteloos bij hem op zolder stond, maar hij doet het nog en wij zijn er geweldig mee geholpen! En zo zie je maar weer, Lonneke, dat het nooit helemaal zwart-wit is. Als je goed kijkt en het zien wilt, kun je overal een warm kleurtje ontdekken. En nu gaat 'moeke' ervandoor, want ze zit weer hopeloos ouwelijk tegen je aan te kletsen. Nietwaar...?'

'Dat moet je niet zeggen, jij doet alles goed, ik niet. Ik moet niet meer zo vaak te huilen en meer lachen.' Ze trok haar smalle schouders op en voegde er kinderlijk aan toe: 'Ik weet alleen niet waar ik om zou moeten lachen...'

Berbel snelde op haar toe. Ze legde beschermend een arm om haar heen en zei bewogen: 'Arme schat, je hebt weinig reden tot lachen, ik weet het wel. Je had je vriendinnen niet allemaal zo pardoes aan kant moeten schuiven. Vroeger kon je om niks met je vriendinnen in een deuk liggen, en dat was gezond. Dat moet terugkomen.'

'Dat kán helemaal niet. Ik ben in een paar maanden tijd jaren en jaren ouder geworden. Zo voelt het, zo gedraag ik me en daarom pas ik niet meer bij mijn vroegere vriendinnen. Ik kan niet meer schaterlachen om de onbenulligheden die zij uitkramen, die zijn zó kinderachtig! Ga nu maar, Berbel, anders kom je nog te laat door mijn gezeur.'

Berbel streek haar liefkozend over een wang. 'Ja, ik moet gaan, tegen halftien ben ik wel weer thuis. Dan knopen we samen nog een paar gezellige uurtjes aan de dag vast. Dag, lieve schat, niet te veel piekeren, hoor!'

Niet veel later schoot Berbel opnieuw op de fiets door de stad en bedacht ze dat ze dolgraag bij Lonneke was gebleven. En niet alleen om haar gezelschap te houden, ook om zelf eens een avond lekker languit op de bank te liggen om uit te rusten. Ze was moe, ze kreeg gewoon te weinig rust, wist ze zelf. Zelfs op zondag kreeg ze niet de nodige rust. Als ze uit de kerk kwam móést zij noodgedwongen 'vergeten' dat het een rustdag was en dat die geëerd moest worden. Nadat ze koffie hadden gedronken moest zij aan de slag om huishoudelijke karweitjes op te knappen die voor Lonneke te zwaar waren nu zij op het laatst liep. Voor geen goud wilde ze dat Lonneke op een trap zou klauteren om de ramen te zemen, of dat ze zich zou vertillen aan het verschonen van de bedden. Ach en zo was er zoveel dat gedaan moest worden en waarvoor Lonneke de kracht en de soepelheid miste. Dat kwam wel weer, nog even volhouden en de tanden erin zetten. Na de geboorte was Lonneke weer inzetbaar, maar of ze het dan zouden redden? De baby zou overdag naar de crèche moeten, die was echter niet gratis en het was de vraag of ze het geld ervoor konden missen. Hoewel ze enorm haar best deed, stond ze toch rood en het lukte domweg niet om het tekort weer aan te vullen. Dat rottige geld ook altijd, het leek wel alsof alles daarom draaide.

Zo, piekerend en peinzend was Berbel bij schoenenwinkel Doornbosch aangekomen en daar kreeg ze geen tijd meer om stil te staan bij alle zorgen in haar hoofd. Met een vriendelijk gezicht en een even vriendelijk woord, hielp ze klant na klant. Ze hielp een dame op leeftijd die ze voor het passen een schoenlepel overhandigde, toen ze Annemarie achter zich hoorde zeggen: 'Kan ik u misschien helpen, meneer?' Berbel adviseerde haar klant dat dit schoentje niet geschikt voor haar was, dat ze iets anders zou laten zien en ondertussen ving zij het antwoord op van Annemaries klant. 'Heel vriendelijk van je, ik wil echter liever door Berbel geholpen worden. Nergens om hoor, maar ik ken haar toevallig.'

Berbel kwam uit haar gehurkte houding overeind, ze keerde zich naar de stem toe en zei verrast: 'David! Wat leuk jou hier te treffen! Neem even ergens plaats, ik kom zo dadelijk bij je.'

'Een oude bekende?' vroeg het dametje niet zonder nieuwsgierigheid. Berbel vertelde dat de man de leraar van haar zusje was. 'Kijk, hoe vindt u dit schoentje? Het heeft een bredere pasvorm waardoor u er beslist meer plezier van zult hebben. Het vorige paar was te smal en knelde, een schoen moet meteen bij het passen al prettig aan de voet voelen. Er wordt weleens gesuggereerd dat een nieuwe schoen uitgelopen moet worden, maar dat is een verkooppraatje dat u bij ons in de zaak niet zult horen.'

Na nog wat getreuzel en geaarzel kocht de vrouw de schoenen en nadat Berbel met haar afgerekend had, spoedde ze zich naar David Vrijman. 'Leuk om je weer eens te zien! Zoek je een paar nieuwe schoenen?'

'Nou, eigenlijk niet. Mijn vrouw is aan de overkant in een modezaak aan het neuzen en aangezien dat niet mijn hobby is, besloot ik even te gaan zien hoe jij het maakt. Je ziet er moe uit, Berbel, pas je wel goed op jezelf?'

'Ja hoor, niks aan de hand! We zijn nog altijd blij met de televisie die jij ons schonk, daar hadden Lonneke en ik het vanavond toevallig nog over.'

'Hij doet het dus nog, valt het beeld niet meer weg?'
Daarop zei Berbel lachend: 'Jawel, maar daar had jij ons voor gewaarschuwd. Jouw advies om in dat geval met beide handen tegen
de zijkanten van het toestel te slaan, werkt perfect!'
David lachte. 'En hoe is het met Lonneke?'
'Ja, wel goed. Naar de omstandigheden vanzelfsprekend. Ik ben nog
altijd zo blij, David, dat Lonneke dankzij jou door kan stromen naar
het laatste jaar van de havo. Ik heb nog aldoor het gevoel dat ik je
daar niet genoeg voor heb bedankt.'
'Niet zeuren, Berbel, dat past niet bij jou!' Hij lachte breed.
Berbel was echter ernstig. 'Lonneke ziet ertegen op dat ze het volgende schooljaar zonder jou moet doen. Jij bent volledig op de hoogte van haar achtergrond, een nieuwe leraar niet.'
'Het is helaas niet anders,' zei David Vrijman. 'Om eerlijk te zijn
kwam ik hier ook daarom even binnenwippen. Ik wilde je zeggen dat
als er iets is waar jullie samen niet uit komen, je altijd bij mij kunt
aankloppen. Zul je dat doen, Berbel, als je onverhoopt in moeilijkheden mocht raken?'
'Ja… Dat is hartstikke lief van je, bedankt alvast.'
David knikte goedkeurend. 'Dan houd ik je nu niet langer op, want
ik zie dat er een klant op je staat te wachten. Sterkte en probeer niet
louter aan Lonneke te denken, maar ook aan jezelf!'
Berbel schonk hem een lach. 'Ik zal het advies in mijn oren knopen!
Dag, doe de groeten aan je vrouw!' Toen David verdwenen was, richtte Berbel zich tot een jong meisje dat met een paar schoenen in de
hand stond en informeerde: 'Hebben jullie deze ook in maat zesen-
dertig?'
'Ja, hoor!' zei Berbel, 'als ze niet meer in het schap staan zijn ze nog
wel in het magazijn. Ik zal ze voor je halen.' Even gehaast als kwiek
liep ze door de winkel en ondertussen bedacht ze dat ze niet moest
vergeten om Lonneke te zeggen dat ze met David had gesproken.
David was een aardige man, zulke goede mensen zouden er meer
moeten zijn. Gewapend met de gevraagde schoentjes keerde ze in de
winkel terug en nadat ze gepast waren, moest er opnieuw afgerekend
worden. Dit ritueel herhaalde zich nog enkele malen en in een oogwenk was het zomaar weer sluitingstijd.
Zoals te doen gebruikelijk dronken de bedrijfsleider Remco Plasman,
Annemarie, Wiert en zij daarna gezamenlijk een kop koffie en werd

er gezellig over van alles en nog wat gekeuveld. Berbel betrapte zich erop dat ze dit werk, de sfeer eromheen vooral, eigenlijk veel leuker vond dan haar baan bij dokter Wittenaar. Ze kreeg geen gelegenheid om Remco apart te nemen voor de vraag die op haar tong brandde en daarom besloot ze snel naar Lonneke te gaan. 'Jullie kletsen nog maar gezellig een poosje door, maar ik stap op!'

Wiert keek haar verontwaardigd aan. 'Doe nou eens een keertje niet zo flauw! Annemarie en ik gaan in de stad nog even iets drinken, we rekenen erop dat jij deze keer van de partij zult zijn. We hebben je al zo vaak mee uit gevraagd, voor je goede fatsoen kun jij geen nee blijven zeggen, hoor!'

'Toch zal ik het moeten doen,' zei Berbel met een ietwat verlegen lachje om haar lippen. 'Lonneke zit de hele dag al alleen te kniezen, ik heb haar beloofd dat we het straks samen nog even gezellig gaan maken. Sorry, jongens!' Berbel stond resoluut op, ze wilde de pas erin zetten, maar Remco hield haar tegen.

Hij keek haar doordringend aan. 'Weet jij wel, Berbel Dekker, dat niemand gebaat is bij een allesoverheersende, opofferende liefde? Jij doet niet anders jegens je zusje, ik durf te voorspellen dat je het eens op je brood zult krijgen! Dit kan niet goed gaan, geen mens hoeft zich ter wille van een ander zo op te offeren als jij dat doet. Waarom zie je dat niet in, en gooi je het roer niet om? Dat wordt echt de hoogste tijd, hoor!'

'Je weet niet wat je zegt,' zei Berbel. Voor haar geestesoog verscheen het beeld van Lonneke. 'Ik offer me helemaal niet op, ik houd van mijn zusje. En dan gaat het allemaal vanzelf. Nou, dag hoor, tot zaterdag!'

Ze rende het kantoortje uit en onderweg naar huis vroeg ze zich verdrietig af waarom de mensen zo weinig begrip konden opbrengen voor haar situatie. Ik offer me niet op, had ze gezegd, wat zij voor Lonneke deed wás geen opoffering! Niettemin had ze Wierts uitnodiging dolgraag willen aannemen. Wat was er nou leuker dan ergens gezellig iets te drinken, te kletsen en te lachen. Ze was even jong als Wiert en Annemarie, ze had behoefte aan dezelfde uitjes. Ze zou echter een grote egoïste zijn als ze Lonneke aan haar lot overliet. Dat kon ze niet, het mócht trouwens niet.

Zij, Berbel Dekker, had een taak te vervullen die God haar had opgedragen. Zo voelde zij het en daardoor was ze ervan overtuigd dat het goed was wat zij deed. Ze had Lonneke beloofd dat ze het nog een paar uurtjes gezellig zou maken, maar hoe moest ze dat straks in vredesnaam klaarspelen? Haar hart was opeens zo vol dat ze veel gemakkelijker een potje zou kunnen janken. O, Lonneke, help me straks. Want zoals jij mij aldoor nodig hebt, zo heb ik jou nu voor de komende uurtjes heel hard nodig. Jij moet nu eventjes voorop gaan en het voor mij een klein beetje prettig maken. Ik ben óók jong, wanneer mag ik dat weer eens voelen…?

Berbel had er nog geen idee van dat zij over luttele ogenblikken toch weer zelf voorop zou gaan, omdat een jong mensenkind in nood haar niet eerder zo nodig had gehad.

In één oogopslag zag Berbel bij binnenkomst dat het niet goed ging met Lonneke. Ze zat als een ellendig hoopje weggedoken in een hoekje van de bank, haar ogen, die ze opsloeg naar Berbel, drukten een radeloze angst uit. Berbel snelde op haar toe, hurkte voor de bank neer en overbezorgd vroeg ze: 'Wat is er met je, wat is er gebeurd dat je zo angstig bent? Ach, lieverd, je trilt helemaal!'

'Ik ben zo bang, Berbel… dat ik mijn kindje ga verliezen. Ik voel geen leven meer en… ik heb bloed verloren…'

'O, Lonneke toch! Waarom heb je me niet gebeld, dan was ik immers meteen naar huis gekomen. Wat moet ik nu doen?' vroeg ze zich paniekerig hardop af. 'Ja, ja, natuurlijk, ik moet jouw huisarts bellen. Stil maar, het komt wel goed, niet bang zijn,' zei ze terwijl de angst om Lonneke haarzelf haast verlamde.

Haar hand trilde toen ze het nummer van Lonnekes dokter intoetste, en haar stem leek die van een ander toen ze hem vertelde wat er met Lonneke aan de hand was. De dokter gebood dat Lonneke plat moest gaan liggen, hij beloofde dat hij er in een oogwenk zou zijn. Daarmee stelde hij Berbel enigszins gerust. Later zou ze niet tot in details kunnen navertellen wat er precies was gebeurd in de tijd die volgde; het verliep allemaal als in een roes. Ze zat opeens naast Lonneke in een ambulance en later in het ziekenhuis. Zonder Lonneke. Haar zusje was in goede handen, zij – Berbel – mocht wachten tot er meer duidelijkheid over Lonnekes toestand was. Ze had het gevoel dat ze uren en uren op het puntje van een harde stoel had gezeten toen er eindelijk een man in het wit op haar toe kwam. Hij stelde zich voor als dokter Lunshof.

'Het goede nieuws is dat met de baby alles in orde is. Het hartje klopt regelmatig. We hebben je zus een middel toegediend dat de bloedingen moet tegengaan, verdere onderzoeken volgen nog. Omdat ze bijna is uitgerekend, nemen we geen risico en houden we haar hier zodat we haar continu in de gaten kunnen houden. Dit ook gezien haar leeftijd; ze is nog erg jong, nietwaar?'

Op zijn vragende blik antwoordde Berbel: 'Lonneke wordt binnenkort zestien.' Ze haalde adem en stelde de vraag die heel haar wezen vervulde. 'Mag ik haar nog even zien, dokter…?'

'Dat zal moeilijk gaan, we zijn nog met haar bezig. Jij kunt het beste naar huis gaan, hier kun je niets voor je zus doen. Maar je mag zo vaak als je wilt bellen om te vragen hoe het met haar gaat en morgenmiddag is het van drie tot vijf bezoekuur. Ik wens je sterkte. Houd moed, want het ziet er niet direct bedreigend uit.' Met een hoofdknik en een vriendelijk lachje maakte de man zich uit de voeten.

Berbel staarde hem verdwaasd na. Morgenmiddag mag ik pas naar Lonneke, dacht ze verward. Goeie genade, dat duurt nog een eeuwigheid! Wat moet ik nou… Jawel, naar huis en dan? Ze was halsoverkop in de ambulance gestapt, had ze wel geld bij zich voor de bus? Ze grabbelde in haar tas en tot haar opluchting vond ze een strippenkaart die voldoende ruimte bood om thuis te komen.

Daar zat ze een tijdje later onwezenlijk rechtop op de bank. Ze vond het vreemd dat ze ondanks de lange werkdag en de consternatie daarna helemaal geen vermoeidheid voelde. En naar bed gaan hoefde ze al helemaal niet, want ze had ook geen slaap.

Het enige waar ze behoefte aan had was bidden. En dat deed Berbel die avond langer en vuriger dan ooit tevoren.

4

Berbel realiseerde zich niet meteen dat ze met een schok wakker schrok doordat de telefoon overging. Ze sperde haar ogen open en mompelde: 'Wat is er...? Waarom lig ik aangekleed op de bank?' Toen pas drong het geluid van de telefoon tot haar door en in een flits herinnerde ze zich weer alles. Lonneke... hoe was het met haar en met de baby...? Terwijl ze zich dit angstig afvroeg had ze de hoorn al in de hand en noemde ze haar naam. Er klonk een bekende stem in haar oor.

'Waar blijf je en wat klink je slaperig? Heb je je verslapen of ben je soms ziek? Het is kwart voor negen, mijn vrouw zit inmiddels al een tijdje op jouw stoel!'

'Het spijt me, dokter Wittenaar. Ik ben vannacht niet naar bed geweest, tegen de ochtend moet ik op de bank in slaap zijn gevallen.' Daarna vertelde ze uitvoerig wat er met Lonneke was gebeurd. Ze besloot de uiteenzetting met: 'Ik vrees dat ik vandaag niet op mijn werk zal kunnen verschijnen. Ik zal me niet kunnen concentreren en vanmiddag wil ik hoe dan ook naar Lonneke. Ik maak me echt verschrikkelijk zorgen om haar.'

'Dat is heel begrijpelijk. Het is vrijdag, blijf deze laatste werkdag van de week maar thuis, maandagochtend zien we wel verder. Ik wens je sterkte, meer kan ik van hieruit niet voor je doen.'

'Bedankt voor het begrip. Dag, dokter Wittenaar.' Met een zucht van opluchting verbrak Berbel de verbinding, meteen daarop toetste ze het nummer van het ziekenhuis in. Kort daarop werd ze doorverbonden met Lonnekes afdeling en kreeg ze te horen dat haar zus een rustige nacht had gehad. 'Ze heeft geen nieuwe bloedingen meer gehad en ze heeft geen verhoging. Het lijkt goed te gaan. Met het jonge moedertje, maar ook met de baby.'

'Mag ze dan misschien vandaag alweer naar huis...?' vroeg Berbel hoopvol.

'Nee, want dokter Lunshof wil haar voorlopig onder controle houden. Ga er maar van uit ze hier blijft tot geboorte van het kind. We doen ons best om het op de juiste tijd en langs de natuurlijke weg op de wereld te laten komen. Ik wens je veel sterkte toe.'

Dat heb ik vandaag al meer gehoord, ik heb er alleen zo weinig aan,

dacht Berbel terwijl ze haar plekje op de bank weer innam. Ze had
het onbestemde gevoel dat ze met een kluitje in het riet werd gestuurd.
Had degene die haar te woord had gestaan de waarheid gesproken?
Ging het echt goed met Lonneke en de baby, of staken ze in het ziekenhuis tegen elke bezorgde beller een dergelijk praatje af om van
verdere lastige vragen verlost te zijn? Ze was opeens vreselijk wantrouwend, maar dat kwam omdat ze zo bezorgd was vanwege Lonneke. En omdat ze verschrikkelijk bang was dat zij haar kindje alsnog zou moeten verliezen. Voor haar gevoel was Lonnekes baby ook
al een beetje háár kindje. Na alles wat er was gebeurd kon dat toch
niet uitblijven? Stel toch eens dat het ledikantje leeg zou blijven...
Dat God het verhoede.
Berbel had niet in de gaten dat ze werktuiglijk opstond als werd ze
door iets of iemand gedreven. Ze stond opeens voor het kleine kin-
derbedje dat zij en Lonneke van haveloos oud tot nieuw hadden om-
getoverd, net als de commode. Daar dwaalde haar blik nu naartoe
om te blijven rusten op het schattige knuffelbeest dat erbovenop zat.
Ze liep erop toe, nam het in haar handen en aaide het haast liefdevol en toen, in een opwelling, besloot ze het in het bedje te leggen.
Dan gaapte dat haar niet zo akelig leeg aan, net alsof het haar bang
wilde maken voor hetgeen er gebeuren kon. Ze sloeg het dekbedje terug en vervolgens staarde ze naar dat wat Lonneke er inderhaast een
keer in weg had gemoffeld.
Berbel praatte hardop in zichzelf: 'Wat is dat nou, wat moet die troep
daar?' Het waren brieven, zag ze. Toen ze het stapeltje eruit nam, viel
er een foto uit. Een foto van Niels Timmerman. Nadat ze die aandachtig bekeken had, draaide ze hem om en las ze op de achterkant:
voor mijn allerliefste meisje van wie ik mijn leven lang zal blijven
houden. Dit is stikgemeen van je, Niels, dacht Berbel verdrietig. Het
klinkt als een belofte die jij wreed verbroken hebt! Of toch niet...?
Ze had het knuffelbeest op het voeteneind van het ledikantje gezet,
nu stond ze besluiteloos met de brieven in haar handen en mompelde ze: 'Goeie genade, ik ben alweer wantrouwend, nu jegens Lonneke...' De tekst achter op de foto klonk zo eerlijk, zo zuiver oprecht.
Waarom twijfelde ze plotseling aan wat Lonneke haar eens over Niels
had verteld? Ze wist deksels goed dat het onbehoorlijk was om brieven te lezen die aan een ander gericht waren. Ze kon nu echter niet
anders, ze móést weten of Lonneke eerlijk tegen haar was geweest.

45

Als ze uit de brieven haalde dat dat het geval was, zou ze die weer neerleggen waar zij ze gevonden had en zou ze doen alsof ze van niets wist. Dan zou ze Niels Timmerman in stilte veroordelen en zou ze weer pal achter haar zusje gaan staan. Vergeef me Lonneke, ik moet weten wie van jullie beiden ik kan geloven.

Kort hierna las en herlas Berbel de brieven die ze op datum gesorteerd had. In de eerste brief schreef Niels dat hij zowat gek werd van spijt. 'Ik snap niet hoe ik het in mijn hoofd haalde om tegen jou te zeggen dat we maar beter ieder een eigen weg moesten gaan. Op dat moment moet mijn verstand me in de steek hebben gelaten, ik kwam er al snel achter dat ik nergens ben zonder jou. Ik kan mijn draai hier niet vinden, ik mis je elke dag. Wij horen bij elkaar, Lonneke, schrijf gauw terug dat je mij mijn botheid van toen kunt vergeven. Ik hou van je, ik kan je niet missen. Duizend kusjes van je Niels.'

Berbel glimlachte om dat laatste, maar haar gezicht werd weer ernstig toen ze de volgende brieven las. In elk epistel smeekte Niels om Lonnekes liefde. Berbel voelde aan dat de jongen elk geschreven woord meende. Het lezen van de laatste brief gaf bij Berbel de doorslag, toen wist ze dat Lonneke niet alleen haar, maar ook Niels leugens op de mouw had gespeld. Om zich niet te vergissen herlas ze het voor haar belangrijkste nog een keer. 'Als je eens wist, Lonneke, hoe ontzettend veel pijn je me hebt gedaan met de brief waarin je schrijft dat je niet meer van mij houdt. Je hebt een ander, een jongen uit je klas, en dat kan ik almaar niet begrijpen. Hoe kun je mij zo vlug al zijn vergeten, weet je dan niet meer wat er tussen ons beiden is voorgevallen? Die keer hebben wij een grens overschreden; ik vind het nog altijd heel erg dat ik jou toen van meisje vrouw heb gemaakt. Toen dat gebeurde, lieten wij ons meeslepen in het verdriet dat we hadden over de verhuizing. Dat mag geen excuus zijn en dat is het voor mij ook niet. Ik ben ervan overtuigd dat ik het alleen heb kunnen doen met jou omdat ik toen al wist dat jij eens mijn vrouw zou zijn. Ik heb me echter in je vergist en nu ik weet dat er een ander in je leven is, zal ik geen contact meer met je zoeken. Ik hoop dat je gelukkig bent met hem, ik zal het zonder jou niet meer kunnen zijn. Niels.'

'O Lonneke, wat heb je gedaan?' kermde Berbel ontsteld. En wat moest zij nu doen? Ze kon Lonneke er vanmiddag niet mee confronteren, zij had nu even genoeg aan zichzelf. Stel dat ze van schrik een nieuwe bloeding kreeg, dat wilde Berbel niet op haar geweten hebben. In de eerste brief had Niels zijn adres vermeld en een telefoonnummer... Zou ze hem durven bellen? Wat moest ze echter zeggen als hij zei dat hij Lonneke inmiddels was vergeten omdat hij verliefd was op een Tilburgs meisje? Dat zat er immers dik in? Ze kon Lonneke ook buiten schot laten en doen alsof zij alleen maar even wilde informeren hoe het met hem was. Belangstelling tonen was niet verboden, dat die geveinsd was hoefde Niels Timmerman niet te weten. Ze moest in ieder geval iets doen, lijdzaam toezien lag nu eenmaal niet in haar aard. Ja, besloot ze kordaat, ik bel hem en dan zie ik wel waar het schip strandt. Voordat ze het kamertje verliet legde ze de brieven weer onder het dekbedje en zette ze het knuffelbeest weer op de commode.

Het duurde vervolgens nog geruime tijd voordat ze voldoende moed had verzameld om de telefoon ter hand te nemen. Na lang aarzelen en een loodzware zucht was het zover en luisterde ze met ingehouden adem naar een vriendelijk klinkende vrouwenstem. 'Met Dora Timmerman.'

'Ja... eh, u spreekt met Berbel Dekker, de zus van Lonneke, het vroegere vriendinnetje van uw zoon, Niels...' Berbel had de eerste stap gezet en het werd haar gemakkelijk gemaakt, want Dora Timmerman praatte in volle onschuld, in één adem door.

'Ach, Berbel, wat leuk om eens iets van je te horen! Mijn man, Nanko, en ik hebben het nog vaak over jou, over Lonneke vooral. We waren dol op dat kleine dondersteentje, het spijt ons dan ook niet weinig dat Lonneke het uit heeft gemaakt met Niels omdat ze verliefd is geworden op een ander. Maar ja, zo gaat dat met de jeugd, ze fladderen van de een naar de ander totdat ze de ware tegen het lijf lopen. Wat dat betreft is onze Niels een uitzondering op de regel. Hij treurt nog steeds om Lonneke. Er gaan dagen voorbij dat er geen land met hem te bezeilen valt, hij is dan absoluut niet te genieten. Dat is erger voor hem dan voor ons, want wij kennen de oorzaak ervan, we staan er echter machteloos tegenover. Vanwege zijn almaar voortdurend liefdesverdriet maakt hij hier moeilijk nieuwe vrienden en naar de meisjes kijkt hij al helemaal niet om. Het is best wel moeilijk en mijn man en ik kunnen alleen maar hopen op betere tijden. Maar hoe is het eigenlijk met jou en met Lonneke? Gaat ze nog steeds met haar nieuwe vriendje of heeft Niels inmiddels toch weer een klein

47

kansje bij haar? Wat ben ik een doordrammer, hè?' besloot ze met een geamuseerd lachje.

Berbel was de ernst zelve. 'Nou nee, ik kan me daar veel bij voorstellen. U maakt zich zorgen om uw zoon, ik om mijn zusje. Het gaat niet zo goed met Lonneke, ze ligt momenteel in het ziekenhuis.'

'Och, meisje toch, wat laat je me nou schrikken! Wat heeft ze dan, toch hopelijk niet iets ernstigs? Als Niels dit hoort heeft hij het helemáál niet meer!'

'Ik ben bang dat Niels het desondanks weten moet, mevrouw Timmerman... Lonneke heeft hem al veel te lang in het ongewisse gelaten. Zij is gisteravond laat nog naar het ziekenhuis gebracht omdat ze een bloeding had. En dat is volgens mij niet zo best voor een zwangere vrouw die op het laatst loopt. Begrijpt u...?'

'Nee, eerlijk gezegd kan ik je nu niet helemaal volgen. We hadden het over Lonneke en jij hebt het plotseling over een zwangere vrouw. Je praat ook wat gejaagd, ben je nerveus en spring je daardoor van de hak op de tak?'

'Ik heb het over Lonneke, zij is zwanger. Ze is over een paar weekjes uitgeteld, dan hoopt ze het kindje van Niels in haar armen te mogen sluiten.'

'Wát zeg je me daar...?' riep Dora geschrokken, 'dat kan toch niet waar zijn? Lonneke is zelf nog een kind net als Niels. Lief kind, zeg alsjeblieft dat je grapjes staat te maken, want dit is te erg voor woorden!'

'Het spijt me, ik vertel u de waarheid. En Lonneke hééft helemaal geen ander vriendje, dat heeft ze Niels op de mouw gespeld omdat ze niet wilde dat hij ook ongelukkig werd. Maar achteraf bezien was dat verschrikkelijk naïef, ze heeft er echter wel mee bewezen dat ze Niels boven alles liefheeft. Louter om hem te beschermen heeft ze de dingen verdraaid. Ook voor mij, want tot op de dag van vandaag wist ik niet anders dan dat Niels Lonneke de bons had gegeven. Zojuist heb ik bij toeval brieven gevonden die Niels aan Lonneke schreef. Ik schaam me er niet meer voor dat ik ze gelezen heb, want het werd de hoogste tijd dat de waarheid aan het licht kwam. Toen ik las hoeveel uw zoon om mijn zusje gaf, besloot ik Niels te bellen om hem voorzichtig te polsen over zijn huidige gevoelens voor Lonneke. Ik ben blij dat ik u aan de lijn kreeg, want tegen Niels zou ik niet zo openhartig hebben kunnen zijn. Nu ik van u hoor dat Niels nog onverminderd van Lonneke houdt, geeft dat mij de nodige moed. Ik hoop tenminste, mevrouw Timmerman, dat u mijn verhaal niet in twijfel trekt. In een van zijn brieven schreef Niels dat hij en Lonneke te ver zijn gegaan, als u erop staat zal Lonneke het moeten goedvinden dat u die brief leest. Dit is allemaal zo verdraaid moeilijk, ik vraag me af wat er uit dit gesprek moet voortkomen...'

'Ik kan niet eens zo ver vooruit denken,' verzuchtte Dora, 'in mijn hoofd is het een ontzettende warboel. Ik kan de dingen niet gauw, gauw op een rijtje zetten, daarvoor is de schrik te groot. Ik kan je al wel zeggen dat ik je op je woord geloof. Ik ken jou én Lonneke goed genoeg om te weten dat jullie zoiets vreselijks niet zouden verzinnen. Ik moet er met mijn man over praten, met onze beide oudste jongens en vanzelfsprekend met Niels. Is het goed, Berbel, als ik je later terugbel?'

'Ja, vanzelfsprekend. Ik verwacht niet dat u onze problemen oplost, maar ik ben wel heel blij dat u het weet. Ik maak me al zo lang zorgen om Lonneke en tot dusverre heb ik er met niemand zo openlijk over kunnen praten.'

Daarop zei Dora Timmerman meewarig: 'Ik begrijp het al, jullie ouders zijn weer eens "niet thuis". Lonneke heeft zich vroeger meer dan eens over hen beklaagd. En elke keer zei ze dan: "Ik wou dat u mijn moeder was." De arme schat, ik had telkens met haar te doen. Kan ze het nu in haar toestand thuis wel volhouden, ik mag toch waarachtig hopen dat jullie moeder haar nu wel in bescherming neemt?'

'Lonneke is niet meer thuis, ze woont al vanaf dat ze drie maanden zwanger was bij mij. Ik zorg met liefde voor haar, dat mag u van me aannemen.'

'Ach, Berbel toch, ik weet niet wat ik allemaal hoor! Ik herinner me dat jij altijd al moederde over je jonge zusje, dat doe je nu dus weer volop. Het is lief van je, toch maak ik me nu opeens ook zorgen om jou. Je bent zelf nog zo jong, is deze zorg niet te zwaar voor je?'

'Het valt wel mee. Vanmiddag ben ik van drie tot vijf bij Lonneke, en vanavond van zeven tot acht. Dit zeg ik omdat u me terug zou bellen, dan weet u wanneer ik niet thuis ben. Bedankt, mevrouw Timmerman, dat u naar me wilde luisteren. En dat u niet meteen vreselijk boos werd op Lonneke, zoals mijn ouders.'

'Vergis je niet in mij, ik weet namelijk nog niet hoe ik Niels zo dadelijk tegemoet zal treden! Zo'n snotaap, hoe kan die nou in vredesnaam zo opeens vader worden...'

De verbinding werd abrupt verbroken. Berbel nam het de vrouw niet kwalijk, ze had gehoord hoe dik haar stem had geklonken van de ingehouden tranen. Die zou ze nu waarschijnlijk de vrije loop laten. Vanwege haar telefoontje zat de familie Timmerman nu in de puree. Dat vond ze voor hen niet prettig; en toch had ze er geen spijt van, want het luisterend oor van mevrouw Timmerman had haar ontzettend goed gedaan. Jij bent zelf nog maar zo jong, had ze gezegd en die uitspraak had haar diep getroffen. Het was de eerste keer dat ze onbaatzuchtig medeleven had ondervonden. Ze moest nu wél oppassen dat ze er geen zelfmedelijden door kreeg! Ondanks deze reprimande schoten Berbels gedachten naar haar ouderlijk huis en verdrietig vroeg ze zich af waarom mam nou nooit eens zoiets liefs tegen haar had gezegd.

De afgelopen tijd was ze een paar keer naar huis geweest, maar ze was er altijd weer teleurgesteld vandaan gekomen. Pa en mam informeerden nauwelijks naar Lonnekes welzijn, laat staan naar dat van haar. De naam Marcus kwam niet over hun lippen. Ze vroegen zich niet eens af of zij hem en de liefde in haar leven miste. Mocht het dan een wonder heten dat de tussenpozen steeds groter werden en dat ze er zelfs tegen opzag om naar huis te bellen? Daar kon ze zelfs nu niet toe komen. Zodoende wisten pa en mam niet dat Lonneke in het ziekenhuis lag. Ze kende haar ouders en wist dat als het alsnog verkeerd zou gaan met Lonnekes baby, pa en mam naar alle waarschijnlijkheid zouden zeggen dat ze er blij om waren. Ze zouden het als een uitkomst voor Lonneke beschouwen, maar dat was het beslist niet. Lonneke voelde zich al moeder, daar kon haar jonge leeftijd niets aan af doen, noch een uitgestoken, beschuldigende vinger. O nee, ze prakkiseerde er al niet meer over om naar huis te bellen, ze wilde in ieder geval eerst overleg plegen met Lonneke.

Dat Lonneke in gedachten ook bezig was met hun ouders bewees ze die middag door als eerste te vragen: 'Weten pa en mam dat ik hier ben, Berbel?'

Zij schudde haar hoofd. 'Ik ben er nog niet aan toe gekomen, als jij het echter wilt bel ik hen vanavond meteen.'

'Doe dat maar liever niet,' zei Lonneke met een veel te ernstig gezichtje. 'Misschien komen ze hier dan naartoe uit louter plichtsbesef en daar zou ik alleen maar stikverdrietig van worden. Ik ben nog niet vergeten hoe liefdeloos mam de laatste keer tegen me deed. Ik ben ontzettend blij dat jij er bent, Berbel! Omdat je moest werken dacht ik dat je vanavond pas zou komen. Kreeg je een uurtje vrij van dokter Wittenaar?'

Daarop vertelde Berbel dat ze de hele dag vrij had gekregen, ze ging verder met nog een nieuwtje. 'Voordat ik daarstraks op de fiets stapte om naar jou te gaan, heb ik Remco Plasman gebeld en tegen hem gezegd dat ik morgen niet kan komen. Ik wil geen bezoekuur overslaan en daar had Remco begrip voor.'

'Je bent een lieverd, maar het kost je wel geld. Remco betaalt je enkel de uren dat je er bent!'

'Dat los ik wel op. Jij mag je daar in elk geval niet druk over maken!' Nu ik jou niet in de kost heb, hoef ik geen eten te koken en dat scheelt weer, dacht Berbel. Aan Lonneke vroeg ze: 'Hoe is het nou met je?'

'Goed! Sinds ik hier ben heb ik geen bloedingen meer gehad en het kindje trappelt er lustig op los. Er is niks meer aan de hand, ik zou gerust weer naar huis kunnen.'

'Dat denk jij, ik ben echter reuze blij dat jij in goede handen bent. Heb je de dokter gevraagd hoe het kon gebeuren dat je zomaar een bloeding kreeg?'

'Nee, dat durf ik niet. De dokter ziet mij niet voor vol aan, dat idee krijg ik tenminste als hij aan mijn bed staat. Ik heb het aan een van de verpleegkundigen gevraagd en zij zei dat het vaker voorkomt. Maar dan haast altijd in het begin van een zwangerschap, zelden op het laatst. Ik zal dus wel weer een uitzondering op de regel zijn, een rare halvegare.'

'Je moet niet zo laatdunkend doen over jezelf,' zei Berbel terechtwijzend. Ze keek het zaaltje rond en vervolgde: 'Ik zie dat alle drie de andere bedden leeg zijn, is dat niet ongezellig voor jou?'

'Ik moet zoveel mogelijk plat blijven liggen, de anderen mogen wel lopen. Ze zijn daarstraks met hun bezoek naar de recreatiezaal gegaan. En dat spijt mij niks, ik vind het fijn dat wij ongestoord kunnen praten.'

Ik zou je opzienbarend nieuws kunnen vertellen, dacht Berbel. Maar voordat ik jou de stuipen op het lijf jaag, wil ik eerst het telefoontje van mevrouw Timmerman afwachten. Ze was vooral benieuwd naar de reactie van Niels. Die kon net zo goed negatief zijn. Zij was nog niet gerustgesteld, nog lang niet.

'Waar denk je nu aan?' vroeg Lonneke argeloos.

Berbel glimlachte en ze jokte niet toen ze zei: 'Ik ben blij dat het goed gaat met jou. Je mag gerust weten dat ik vreselijk bang ben geweest, nu ik je eindelijk weer zie durf ik weer hoopvol te zijn.'

Hierop bekende Lonneke: 'Ik was echt doodsbang dat ik mijn kindje zou moeten verliezen. Dat zou ik zelf waarschijnlijk niet overleefd hebben. Ik heb van mijn leven nog niet zoveel gebeden als hier in het ziekenhuis. Ik dacht dat God me wilde straffen voor wat Niels en ik gedaan hebben en daar heb ik almaar weer vergeving voor gevraagd. Tijdens een van die gebeden werd ik opeens heel rustig, het was net alsof ik werd getroost door God. Het was heel wonderlijk, heel fijn...'

'God straft niet. Hij is geen boeman, we mogen Hem zien als een vriend door dik en dun,' stelde Berbel vast.

Vervolgens babbelden ze over van alles en nog wat en voordat ze er erg in hadden, was het bezoekuur alweer voorbij. Berbel boog zich over Lonneke, kuste haar en beloofde dat ze vanavond terug zou komen. 'Ondertussen moet jij goed op jezelf passen, des te eerder ben je weer bij me thuis. Jij én je kindje. Daar verheug ik me op, Lonneke!'

In Lonnekes ogen blonken tranen. 'Ik ben zo blij, Berbel, dat jij continu voor me klaarstaat...! Zonder jou zal ik het zeker in de toekomst niet kunnen redden. Met de baby, bedoel ik. Ik vind het heel erg dat mijn kindje alleen maar een moeder zal hebben. Dat is niet genoeg en ook daarom is het voor mij van belang dat jij er bent. Jij zult misschien wel meerdere rollen moeten gaan vervullen. Die van vader, van opa en oma. Denk je dat je dat kunt, Berbel...?'

Zij sloeg haar armen om Lonneke heen en overspoeld door talloze emoties dacht ze wanhopig: nu vraag je te veel, je vergeet dat ik zelf nog maar zo jong ben. Meteen daarop dacht ze verschrikt: o, zie je nou wel? Daar heb je hem al, de boosdoener die zelfmedelijden heet. Mevrouw Timmerman had dat niet moeten zeggen, maar het goede mens kon natuurlijk niet weten dat zij er hopeloos zwak van was geworden. Dat kon zij zich helemaal niet permitteren, vanwege Lonneke moest zij sterk zijn en steeds weer voorop gaan! Nadat ze zich op deze manier weer met beide benen op de grond had gezet kon ze met overtuiging tegen Lonneke zeggen: 'Met Gods hulp kunnen we meer dan we zelf voor mogelijk houden. Dag, klein zusje van me... vergeet nooit dat ik veel om je geef!'

Enkele uurtjes later zat Berbel opnieuw aan Lonnekes bed. Het kostte haar steeds meer moeite voor Lonneke te verzwijgen dat ze de brieven had gelezen en dat ze daarna een telefoontje had gepleegd. Ze voelde zich een verraadster jegens haar zusje en dat maakte dat ze zich opgelaten voelde. Op den duur kon ze haast geen woorden meer vinden en deze keer speet het haar niet dat ze op een gegeven moment een seintje kreeg dat het bezoekuur voorbij was. Ze kuste Lonneke gedag, troostte haar en vervolgens maakte ze zich gehaast uit de voeten.

Thuis zat ze bijna gebiologeerd naar de telefoon te staren en toen die dan eindelijk overging veerde ze, nog steeds uiterst gespannen, overeind en nam ze op. 'Met Berbel Dekker.'

'Ja, Berbel, hier ben ik dan. Zat je al op me te wachten?' vroeg Dora Timmerman.

'Ja, en eerlijk gezegd ben ik er een beetje zenuwachtig van…'

'Als het een troost voor je is, kan ik je zeggen dat wij ons hier niet veel beter voelen. Alles is opeens anders, niets is meer zoals het was.'

'Het spijt me dat ik uw leven op de kop heb gezet, ik kon echter niet anders. Al die lange, achter me liggende maanden was er in mijn achterhoofd het besef dat Niels de vader moest zijn. Dom genoeg geloofde ik Lonnekes leugens en deed ik wat zij van me eiste. Dat is nu niet meer terug te draaien, hoe reageerde Niels op het nieuws…?'

'Als de puber die hij is. We zijn er allemaal kapot van en helemaal van slag. Dat komt allemaal nog wel ter sprake, ik wil je nu eerst een voorstel doen. Het lijkt mijn man en mij het beste om naar jou toe te komen. Samen met Niels, vanzelfsprekend! Dan kunnen we in alle rust praten, door de telefoon gaat dat moeilijker. Op werkdagen is het voor mijn man onmogelijk om ertussenuit te breken, dus blijft alleen de zondag over. Dan is het restaurant gesloten, uit principe, zoals je zult begrijpen. Komt het jou gelegen als we meteen overmorgen komen?'

Dit overviel Berbel nogal en van louter zenuwen stotterde ze: 'Ja, ja… natuurlijk. U bent van harte welkom!'

'Mooi zo! Reken dan maar op ons in de vroege voormiddag. Dan kunnen wij 's morgens eerst gewoon naar de kerk gaan. Nou, Berbel, dan zie je ons wel verschijnen. Maak je ondertussen niet al te druk, met elkaar zullen we eruit moeten komen. Wij laten jullie niet langer alleen aanmodderen, en we laten jullie zeker niet in de steek.

Daar kun je alvast op rekenen. Zullen we het hier dan voorlopig bij laten en tot gauw ziens zeggen?'

'Ja, dat is goed. Enne... bedankt, mevrouw Timmerman, voor het belletje...'

'Ach kind, ik deed niet meer dan mijn plicht. Wacht even, hang niet op, Niels mengt zich in het gesprek. Wat is er, wat moet ik Berbel vragen?' Zij hoorde op de achtergrond een jongensstem en even daarna was Dora weer aan de lijn. 'Niels wil weten hoe het met Lonneke is en of zij weet dat jij contact hebt gehad met ons?'

'Zoals het er nu uitziet maakt Lonneke het goed, en hoeven we ons om het behoud van het kindje ook al haast geen zorgen meer te maken. Nee, ik heb haar niet verteld dat ik contact met u heb gezocht. Maar als u het wenselijk vindt, vertel ik het haar morgenmiddag.'

'Nee, doe dat maar niet. Niels zei daarnet dat hij Lonneke zondagmiddag wil verrassen. Hij heeft inmiddels al zoveel van ons naar zijn hoofd geslingerd gekregen dat we hem dit pleziertje maar moeten gunnen. Nou, meisje, tot gauw!'

De verbinding werd verbroken, Berbel liet zich op de bank ploffen en verdwaasd vroeg ze zich af wat zij allemaal had losgewoeld. Tijdens de bezoekuren van morgen moest zij een nog groter geheim voor Lonneke verbergen, het werd haar ook niet bepaald gemakkelijk gemaakt. En als ze dacht aan het bezoek van zondag kreeg ze het subiet benauwd! Ze zou iets lekkers in huis moeten halen voor bij de koffie. Daarna zou ze geen kaal drankje kunnen schenken – dat ze trouwens niet eens in huis had – daar hoorde voor de gezelligheid iets bij.

Voor haar doen zou ze morgen karrenvrachten boodschappen aan moeten slepen. Daarvoor zou ze het potje moeten aanspreken dat voor uiterste noodgevallen diende. Ze kon alleen maar hopen dat ze met de inhoud ervan uitkwam, want pinnen kon ze pas weer nadat dokter Wittenaar haar salaris had overgemaakt. Weer die akelige geldzorgen, wanneer kwam daar nou eens een eind aan? Als Marcus nog bij haar was, zou hij zijn beurs moeten trekken. Met alle gevolgen van dien! Het voelde opeens als een overwinning dat ze dit keer niet tegen zijn verontwaardigde, lelijke gezicht hoefde aan te kijken. Onafhankelijk van hem redde zij zich toch en dat streelde haar trots. Ze miste heus wel de liefde van een man in haar leven, maar aan Marcus dacht ze nauwelijks meer. Dat bewees dat haar liefde voor hem in haar gedoofd was. Achteraf bezien hadden ze allebei niet genoeg om elkaar gegeven en was het goed zoals het tussen hen gegaan was. Ze prees zich gelukkig dat Marcus niet wist hoe beroerd zij er financieel voor stond, dat hoefde niemand trouwens te weten. Als je met te weinig moest rondkomen, moest je vooral de eer aan jezelf houden. En dát zou ze zondag zeker doen, besloot ze heldhaftig. De familie Timmerman zou niet merken dat ze bij een arme sloeber op bezoek waren.

Was het maar vast zondag, dan wist ze tenminste waar ze aan toe was en kon ze weer eerlijk en open tegen Lonneke zijn. Lonneke... hoe zou die kleine schat reageren als ze Niels na al die tijd weer zag...? Laat het gauw zondag worden, alstublieft, alstublieft!

5

Berbels smeekbede leek te zijn verhoord, want ondanks haar ongeduld was het dan opeens toch zover en zat ze gespannen te wachten
op de dingen die komen gingen. Ze had om de haverklap op de klok
gekeken, nu mompelde ze: 'Het is al bijna halftwee, ze moeten nu
toch gauw komen, want om drie uur moet ik bij Lonneke zijn.' Ze
had de koffie klaar, de sneetjes cake lagen keurig gerangschikt op een
schaaltje. Was het in huis netjes genoeg? Ze had gisteravond, nadat
ze bij Lonneke was geweest, nog een paar uur hard gewerkt. Nou ja,
het bezoek moest het straks maar nemen zoals het was, zij kon geen
ijzer met handen breken. Op dat moment werd Berbels getob verbroken door het geluid van de bel. Ze stond op om open te doen en
ze had er geen idee van dat de mensen aan de andere kant van de
deur zich even opgelaten voelden als zij.
'Kom binnen, ik zat al naar u uit te kijken.' Berbels lachje kwam
meisjesachtig verlegen over.
Dora stapte als eerste binnen, gevolgd door haar man en Niels. Er
werden handen geschud en beleefdheden uitgewisseld, totdat Niels
zijn smalle hand in die van Berbel legde. Hij sloeg zijn ogen naar haar
op en trok verloren met zijn schouders. Zoals Berbel gewend was
over Lonneke te moederen, zo deed ze dat nu haast automatisch jegens een slungelige jongen die zich met zijn houding niet goed raad
wist. 'Zeg maar niets, dat komt nog wel. Ik ben blij dat je er bent.
Daar is de huiskamer, zoek maar een plekje.' Heel even legde ze haar
handen om zijn gezicht en knikte ze hem bemoedigend toe.
Kort hierna zaten ze achter koffie en cake onwennig bij elkaar. Geen
van hen wist waar te beginnen en om toch iets te zeggen, wees Dora
op het warme weer van de maand juli. 'Dankzij het heerlijke weer zit
het terras bij ons meestal vol en doen wij goede zaken!'
Berbel knikte begrijpend. Nanko gaf zijn vrouw plagend een sneer:
'Waar slaat dat "wij" op, toch niet op jou, neem ik aan? Jij bemoeit
je immers niet met de zaak en dat is maar goed ook!'
Dora lachte. Tegen Berbel, die allang blij was dát er gesproken werd,
zei ze: 'Nanko heeft gelijk, hoor! Wat de horeca betreft heb ik twee
linkerhanden. Dat wil echter niet zeggen dat ik mijn steentje niet bij-
draag! Ik neem namelijk grotendeels de boekhouding voor mijn re-

kening en samen met een hulp zorg ik ervoor dat alles er proper uitziet. En dat is in een restaurant zeer belangrijk,' besloot ze met een hoofdknik.

Berbel deed haar best het gesprek gaande te houden, ze richtte zich tot Nanko. 'Het moet voor u een geweldige voldoening zijn om na lange jaren onder een baas te staan, nu zelf de touwtjes in handen te hebben?'

'In het begin heb ik eraan moeten wennen, Ik heb er slapeloze nachten door gehad. Het is altijd afwachten of de mensen jouw zaak weten te vinden. Daar hebben wij gelukkig geen klagen over, en spijt heb ik nu zeker niet, want de zaak loopt als een treintje! En toch, als de jongens er niet waren geweest, zou ik er niet meer aan zijn begonnen.'

'Hoe bedoelt u?' Berbel keek Nanko vragend aan.

'Dora en ik lopen allebei tegen de vijftig, het is een leeftijd waarop je niet meer zo'n grote ommekeer zou moeten maken. We hebben de stap genomen nadat we een leuk erfenisje in de schoot kregen geworpen. Dat hebben we gebruikt als investering voor de jongens. De oudste, Jan-Willem, is vierentwintig jaar, de tweede, Joost, is tweeëntwintig. Ze werken allebei bij me in de zaak die later dus van hen zal zijn. Het streelt mijn ijdelheid dat ook Niels liefde voor het vak toont. Zodra hij de nodige papieren op zak heeft, gaan we met ons viertjes verder. Het doel van mijn streven was een familiezaak op te richten waarmee ik de jongens in het zadel kon helpen! In eerste instantie waren we liever in Groningen gebleven. Daar konden we echter niet vinden wat we zochten en toen bleek dat dat in Tilburg wel het geval was, was de keuze voor ons niet meer moeilijk. Zo is het gekomen dat wij naar het zuiden vertrokken en gelukkig bevalt het ons er prima!'

'Ik heb bewondering voor u,' zei Berbel gemeend. 'Niet iedere vader heeft zoveel voor zijn kinderen over.' Haar gedachten schoten naar haar vader, naar het woord abortus. Omdat ze daar niet met vreemden over wilde praten, stond ze gehaast op en schonk ze ongevraagd nog eens koffie in.

Nadat ze weer was gaan zitten, informeerde Dora: 'Hoe is het eigenlijk met Marcus? Ik herinner me dat jullie samenwoonden, is hij vandaag niet thuis?'

Berbel kleurde licht toen ze vertelde dat Marcus en zij niet meer bij elkaar waren. 'Ik moest indertijd voor Lonneke kiezen en daar had Marcus het moeilijk mee. Hij heeft voor zichzelf gekozen en is bij me weggegaan, maar dat was op den duur ook zonder Lonnekes tussenkomst wel gebeurd. In het begin was het even moeilijk, maar nu weet ik dat het voor ons allebei het beste is. Ik treur allang niet meer om hem.' Dora schudde meewarig haar hoofd en verzuchtte hardop: 'Nu ik dit hoor weet ik zeker dat Nanko en ik de juiste beslissing hebben genomen! Het kan en het mag niet dat jij als jong meisje de volledige zorg van Lonneke op je schouders krijgt geworpen. Hierbij denk ik beschuldigend aan jullie ouders, maar daar zal ik nu niet verder op in gaan. Hoewel wij verschrikkelijk zijn geschrokken van jouw telefoontje, beseften Nanko en ik eigenlijk meteen al dat jij hulp nodig had. Onze hulp! Hoor je wel wat ik zeg, Berbel? Je werpt almaar weer een blik op de klok, ben je wel bij de les?'

'Ja, eh… sorry. Ik moet de klok in de gaten houden, want als ik op tijd bij Lonneke wil zijn moet ik tegen halfdrie de deur uit. Ik neem aan dat jullie met me meegaan?'

Berbel was niet gewend dat het heft haar uit handen werd genomen, met verbazing luisterde ze dan ook naar hetgeen Dora voor haar besliste. 'Wij hebben andere afspraken gemaakt. Niels gaat zo dadelijk alleen naar Lonneke. We zagen daarnet dat er een bushalte om de hoek is, dus dat kan niet gemakkelijker. Na alles wat er tussen die twee gebeurd is, lijkt het Nanko en mij wenselijk dat ze eerst een poosje samen kunnen praten. Jij vertelde dat het bezoekuur van drie tot vijf is. Als Nanko en ik er dan voor zorgen dat we tegen halfvijf in het ziekenhuis zijn, kunnen wij nog even met het meisje praten. Daarna gaan we meteen weer richting Tilburg. Jij kunt vanavond alweer naar Lonneke, dat je voor een keertje verstek zal moeten laten gaan, is helemaal niet erg. Je hebt bovendien geen tijd om te gaan, want er valt tussen ons nog een hoop te bepraten en te regelen. Dat doen we zo meteen, als Niels is vertrokken.'

Hier deed de jongen voor het eerst zijn mond open. 'Waarom dan pas? Je hoeft toch niets achter mijn rug om te doen? Of zijn er opeens dingen die ik niet mag weten?'

Voordat Dora haar mond open kon doen zei Nanko: 'Wat wij met Berbel moeten bespreken weet jij allemaal al! Dat verhaal kun jij straks tegen Lonneke afsteken, Berbel weet echter nog van niets. Je zou wat minder argwanend moeten zijn, snotneus die je bent!'

'Nou, hoor…' Na een adempauze voegde Niels eraan toe: 'Het is toch zeker ook allemaal hartstikke moeilijk…'
'Ja, jongen, maar dat heb je aan jezelf te danken. Wij konden je helaas niet aan het handje houden. Als we van tevoren geweten hadden hoe belangrijk dat in jouw geval was geweest, zouden we het zeker gedaan hebben!' Nanko keek donker voor zich uit.
Niels mokte: 'Je had beloofd dat je niet meer tegen me zou gaan preken en nu doe je het toch! Ik kon het toch zeker niet helpen, ik wilde Lonneke helemaal niet expres zoveel verdriet aandoen…' Niels keek verlegen naar Berbel.
'Ondanks alles is Lonneke blij met het kindje,' zei ze troostend. 'Ze heeft het in het begin verschrikkelijk moeilijk gehad. Met onze ouders, haar school, haar vriendinnen. Dat zal ze je straks zelf wel vertellen. Lonneke en ik hebben het zeker niet gemakkelijk gehad, we hebben het echter gered en daar zijn we best een beetje trots op! Bang voor de toekomst zijn we dan ook niet meer.' Ze voelde dat ze bij dit leugentje om bestwil bloosde, ze had echter niet verwacht dat Dora haar zou doorzien.
Deze zei verontwaardigd: 'Ach, kind, wat probeer je ons nu op de mouw te spelden. Denk je dat wij gek zijn of zo? Natúúrlijk redden jullie het niet! Daarvoor zijn jullie allebei nog te jong. Bovendien kan geen weldenkend mens van jou verlangen dat jij je jeugd opoffert voor je zusje. Ik zou dat tenminste niet graag op mijn geweten hebben, en dan hebben we het nog niet eens over de financiële kant van de zaak. Gisteravond hebben Nanko en ik berekend wat jij, als doktersassistente, zo ongeveer zou verdienen. We mogen boven of onder de begroting zitten, in beide gevallen is het ontoereikend. Nu we ook nog hebben gehoord dat jij niet op Marcus kunt steunen, is het voor ons niet moeilijk vast te stellen dat jij en Lonneke te kort komen. Dat is je trouwens aan te zien. Je ziet er niet goed uit, hoor Berbel!'
Berbel herinnerde zich op slag wat ze zich had voorgenomen, nu deed ze haar best dat plan ten uitvoer te brengen. 'U vergist zich, mevrouw Timmerman…! Jawel, ik moet een beetje oppassen, maar wie moet dat niet? Ik heb er een baantje bij genomen en sindsdien komen we niets te kort. Lonneke zeker niet, daar zorg ik wel voor!'
Dora wisselde een blik van verstandhouding met Nanko, maar Niels verhinderde dat ze erop door konden gaan. 'Ik ga vast, want stel dat de bus te laat is.'

'Ja jongen, ga maar,' zei Dora. 'Zeg tegen Lonneke dat wij jullie niet in de steek laten en dat ik nog net zoveel om haar geef als vroeger. Vergeet niet haar te vertellen wat wij van plan zijn met haar en de baby.'

'Jij doet net alsof alles al is opgelost, maar daar ben ik nog niet zo gerust op, hoor! Best kans dat Lonneke uit trots of zo volhoudt dat ze niet meer om me geeft. Wat moet ik dan...?' Hij keek verloren van de een naar de ander en verliet toen gehaast het vertrek.

Kort hierna hoorden ze de deur van de flat achter hem dichtvallen. Dora zei aangedaan: 'Is het niet vreselijk triest allemaal? Twee jonge mensen die in een onbezonnen ogenblik hun hele jeugd vergooiden. Alles wat eens veilig en beschermd was. Ik vind het zó erg, zó kwalijk...'

'En toch steekt u onbaatzuchtig de helpende hand toe, dat idee kreeg ik namelijk. Door wat u zei en doordat u tegen Niels heel gewoon doet. Net alsof het allemaal wel meevalt?'

Hierop bromde Nanko: 'Denk maar niet dat we van stond af aan zo meegaand waren! Nadat het verpletterende nieuws tot ons doordrong, zijn er harde woorden gevallen en hebben Niels en mijn vrouw menige traan geplengd. En nog steeds zou ik die apenkop van een jongen ik weet niet wat kunnen aandoen. Dankzij Dora kan ik mijn opwelling in toom houden. Door veel praten heeft zij me geleerd hoe ik – door mijn verstand te gebruiken – mijn gevoelens van drift en onmacht kan beheersen. Die wijze les van haar probeer ik in praktijk te brengen en ik moet zeggen dat het werkt. Soms, nog lang niet altijd. Wij zitten echter met de gebakken peren en juist omdat het nog kinderen zijn, is het onze plicht als ouder om hen te helpen. Zo ver zijn Dora en ik inmiddels gekomen, zij moet nu maar aan jou uitleggen wat wij hebben besloten.'

'Zal ik dan eerst iets anders inschenken?' vroeg Berbel. 'Omdat ik vermoedde dat u achter het stuur geen alcohol zou willen gebruiken, kan ik u alleen frisdrank aanbieden. Ik heb cola en appelsap.'

'Ja, kind, doe maar. Het is allemaal goed,' zei Dora. Daarop verliet Berbel de kamer en terwijl zij in de keuken bezig was, fluisterde Dora tegen Nanko: 'Is het je opgevallen hoe slecht Berbel eruitziet? Ze is magerder geworden, en heeft kringen onder de ogen. Ze gaat zichtbaar gebukt onder veel te zware zorgen. En kijk eens om je heen hoe povertjes alles eruitziet! Geldgebrek gaapt je hier van alle kanten tegemoet. Wat ben ik blij, Nanko, dat wij voor dit meisje iets kunnen betekenen!'

Nanko knikte instemmend. 'Het gaat hier inderdaad niet goed, het werd tijd dat er hulp kwam. Die komt altijd als de nood het hoogst is. Daar zorgt God in al Zijn goedheid voor!'

Hun gefluister verstomde op slag toen Berbel weer binnenkwam met de drankjes en een paar schaaltjes met nootjes en ander lekkers om op te knabbelen. Dora prees haar: 'Zo, zo, worden wij even verwend!' Berbel trok verlegen met haar schouders. 'Het is niet veel, ik had er geen idee van wat u lekker vindt of niet. Daarom heb ik het maar hierbij gelaten.' Dat komt mij wel goed uit, mijn beurs is nu eenmaal niet dik, dacht ze.

Er viel een stilte, die Nanko verbrak. 'Ik zou er wat voor over hebben als ik mocht zien wat voor ogen Lonneke opzet als Niels bij haar binnenstapt! En hoe ze dan reageert. Ze zal Niels toch niet opnieuw afwijzen?'

Dora schudde verontwaardigd haar hoofd. 'Dat moest er nog bij komen! Als ze dat doet, praten wij wel even met haar! Als ze van ons hoort hoe wij de dingen voor hen geregeld hebben en hoe goed het in de toekomst kan worden als zij en Niels meewerken, zal ze zich wel gewonnen moeten geven. Toch?' Bij dat vragende woordje keek ze Berbel aan en zei ietwat verlegen: 'Ik ben bang dat ik u niet helemaal volg. U maakt me wel nieuwsgierig, want daarnet deed u ook al zo geheimzinnig.'

'Druk ik me dan zo ongelukkig uit?' vroeg Dora zich hardop af, waarop Nanko plagend zei: 'Net als elk mens heb jij zo je minpuntjes. Volgens mij is het beter dat ik mijn verstand nu even voorop laat gaan, dat zal voor Berbel licht scheppen in de duisternis.' Hij nam een slokje appelsap en richtte zich tot Berbel. 'Mijn vrouw heeft door de telefoon al tegen je gezegd dat wij jou en Lonneke niet langer alleen laten aanmodderen. We willen er voor jullie zijn. Doordat het kind dat op komst is, óns kleinkind zal zijn, is dat trouwens niet meer dan onze plicht. Je zult met me eens zijn dat Niels en Lonneke nog veel te jong zijn om te trouwen. Ze zijn nog leerplichtig, wij eisen van Niels dat hij op school zijn uiterste best doet en dat hij zijn studie met goed gevolg voltooit. Die stok zou er ook voor Lonneke achter de deur moeten staan!'

Hier onderbrak Berbel hem. 'Wat ben ik blij dat u er zo over denkt,

ik wil niks liever dan dat Lonneke na de havo een vakgerichte studie kiest en afmaakt. Ik ben het helemaal met u eens!'
'Mooi zo!' Nanko knikte tevreden. 'Dan is dat geen punt van bespreking meer en kunnen we verder. Voordat ze allebei zijn afgestudeerd zijn wij wat jaartjes verder, zijn die beide apenkoppen ouder en wijzer geworden en kan er aan trouwen worden gedacht. In de tussenliggende jaren nemen wij de zorg voor Lonneke en haar baby op ons. Zij komen bij ons wonen, ons huis is groot genoeg, en mijn vrouw heeft voldoende tijd om voor de baby te zorgen als Lonneke overdag op school zit. Zo hebben wij het ons voorgesteld, ik hoop dat jij onze plannen zult toejuichen!'
Nanko fronste verbaasd zijn wenkbrauwen toen hij zag hoe bedenkelijk Berbel keek en hij haar hoorde zeggen: 'Het is lief en aardig bedoeld, maar het kan niet... Ik heb aan God en aan mezelf beloofd dat ik voor Lonneke en de baby zou zorgen. Die belofte móét ik waarmaken!'
Dora probeerde haar van haar ongelijk te overtuigen. 'Kom, meisje, denk nou eens nuchter na! Dan zul je tot de conclusie komen dat God, in al Zijn wijsheid, van geen sterveling het onmogelijke vraagt. Zou het niet zo kunnen zijn, Berbel, dat Hij het aan ons duidelijk heeft gemaakt dat wij een te zware vracht van jou moeten overnemen? Hoe komen wij anders op het idee terwijl we toch echt niet hebben zitten wachten op deze ellende, en het verdriet ervan nauwelijks een plek kunnen geven? Ons leven krijgt er een drastische wending door die wij heus niet alleen als positief ervaren. Niettemin zullen wij in het belang van drie jonge mensen een dure plicht moeten vervullen. Per slot van rekening zijn Lonneke én jij door de stommiteiten van ónze zoon in ernstige problemen geraakt.
Jij mág je er niet tegen verzetten, het wordt de hoogste tijd dat jij inziet hoe verkeerd je bezig bent. Jij moet je weer gaan gedragen als het meisje dat je bent. Je moet op zoek gaan naar een leuke vent met wie jij, zónder zorgen om je zusje, gelukkig wordt! Daar zul jij zelf aan moeten werken, Nanko en ik zullen ons uiterste best doen om het voor Lonneke allemaal weer wat draaglijker te maken. Begrijp je nu een beetje, Berbel, dat wij enkel het goede met jullie voorhebben?'
Zij knikte zwijgend van ja, terwijl het in haar kermde: waarom begrijpen jullie niet dat ik mijn zusje en haar baby niet kan missen! Zij zijn het enige doel in mijn leven, ik héb immers niks anders meer...

Berbel kreeg geen tijd om bij dit nieuwe verdriet stil te staan, want Dora en Nanko spraken om beurten op haar in. En pas toen zij tegen halfvijf afscheid namen en Berbel alleen werd gelaten, kon zij alles, wat er gezegd en geregeld was rustig overdenken.

'Lonneke wordt me ontnomen,' mompelde ze voor zich uitstarend in het niets. 'Zo voelt het tenminste. Waar heb ik dit aan verdiend…?' Nadat het kindje geboren was 'mocht' zij nog een paar weekjes voor Lonneke en de baby zorgen, daarna zou de familie Timmerman hen komen halen. En ondertussen zouden zij ervoor zorgen dat Lonneke na de schoolvakantie in Tilburg naar school kon gaan. O ja, ze hadden ook nog gezegd dat zij – Berbel – het kinderkamertje niet af hoefde te breken. Dat moest blijven zoals het was, want natuurlijk zouden Lonneke en de baby regelmatig bij haar komen logeren. Het was voor haar een schrale troost. Ze kon het gewoon niet hebben dat er ergens in een huis in Tilburg een babykamer voor het kindje zou worden ingericht, met waarschijnlijk veel mooiere spulletjes. Misschien pronkte daar straks wel een witte wieg waar een oma zich over zou buigen, in plaats van zij, een tante.

Had ze de brieven maar nooit gelezen, dan zou ze geen telefoontje hebben gepleegd en alles zou bij het oude zijn gebleven. Ze kón haar kleine zusje niet missen, alleen al het idee maakte dat ze vanbinnen helemaal koud werd. Van verdriet en… jawel, van jaloersheid. Ze wist dat dit een lelijke karaktertrek was en dat ze niet zo mocht denken. De familie Timmerman deed hun best om voor Lonneke recht te trekken wat momenteel zo krom als een hoepeltje was. Daarbij dachten ze ook aan haar. Ondanks alles zag zij dat heus wel in, die mensen vergaten echter te bedenken dat zij straks moederziel alleen zou achterblijven. Ze had geen vrienden meer, alleen een paar kennissen, Annemarie en Wiert. Zij hadden echter allebei een vaste partner waardoor ze niet om haar zaten te springen. O Lonneke, ik wou dat ik je vast kon houden, of voor iedereen verstoppen. Ik zal je echter moeten loslaten, omdat men vindt dat dat voor jou én voor mij beter is…

Berbel had er geen idee van hoe lang ze zo had zitten piekeren, maar op een gegeven moment zag ze met een blik op de klok dat het tijd werd om naar het ziekenhuis te fietsen. Ze mocht naar Lonneke en stel nou eens, bedacht ze hoopvol, dat ik me zorgen heb zitten maken om niets! Stel dat Lonneke helemaal niet naar Tilburg wilde, maar bij haar zou willen blijven? Dan zou geen goedwillend mens daar iets aan kunnen veranderen, dan zouden Niels en zijn ouders hooguit van achter de schermen een beetje mogen mee mogen zorgen.

Wil jij het zo, Berbel Dekker? Op die zelfgestelde vraag antwoordde ze in gedachten: ja, en dat komt omdat ik op het ogenblik alleen maar egoïstisch kan denken. Zo dadelijk, bij Lonneke, zal ik deze negatieve gedachten voor haar verbergen.

Niet veel later raakte het stralende gezichtje van haar zusje Berbel diep. Er lag een blos van opwinding op haar wangen en die deed Berbel schuldbewust denken: zo ken ik haar weer, zo blij hoort ze te zijn. Ik zou me moeten schamen voor mijn gedachten van daarnet, maar dat lukt me niet. Ze liep op Lonneke toe en nadat ze elkaar begroet en gekust hadden juichte Lonneke: 'Ik heb je zoveel te vertellen! Ik ben zo verschrikkelijk gelukkig, Berbel!'

Deze keek schichtig om zich heen. Ze had meteen bij binnenkomst al gezien dat de andere bedden ditmaal wel bezet waren. Door vrouwen die aangekleed en wel met hun rug tegen de kussens in een boek zaten te lezen. Met gedempte stem zei ze tegen Lonneke: 'Ja, lieverd, dat is je aan te zien. Je moet niet zo hard praten, het gaat vreemden niet aan hoe jij je voelt!'

Daarop lachte Lonneke zorgeloos en vervolgde zo mogelijk nog luider: 'Mijn kamergenoten weten inmiddels alles al, hoor! Ik was zo blij dat ik het gewoon vertellen móést!'

Berbel vond de situatie wat gênant, ze keek verlegen achterom waarop een van de vrouwen zei: 'Je zus heeft van haar hart geen moordkuil gemaakt. Wij begrijpen nu echter dat jullie graag alleen willen zijn. Nou, dat komt goed uit, want wij waren juist van plan om ons bezoek in de recreatiezaal te verwelkomen. Zo was het toch, dames?' De anderen begrepen de hint en toen ze achter elkaar de zaal verlieten, zei Berbel tegen degene die het woord had gevoerd: 'Bedankt!'

Daarna boog ze zich naar Lonneke. 'Hoe was het om Niels opeens weer te zien, schrok je niet toen hij plotseling voor je neus stond?' 'O ja, ik kon mijn ogen niet geloven! Eerst deed ik net alsof ik het niet fijn vond dat hij er was, ik zei zelfs dat hij weg moest gaan. In plaats daarvan vertelde Niels wat er allemaal achter mijn rug om was gebeurd. Dat jij zijn brieven had gelezen, en dat jij vervolgens zijn ouders hebt benaderd. Een poos was Niels heel boos op me, hij vond het gemeen van me dat ik het al die maanden voor hem heb verzwegen. Nadat ik had uitgelegd waarom ik het zo had gewild, begreep hij het toch een beetje. En toen was hij ontzettend lief voor me en moest ik me op mijn beurt gewonnen geven. Het was heel vreemd, eigenlijk alleen maar heerlijk, want het was toen meteen weer net alsof Niels en ik elkaar gisteren nog hadden gezien, gesproken en gekust!'

'Ben je niet boos op me dat ik Niels' brieven heb gelezen?'

'Nee joh, daar is immers alleen maar heel veel goeds uit voortgekomen! Ik denk juist dat het zo heeft moeten zijn. Dat zei Niels' moeder namelijk: "Het heeft zo moeten zijn, meisje. Berbel werd in haar doen en laten gestuurd." Daar ben ik het mee eens, het was zó heerlijk dat zij en Niels' vader er eventjes waren. Het was weer net als vroeger, als ik bij hen thuis was. Ik kreeg weer dezelfde warmte en nog veel meer, want Niels' moeder wiegde me in haar armen. Ze kuste me als een echte moeder toen ik op een gegeven moment heel erg moest huilen. Zij geven om me, Berbel, ze geven écht om me, anders zouden ze niet zo voor me in de bres springen. Als de baby er is mag ik bij hen komen wonen, maar dat weet je allemaal al, nietwaar? Ook dat ik in Tilburg naar school moet, daar zie ik wel tegen op. Al die vreemde kinderen, en ze praten heel anders dan wij, hier in Groningen, zegt Niels. Ik kan er nog niet bij dat Niels' moeder helemaal niet op me mopperde. Zijn vader keek me soms wel een beetje raar aan, maar hij maakte ook geen nare opmerkingen. Hij zei wel dat Niels en ik, ondanks het feit dat we straks samen een kindje hebben, in hun huis niet bij elkaar mogen slapen. Vind je dat nou niet vreselijk streng?'

'Ik denk dat dat niets te maken heeft met strengheid,' zei Berbel bedachtzaam. 'Wel met een heleboel dieper liggende zaken. Jij hebt hun standpunt maar te respecteren, want er spreekt louter bescherming uit!'

'Dat weet ik heus wel, hoor!' Lonneke keek bedrukt en na een korte stilte vervolgde ze: 'Ondanks mijn dikke buik kan Niels zich helemaal niet voorstellen dat wij een kind krijgen. Hij is heel erg bang dat hij geen goede vader zal kunnen zijn en eerlijk gezegd twijfel ik daar ook een beetje aan. Daarom is het goed dat wij voorlopig nog enkele jaren bij zijn ouders zullen wonen. We hebben nog toezicht nodig. Ik weet niet goed hoe ik moet zeggen wat ik voel...' besloot ze kleintjes.

Berbel glimlachte om het kinderlijke dat ze nu opeens uitstraalde. 'Ik begrijp wel wat je bedoelt. Jullie hebben allebei nog ouderlijke zorg nodig en die zal ook jullie kindje ten goede komen.' Jij krijgt in Tilburg meer dan ik je geven kan, dacht ze. Ze was blij dat Lonneke haar rebbeltje weer roerde, want in haar keel zat opeens een harde prop die gemeen zeer deed.

'Na de havo ga ik dezelfde studie volgen als waar Niels al mee bezig is,' vertelde Lonneke enthousiast. Door alles wat haar vandaag overkomen was, stond ze er niet bij stil dat Berbel het moeilijk had me deze nieuwe gang van zaken. Lonneke ratelde opgetogen: 'Niels heeft me foto's laten zien van hun restaurant en aangezien het een familiebedrijf is, wil ik daar later ook werken! Daarom wil ik mijn horecadiploma halen. Vooral omdat ik dan dagelijks bij Niels zal kunnen zijn! Ik ben zo verschrikkelijk gelukkig dat ik al die rottige maanden die achter me liggen, op slag vergeten ben!'

Ik niet, dacht Berbel stil, en ik zal die tijd nooit vergeten. Omdat die moeilijk en mooi tegelijk was. Soms was het aardedonker, maar omdat jij me zo lief bent, zag ik ook steeds weer de zon. Ik zal het mooie én het moeilijke straks heel erg missen... Op dat moment sloeg ze haar ogen op naar Lonneke en schrok ze zich wezenloos.

Lonneke staarde haar met grote schrikogen aan, ze was wit om de neus en fluisterde: 'Ik heb opeens heel erg in bed geplast... Ik kon er niks aan doen, echt niet...!'

Berbel keek bedenkelijk. 'Ik denk dat het iets anders is.' Ze drukte resoluut op de alarmknop. In een mum van tijd verscheen er een verpleegkundige, en zij constateerde wat Berbel al had gedacht: 'De vliezen zijn gebroken. Heb je buikpijn?'

Lonneke schudde haar hoofd. 'Nu niet, maar eerder wel. Toen Niels bij me was en later, toen ook zijn ouders er waren, nog een keer. Ik heb het niet gezegd en niets laten merken, want dat staat zo kinderachtig, dacht ik. In een onbewaakt ogenblik heb ik wel snel gekeken of ik soms weer een bloeding had en dat was gelukkig niet zo. Wordt het kindje nu echt geboren, zuster...?'

Zij knikte bemoedigend. 'Het ziet ernaar uit. Het was geen gewone buikpijn, zoals jij dacht, het waren de eerste weeën. Het kan nog wel even duren, maar ik breng je alvast naar de verloskamer.'

Lonneke raakte in paniek en overstuur riep ze: 'Berbel moet mee, ik durf het niet zonder haar...! Zeg dat mijn zusje erbij mag zijn, anders blijf ik ook hier. Dan doe ik het gewoon niet, hoor...!'

De zuster lachte geamuseerd om Lonnekes kinderlijke opstandigheid. 'Ik denk dat jij niet veel meer te willen hebt, de natuur zal haar gang gaan. Wees echter maar gerust, er is niks op tegen dat je zus meegaat. Jij kunt haar steun wel gebruiken, dat snap ik zelfs nog!'

Onderweg naar de verloskamer werd Lonneke overvallen door een wee die ditmaal beduidend heftiger was dan de vorige. Ze kreunde van de pijn. Berbel nam haar hand en zei troostend: 'Stil maar, moed houden, flink zijn. Het duurt niet lang meer, dan is alles achter de rug!'

De hoop van Berbel bleek ijdel, want het duurde nog uren voordat zij de dokter hoorde zeggen: 'Gefeliciteerd, je hebt een prachtige dochter gekregen! Die trots kan zijn op jou, want je hebt je er dapper doorheen geslagen!'

Een meisje, dacht Berbel ontroerd, mijn stille wens is in vervulling gegaan. Ze hoorde dat de dokter zijn instructies gaf aan de zuster die hem had bijgestaan, waarna hij Lonneke nog eens prees en het vertrek verliet. Nadat de zuster haar opdrachten had vervuld, zei ze tegen Lonneke: 'Zo, we hebben het gehad, dan laat ik jullie nu eventjes alleen. Ik vermoed dat je zus haar nieuwbakken tantezeggertje dolgraag wil bewonderen. Maak het niet te lang,' adviseerde ze Berbel, 'Lonneke heeft enerverende uurtjes achter de rug, zij heeft nu rust nodig.' Hierna verliet ook zij de verloskamer en boog Berbel zich over Lonneke.

De baby lag in de holte van haar arm, haar ogen stonden vol tranen van ontroering. 'Kijk eens, Berbel, het is gewoonweg een juweeltje... Ik kan nu al zien dat ze op Niels lijkt, jij ook?'

Berbel beschikte over minder fantasie, zij kon in het kleine mensenkindje nog geen gelijkenis met wie dan ook ontdekken. 'Ze is nu al een kleine schoonheid, dat zie ik wel. Je bent toch niet teleurgesteld, Lonneke, dat het een meisje is?'

Lonnekes ogen bleven rusten op het kleine kinderkopje, haar stem was vol liefde. 'Nee, ik ben ontzettend blij met haar. Ik heb al een paar haastige dankwoorden naar boven gezonden, straks ga ik God uitvoerig bedanken voor mijn mooie meisje. Ik hoopte de hele tijd op een jongetje omdat ik hem dan naar Niels zou kunnen vernoe-

men. Nu het echter weer goed is tussen hem en mij, zou ik dat al niet meer gedaan hebben. Twee dezelfde namen is veel te verwarrend, dat was Niels roerend met me eens. Hij hoopte dat het een meisje zou worden, enkel en alleen omdat ik voor haar zo'n mooie naam had bedacht. Dat vond jij toch ook toen ik het je onlangs vertelde?' Berbel knikte. Ze proefde de naam van het spiksplinternieuwe kindje op haar tong: 'Nova... Ik vind het een prachtige naam. Vooral vanwege de betekenis: oplichtende ster.' Ze streek behoedzaam voorzichtig met een vinger langs een perzikzacht babywangetje en zacht zei ze: 'Wees in de toekomst maar een lichtgevende ster voor je mama, daar zul je mij een groot plezier mee doen.' Ze praatte verder tegen Lonneke. 'Ik hoop dat dit kleine wondertje alles voor jou zal goedmaken... Kijk nu niet meer achterom naar wat is geweest, richt je op de toekomst. Samen met Niels en jullie dochter. Door haar komst zul jij nooit meer alleen zijn, nooit meer eenzaam...'
In overweldigend eigen geluk voelde het jonge meisje niet aan dat Berbel deze twee zo belangrijke levensfactoren al in zichzelf aanwezig voelde. Lonneke kuste het gezichtje van haar kindje en met een hemelse blik in haar ogen zei ze dromerig: 'Ik heb al die maanden niet geweten dat ik zoiets moois zou krijgen, dat ik op zo'n geweldige manier beloond zou worden. Dit heb ik goedbeschouwd helemaal niet verdiend. Hoe kan het bestaan dat God zo goed voor me is...? En ik heb ook helemaal geen pijn meer! Al wat lelijk en akelig was is plotseling voorbij. Het is net alsof ik omgeven word door een ongekende schat aan kleuren en zoete geuren. Heel wonderlijk...'
'Dat komt,' vermoedde Berbel, 'doordat een geboorte een wonder op zich is. Ik heb het mogen meemaken en ik zal het nooit meer vergeten, ook niet hoeveel energie het jou heeft gekost. Daar bedoel ik mee wat de zuster daarnet al zei, dat jij nu rust moet hebben. Ik laat je alleen, zusje van me, maar eerst moet ik Nova even vasthouden. Zodat ik me haar geur kan herinneren als ik straks thuis ben.' Ze nam het kindje van Lonneke over en liep er een eindje mee weg. En onhoorbaar voor Lonneke fluisterde ze: 'Ik had me waanzinnig op je komst verheugd omdat ik er de hele tijd van uitging dat jij ook een klein beetje mijn kindje zou worden. Het bleek een ijdele hoop, er werden andere beslissingen genomen. Ik mag slechts een tante zijn bij wie jij af en toe komt logeren. Wil je in die schaarse momenten

dan ook een beetje voor mij een lichtende ster zijn? Kleine Nova, ik
houd nu al van je…'
'Wat stond je nu allemaal in jezelf te prevelen?' vroeg Lonneke toen
Berbel het kindje weer bij haar legde. 'Ik verstond er geen woord
van.'
'Dat was nou net de bedoeling, het was een geheimpje tussen Nova
en mij. Het was fijn dat ik haar even mocht vasthouden, het heeft ervoor gezorgd dat ik haar nu al liefheb…'
'Ja, dat is ook zoiets wonderlijks,' beaamde Lonneke, 'dat had ik
ook. Meteen toen ik haar zag en ze in mijn armen werd gelegd,
stroomde mijn hart vol liefde. En die zal ik haar overvloedig geven,
Berbel. Ik zal nooit maar dan ook nooit tegen Nova doen zoals pa
en mam tegen ons. Bel jij hen straks als je thuis bent…?'
'Ja lleverd, daar kun je van op aan. Ik hoop dat ze nog niet naar bed
zullen zijn, anders bel ik morgenochtend. Om te zeggen dat jij letterlijk en figuurlijk een zondagskindje hebt gekregen. En vanzelfsprekend bel ik naar Tilburg, Niels en zijn ouders zullen niet weten
wat ze horen. Het komt allemaal goed, jij moet nu lekker gaan slapen. Beloof je me dat, Lonneke…?'
Zij schudde haar hoofd. 'Nee, want ik heb helemaal geen slaap. Ik
zit opeens te bedenken dat ik Niels liever zelf wil bellen. Als ik even
gerust heb kan dat best. Ja, dát doe ik! Ik vraag de zuster of ik zo
meteen even ergens kan bellen. Dan weet jij dat alvast en hoef jij niet
naar Tilburg te bellen. Afgesproken, Berbel…?'
'Ja, dat is goed. Dan ga ik nu echt, hoor Lonneke!' Ze kusten elkaar
gedag. Bij de deur keerde Berbel zich weer naar Lonneke toe en hevig ontroerd zei ze zacht: 'Ik hou van je, zul je dat niet vergeten?
Dag…' Op de gang wiste ze een verloren traan weg.

Kort hierna fietste ze door de stad naar huis. Ondanks het late uur
was het buiten nog zeer aangenaam, het was met recht een zwoele
zomeravond. Geen wonder, dacht Berbel, dat de terrasjes nog vol
zitten met jongelui. Ze zag en hoorde hen onbezorgd lachen en betrapte zich erop dat ze dacht: wat zou het fijn zijn als ik er iemand
van kende die vroeg of ik er even bij kwam zitten. Het zou haar meer
dan goed doen als ze bij een vertrouwd iemand even haar ei kwijt
kon. Niemand riep haar echter, ze moest alle recente indrukken zelf
zien te verwerken. Of zou ze omkeren en naar pa en mam fietsen…?

Meteen gaf ze zich een reprimande: je bent toch zeker wel goed bij je hoofd! Ze wist immers dat ze daarna nog verdrietiger thuis zou komen dan ze al was.

Ja ja, dacht ze opstandig, ik heb verdriet. Mag ik! Om een baby die ik al in mijn hart heb gesloten en die ik niet mee mag helpen grootbrengen. Dat zouden anderen in haar plaats doen, die zich met dezelfde goedbedoelde zorgen om Lonneke zouden bekommeren. Jij wordt bedankt voor je opoffering, Berbel, maar het is voor jou genoeg geweest. Ze hád zich helemaal niet opgeofferd voor Lonneke, zo voelde het tenminste nog steeds niet. Geef me de kans maar eens, dacht ze opstandig, dan draai ik subiet alles terug naar het oude! Naar de tijd die goed was voor mij…

Thuisgekomen zette ze eerst een glas sterke thee en terwijl ze even later genoot, tuurde ze herhaaldelijk naar de telefoon. Het is gewoon bespottelijk, dacht ze, dat ik ertegen opzie om mijn eigen ouders te bellen. Het kan ook nog weleens zo zijn, dat ik nu hopeloos zit te overdrijven. Misschien wordt mam helemaal ontroerd en reageert ze juist heel lief als ze hoort dat ze een kleinkind heeft gekregen. Deze gedachte gaf Berbel hoop. Ze pakte resoluut de telefoon, toetste het nummer in en was teleurgesteld toen ze de stem van haar vader hoorde. 'Ja, pa… je spreekt met Berbel. Jullie liggen toch nog niet in bed, wel?'

'Dat duurt inderdaad niet lang meer, waarom bel je eigenlijk nog zo laat?'

'Ik kom net bij Lonneke vandaan, ze ligt in het ziekenhuis. Ze is bevallen van een dochtertje…'

'Zo…? Tja, dat moest eens gebeuren, nietwaar? Wat moet ik er nog meer van zeggen?' besloot hij.

Berbel kon haar oren niet geloven. Dit is toch werkelijk te zot voor woorden, bedacht ze ontzet. En dat gevoel deed boos haar uitvallen: 'Als je niks weet te zeggen, kun je in elk geval iets doen! Je zou bijvoorbeeld morgen, naar het ziekenhuis kunnen gaan om je kleinkind te bewonderen! Want misschien kijkt Lonneke al stilletjes hoopvol naar jullie uit…'

'Dat geloof je toch zeker zelf niet! Nadat ze bij jou introk is ze niet één keer meer thuis geweest, en dan zouden wij nu meteen in de startblokken moeten springen? Daar peins ik niet over. Zij heeft haar leven, wij het onze en daarmee is voor mij de kous af, Berbel!'

In haar stem lagen tranen. 'Is mam misschien in de buurt? Geef me haar dan nog maar even.'

'Ze zit hier naast me haar hoofd te schudden, ze snapt al wat er aan de hand is. Hier komt ze.' Berbel hoorde wat onverstaanbaar gefluister, toen klonk de stem van haar moeder. 'Wat hoor ik nou, is Lonneke bevallen? Van een dochter, zei pa, ik mag aannemen dat ze naar mij is vernoemd?'

Wel ja, ook dat nog, schoot het door Berbel heen. Ze zei: 'Lonneke heeft zelf een naam voor het kindje bedacht, ze heet Nova. Dat betekent oplichtende ster, vind je dat niet mooi?'

'Zelf een naam verzinnen is niks anders dan duurdoenerij en daar koopt ons soort volk niks voor. Ik hoorde wat pa daarnet zei en daar sluit ik me bij aan. Als Lonneke ons niet meer weet te vinden, zou ik niet weten wat wij bij haar moeten zoeken. Het kind zal ook zonder ons wel groot worden. Lonneke en wij hebben elkaar niets meer te vertellen. Het is op z'n minst toch zeker onbehoorlijk dat wij nog altijd niet weten wie de vader is van haar kind? Ik vermoed dat jij dat de hele tijd geweten hebt, maar jij doet je mond tegen ons ook niet open. Mooie dochters hebben wij!'

'Kom mam, steek je hand nou eens in eigen boezem. Je weet best wat er allemaal aan vooraf is gegaan. Pa heeft Lonneke destijds de stuipen op het lijf gejaagd, zij is niet vergeten waarmee hij dreigde. En waarom denk jij dat ik Lonneke destijds bij me in huis heb genomen? Ach, laat ook maar, het heeft geen nut om oude koeien uit de sloot te halen. Ik weet zeker dat ik ook uit Lonnekes naam spreek als ik zeg dat jullie nu wel mogen weten dat Niels de vader van het kindje is.'

'Wát zeg je me daar!' kreet Bien van schrik, 'die snotneus? Ik weet niet wat ik hoor, maar waarom mogen wij dat nu opeens wél weten?'

'Omdat de moeilijkheden voor Lonneke zijn opgelost, en haar toekomst er weer hoopvol uitziet,' zei Berbel met een van tranen verstikte stem. Nadat ze zich weer had hersteld vertelde ze het hele verhaal over de familie Timmerman en hoe zij zich over Niels en Lonneke wilden ontfermen. Ze besloot de uitleg met: 'Wat ik al zei; Lonneke verhuist dus binnen afzienbare tijd met de baby naar Tilburg. Als jullie nu geen stappen ondernemen om iets goed te maken, zal dat in de toekomst alleen maar moeilijker worden. Ik zie jullie tenminste nog niet naar het zuiden afreizen.'

71

'Waar zouden wij zo'n dure treinreis van moeten betalen en wat schieten we er trouwens mee op? De familie Timmerman zal ons vast niet met open armen ontvangen, zeker niet als ze weten wat pa met Lonneke van plan was. Dat was achteraf anders helemaal niet zo gek geweest, als er geen kind was gekomen zou voor ons alles bij het oude zijn gebleven. Weten die mensen dat pa het kind wilde laten weghalen...?'

'Nee mam, dat heb ik voor hen verzwegen. Wat Lonneke in de toekomst doet moet zij weten, daar heb ik geen zeggenschap in. Ik hang nu op, dit gesprek maakt mij verdrietig...'

'Hoe komt het dat jij opeens zo weekhartig bent, zo was je toch vroeger niet?'

'Ik denk, mam, dat jij mij nooit echt hebt gekend. En ik jou niet zoals ik je nu ken, anders had ik van tevoren geweten dat je niet eens naar Lonnekes welzijn zou vragen. Nou, ze heeft de bevalling dapper doorstaan, met haar en de baby is alles goed. Ik wil gewoon dat je dit weet, juist omdat het niet bij je opkomt om ernaar te vragen. Daar heb ik verdriet van, dat bedoelde ik daarnet. Nou, dag... het ga jullie goed.'

Met dat laatste nam Berbel zich ter plekke voor dat ze voorlopig afstand zou nemen van haar ouders. Ze kon de onverzettelijkheid van haar vader niet meer verdragen en al evenmin de liefdeloosheid van haar moeder. Ze nam het besluit uit louter zelfbescherming, dat het haar niet onberoerd liet, bewees ze toen ze zich, weggedoken in een hoekje van de bank, overgaf aan een niet te stuiten huilbui. En in het verdriet van het moment leek ze op het meisje dat ze feitelijk nog was.

6

De koopavond zat er weer op. De laatste klanten hadden de winkel verlaten en toen Annemarie de deur achter hen op slot had gedaan, vroeg ze aan Berbel: 'Ik neem aan dat jij ook deze keer met Wiert en mij ergens een drankje gaat drinken?'

'Tuurlijk!' zei Berbel. 'Sinds Lonneke niet meer bij mij woont, is het immers al haast traditie geworden dat ik van de partij ben! Ik moet zeggen dat het me uitstekend bevalt! En er is thuis niemand die op me wacht, dus wat let me!'

Wiert kwam op hen toe lopen. Hij had het gesprek tussen de beide vrouwen kunnen volgen en grapte 'Het zal zo dadelijk een saai uurtje voor jullie worden, ik vraag me bezwaard af hoe je de tijd door moet komen. Ik moet namelijk naar een fuif van een van mijn vrienden, jullie zullen het dus zonder mij moeten doen. Wat een ramp, nietwaar?'

Annemarie diende hem plagend van repliek. 'Als je denkt dat wij nu in tranen zullen uitbarsten, heb je het mooi mis! We zullen ons best amuseren zonder jou!'

Een kwartiertje later kwam ze hierop terug. Zij en Berbel zaten op een terras achter een wit wijntje toen Annemarie opperde: 'Ik vind het eigenlijk veel gezelliger met ons tweetjes. Jij dan?'

Berbel haalde haar schouders op. 'Ach, Wiert zit mij niet in de weg hoor, ik mag hem graag. We boffen dat we net als vorige week na de koopavond, weer lekker buiten kunnen zitten. Een beetje buitenlucht hebben wij na zo'n lange dag in de winkel gewoon hard nodig! Wat mij betreft mag augustus dan ook eeuwig duren, over een paar weken zit de "r" echter alweer in de maand!'

'Dat is in de winkel te merken,' concludeerde Annemarie, 'de hele wintercollectie is al binnen. Het bevalt jou goed bij ons, is het niet? Heb je nog steeds geen spijt dat je je vorige baan hebt opgezegd?'

'O nee, absoluut niet!' antwoordde Berbel met stelligheid. 'Vanaf het moment dat ik wist dat ik eigenlijk te veel was, kostte het mij geen moeite mijn stoel vrijwillig af te staan aan mevrouw Wittenaar. Ik ben wel blij dat we destijds in goede harmonie uit elkaar zijn gegaan, dokter Wittenaar is gewoon mijn huisarts gebleven. Dat ik mijn ontslag genomen heb was voor beide partijen het beste, ik zou niet graag terug willen naar mijn eenzame "hokje". Het verdiende weliswaar beter, maar bij Doornbosch is het veel gezelliger werken. Zo'n fijn contact als ik met Wiert en jou heb, kun je met patiënten onmogelijk opbouwen. Er moest altijd een zekere afstand in acht worden genomen. Al met al is het goed voor mezelf geweest dat ik het roer indertijd heb omgegooid,' besloot Berbel.

Daarop knikte Annemarie begrijpend, waarna ze een poosje keken naar de mensen die voorbijliepen. Ze hadden het over de kleding die ze droegen, hun make-up, hun manier van doen, die hun goedkeuring wel of niet kon wegdragen. Op een gegeven moment zei Annemarie: 'Ik herinner me dat er een hele tijd geleden een man bij ons in de winkel kwam die niet door mij, maar per se door jou geholpen wilde worden. Zie je hem nog weleens?'

'Ik weet wie je bedoelt,' zei Berbel. 'Dat was David Vrijman, een voormalige leraar van Lonneke. Nee, jammer genoeg heb ik geen contact meer met hem. Na de geboorte van Nova heb ik hem gebeld en gezegd dat Lonneke naar Tilburg zou verhuizen. Ik heb het hele verhaal verteld en hij was blij te horen dat Lonneke met goede zorgen omringd zou worden. Hij wenste haar en mij het allerbeste, daarna heb ik niets meer van hem gehoord. Dat is van zijn kant begrijpelijk, maar ik mis hem soms nog weleens. Hij was zo verschrikkelijk aardig, ik kon heel goed met hem praten. Maar ja, daar is dus een eind aan gekomen.'

'En zo verlies jij de een na de ander,' zei Annemarie niet zonder medelijden. 'Ik vond het vreselijk voor je toen je mij onlangs toevertrouwde dat je met je ouders had gebroken. Is daar nog steeds geen verbetering in gekomen?'

'Nee. Ik heb er geen behoefte aan en zij blijkbaar ook niet. Ik moet gewoon een poosje afstand nemen. Het is een hele opluchting dat ik me even niet aan hen hoef te storen.'

'Ik zou er kapot aan gaan als ik ruzie had met mijn ouders. Ik geloof trouwens niet dat dat ooit zal gebeuren, daarvoor zijn we veel te close met elkaar. Hoewel we allemaal al het huis uit zijn en op eigen benen staan, is mijn moeder toch nog altijd de zorgzame kloek die haar kuikentjes dichtbij zich weet te houden. Wat wij van thuis meekregen omringt ons nog steeds als een beschermende, lekker warme mantel.'

'Nou, dan mag jij je gerust bevoorrecht noemen,' zei Berbel. 'Bij ons was de kachel altijd uit, als je begrijpt wat ik bedoel.'
'Dat is niet zo moeilijk. Uit wat je mij eerder hebt verteld, weet ik dat je zusje nu in een gezin is opgenomen waar het haar niet aan warmte ontbreekt. Ik vermoed dat dat een pak van jouw hart is? En nu je niet meer voor haar hoeft te zorgen, heb jij financieel vanzelfsprekend ook beduidend meer armslag!'
Berbel trok een gezicht. 'Vergis je daar niet in! Jawel, in de toekomst zal het waarschijnlijk gemakkelijker worden, vooralsnog sta ik echter hopeloos rood. Dankzij Lonneke, maar dat weet zij gelukkig niet. Het was louter mijn eigen trots dat ik Lonneke helemaal in het nieuw heb gestoken voordat ik haar moest afstaan. De familie Timmerman zal niet kunnen zeggen dat ze een armoedzaaiertje in huis hebben genomen, want Lonnekes koffer was goed gevuld met nieuw ondergoed, nacht- en bovenkleding. Ik wilde de eer aan mezelf houden, bovendien was het het laatste dat ik voor haar doen kon...'
Ik heb me er hopeloos mee in de nesten gewerkt, dacht ze bezorgd, maar dat hoeft geen mens te weten. Ze lag er zelf meer dan eens wakker van, het benauwde haar vreselijk dat ze een huurschuld had; om Lonneke zo mooi te kunnen aankleden had zij twee maanden geen huur betaald. Ze snapte nog niet waar ze het lef vandaan had gehaald en ze had al een schrijven van de woningstichting gekregen. Of ze per omgaande wilde voldoen aan haar verplichtingen. Ja, dat wilde ze wel, maar het kon niet...
Annemarie haalde haar uit haar sombere gepeins. 'Je mist haar, hè Berbel?'
'Ja. Ik denk dat ik er nooit aan zal wennen dat ze niet meer bij me is. Hetzelfde geldt voor Nova. Ik heb maar zo'n heel klein poosje van haar mogen genieten, ik zie nu aldoor een akelig leeg ledikantje. Lonneke en Nova zijn al een keer een weekend bij me geweest, maar ze kwamen en ze gingen weer. Zo zal het in de toekomst altijd zijn. Daar zal ik aan moeten wennen, zonder mopperen en klagen. Dat doe ik nu ongewild tegen jou. Sorry!'
'Het is niet meer dan normaal dat jij je hart eens lucht,' zei Annemarie. 'Als mij iets dwarszit kan ik altijd bij Karel terecht, of bij mijn ouders. Jij hebt niemand, en dat vind ik intriest. Kom anders een keer bij ons langs, daar heeft Karel niets op tegen, hoor!'
Berbel had allang spijt dat ze het achterste van haar tong had laten

zien. Ze had te laat in de gaten gekregen dat ze er medelijden mee had opgewekt. Ze was ervan overtuigd dat dat de oorzaak was van Annemaries uitnodiging en alweer uit eigen trots, kon ze die niet aannemen. Ze deed zich groter voor dan ze zich voelde toen ze zo luchtig mogelijk zei: 'Je hoeft met mij geen medelijden te hebben, hoor! Er is met Berbel Dekker niets aan de hand. Ik heb fantastische buren bij wie ik in en uit kan lopen,' loog ze met een stalen gezicht, 'ik denk dat ik bij een van hen zo dadelijk nog een praatje ga maken. Wordt het voor ons geen tijd om op te stappen?'

Annemarie wierp een blik op haar horloge. 'Karel weet dat ik na de koopavonden nog even een uurtje ergens blijf plakken, ik moet het echter niet te bont maken. Dan wordt hij of ongerust, of boos en dat moeten we niet hebben. Ja, we moeten gaan, het is bijna tien uur. Ik reken af, hoor, jij hebt vorige week getrakteerd. Als ik toen geweten had dat jij rood stond, was het niet gebeurd!'

'Ik voel me nu net een armlastige,' zei Berbel, 'en zo erg is het absoluut niet! Ik heb tussen de middag honderd euro gepind. Dat was weliswaar het laatste wat mijn limiet toestaat, maar ik kom er de maand wel mee door!' Dat moet, dacht ze, of het kan of niet.

'Dat noem ik knap,' zei Annemarie met een blik van bewondering. 'Karel en ik verdienen allebei, niettemin zitten wij aan het eind van de maand altijd krap. Volgens mijn moeder ligt de schuld daarvan bij mij. Zij zegt altijd: 'Onze Annemarie heeft poezelige kleine handjes, maar er zitten helaas grote gaten in!' Ik kan gewoon niet goed met geld omgaan. Als dat echter het enige is dat er op mij valt aan te merken, dan ben ik zo slecht nog niet!' Ze lachte guitig om haar eigen spitsvondigheid en kort hierna gingen ze elk hun eigen weg. Annemarie zocht haar auto op, Berbel haar fiets.

Ze legde haar schoudertas in het mandje dat aan het stuur bevestigd was en ging op weg naar haar flat. Onderweg dacht ze verlangend: ik wou dat er een 'Karel' was die thuis op mij zat te wachten. Hoe mooi zou het zijn als er weer eens armen om me heen werden geslagen, als een mond me liefdevol zou kussen. Misschien moest ze een hond aanschaffen, dan had ze tenminste iets om te knuffelen, om tegen aan te praten. O Lonneke, als je eens wist hoe ik je mis. Jou en kleine Nova...

Berbel Dekker was niet de enige die zich eenzaam en alleen voelde,

Menso Wortelboer was er niet veel beter aan toe. Hij was eigenaar van een heren- en dameskapsalon, en in tegenstelling tot andere zaken was hij op koopavond gesloten. Daar zou ik eigenlijk best verandering in kunnen brengen, dacht hij, want dan heb ik tenminste iets om handen. Hij had zich de hele avond stierlijk zitten vervelen. Het was warempel net alsof de tijd stilstond. Want terwijl hij dacht dat de avond inmiddels ver gevorderd was, zag hij met een blik op de klok dat het nog maar tien voor tien was.

Wat ik vanavond heb mag Joost weten, zo verschrikkelijk onrustig ben ik doorgaans toch waarachtig niet. De muren kwamen gewoonweg op hem af, hij moest eruit! Vlakbij was een park, daar kon hij zijn benen strekken en tijdens een stevige wandeling proberen zijn gedachten te verzetten. Die cirkelden nu onophoudelijk om hetzelfde: je bent niet vrij, Menso Wortelboer, je zult nooit meer vrij zijn... Met een donker gezicht schudde hij zijn hoofd. Vertel mij wat! Vervolgens stak hij zijn huissleutels bij zich en kort hierna beende hij met grote passen door een fraai aangelegd en goed onderhouden park.

Wat Menso had gehoopt gebeurde, want, minder somber opeens, keek hij bewonderend om zich heen. Mensenkinderen, wat is het hier mooi! Waarom kom ik hier zelden of nooit? En wat zoeken de mensen in de stad terwijl het hier – zo vlakbij – een oase van rust en stilte is. Wonderlijk, zo goed als het hem deed om helemaal alleen in dit kleine stukje natuurschoon te zijn. In plaats van stevig door te lopen, zoals hij zich had voorgenomen, liet hij zich neerzakken op een bank bij een vijver. Aan de overkant zag hij een enorme treurwilg waarvan de takken het water van de vijver speels leken aan te tikken.

Opeens bekroop hem het verlangen om tegen de stam van de sterke boom te leunen. Hij stelde zich voor dat hij de kracht van de boom dan door zijn lijf zou voelen tintelen. Hij gaf niet toe aan deze drang, maar liet wel zijn gedachten gaan. En het kon niet uitblijven dat die dwaalden naar degene die hem eens zo dierbaar was geweest. Hij hield allang niet meer van haar; jegens haar voelde hij slechts medelijden en plichtsbesef. Digna... het spijt me, ik kan mijn gevoelens niet dwingen.

Op dat ogenblik schrok Menso op uit zijn gepeins door een afgrijselijk gegil dat de stilte doorkliefde. Hij veerde overeind, keek om zich heen en zag toen dat er een eindje bij hem vandaan iemand op de grond lag. Op hetzelfde moment zag hij hoe een man zich rennend uit de voeten maakte. Om een bocht van het pad verdween hij in het niets, zonder zich iets aan te trekken van het hulpgeroep.

'Help, help me dan toch…! Ik wil mijn tas terug, gemenerik…!'

Goeie genade, schoot het door Menso heen, er wordt een misdrijf gepleegd zowat onder mijn ogen! Had hij onbewust aangevoeld dat er zoiets zou gebeuren en was hij daarom de hele avond zo ongedurig geweest? Was hij naar dit park gestuurd om hulp te bieden? Wat moest hij doen, wie moest hij helpen? Ja, natuurlijk, hij moest achter de boosdoener aan, die schobbejak verdiende een behoorlijk pak rammel! Menso wilde de spurt erin zetten, maar het hulpgeroep van het slachtoffer bracht hem op andere gedachten. Hij haastte zich naar haar toe en luttele seconden later hurkte hij bij haar neer. In een oogopslag zag hij dat het een jong meisje was met donkerbruin haar en grote, blauwe ogen. Vol schrik en tranen. Vaag meende hij haar ergens van te kennen. 'Wat is er in vredesnaam gebeurd? Heb je pijn, ben je gewond?'

'Dat weet ik niet… Ik ben zo vreselijk geschrokken en… kwaad. Het is zó gemeen. Hij duwde me expres omver, toen ik op de grond lag en niks kon beginnen, griste hij mijn schoudertas uit het fietsmandje. Hij ging ermee vandoor, maar het is míjn tas… ik wil hem terug, al mijn geld zat erin. Nu heb ik niks meer, hoe moet dat nou?' Ze was helemaal overstuur en huilde met gierende snikken.

'Probeer eens om op te staan. Kom, ik zal je ondersteunen,' zei Menso, aangedaan van de schrik. Hij hielp haar overeind, en meewarig zei hij: 'Ach, meisje toch, je trilt als een rietje. Huil je van de pijn?'

'Ik huil alleen maar van woede…' snikte ze. 'Waar haalt die schurk het lef vandaan om mij te beroven? En ik zit al zo hopeloos krap…'

Vanwege de emoties besefte ze niet wat ze zei, maar Menso had het verdrietige gesnik verstaan. En hoewel hij diep medelijden met haar had, kon hij niet nalaten te zeggen: 'Wat doe je hier ook alleen in het park? Weet je dan niet dat dat voor een meisje alleen tegenwoordig onverantwoordelijk is? Er had je nog veel meer kunnen overkomen, daar moet ik niet aan denken. Zul je dit nooit meer doen?'

De tranen biggelden nog steeds over haar wangen, desondanks probeerde ze grappig te zijn. 'Goed pa!' Ze haalde diep adem, wreef driftig langs haar ogen, en vervolgde: 'Gewoonlijk fiets ik altijd door de stad naar huis, maar omdat het nog zo lekker is buiten, wilde ik daar

in dit park nog even van genieten. Dat moet toch kunnen zonder dat je aangevallen wordt...!'
'Zo zou het moeten zijn, helaas is het met de maatschappij anders gesteld. Het lijkt wel alsof al het mooie verdwijnt, en we niks overhouden dan rottigheid. Heb je echt geen pijn, ben je niet duizelig of zo?' Menso bestudeerde bezorgd haar gezicht.
Door haar tranen heen zond Berbel hem een bibberend lachje. 'Ja, nu voel ik dat mijn enkel gemeen zeer doet. Mijn fiets heeft volgens mij de grootste klap opgevangen; kijk maar, het voorwiel is helemaal verbogen! Nu moet ik ook nog lopend naar huis...' Ze begon opnieuw te huilen.
Ondertussen had Menso de fiets geïnspecteerd. 'Je zult ermee naar de fietsenmaker moeten. Waar woon je eigenlijk, moet je ver lopen?'
'Nee... het is maar een klein stukje. Hooguit tien minuten. Mijn enkel gaat steeds meer pijn doen. Hij wordt ook behoorlijk dik, zie ik nu... Waarom moest mij dit nou overkomen!'
'Er zijn in het leven veel vragen waar je geen antwoord op krijgt,' zei Menso. Hij dacht aan zijn eigen leven waar de meeste franje uit was verdwenen. 'Kom, ik breng je thuis.'
'Nee, joh... dat hoeft helemaal niet! Ik schuif mijn fiets voort en hink er wel naast. Het is al geweldig dat je mij te hulp schoot, bedankt daarvoor!' Haar rood behuilde ogen stonden nog vol tranen.
'Ik loop met je mee,' zei Menso beslist, 'of je het goed vindt of niet! Je kunt onderweg wel duizelig worden en opnieuw vallen. Ik ben pas gerust als jij veilig thuis bent. Geef me maar een arm en leun op me, daarmee ontzie je hopelijk je enkel. Kom maar, dan zullen we het proberen.'
Elke stap van Berbel deed pijn, dat liet ze echter niet merken. En ondanks de belabberde situatie dacht ze terug aan het verlangen eerder op de avond naar ene 'Karel'. Deze man, op wie ze mocht leunen, sloeg zijn armen vanzelfsprekend niet om haar heen, toch voelde het prettig om naast hem te lopen. Ze had allang gezien dat hij er best wel aantrekkelijk uitzag. Hij had een dikke bos blond haar, een gevoelige mond en grijsgroene ogen. Hij was een stuk groter dan zij, breed in de schouders en hij liep kaarsrecht. Net alsof hij zich stoerder wilde voordoen dan hij in werkelijkheid was. Dat idee kreeg ze, best kans dat ze er gloeiend naast zat.
Berbels gedachten werden verbroken doordat Menso met een lach

79

om zijn mond opmerkte: 'Je huilt gelukkig niet meer, bekom je een beetje van de schrik?'

'Nee, niet echt. Ik verbijt mijn tranen omdat ik geen huilebalk wil zijn. Ik vind het behoorlijk gênant dat ik me zo heb laten gaan. Sorry...'

'Toe zeg, het is niet meer dan normaal dat je overstuur raakte. Wat zat er allemaal in je tas, ook je huissleutels?'

'Nee, die stop ik gemakshalve altijd in mijn jaszak.' Werktuiglijk voelde ze of dat inderdaad het geval was en tot haar opluchting diepte ze met de sleutels het bankpasje uit haar jaszak. 'Dit is puur geluk!' zei ze met een blik vol ongeloof, 'want gewoonlijk stop ik het pasje altijd in mijn tas. Hoe is het mogelijk? Het lijkt warempel of de voorzienigheid me tussen de middag te hulp is geschoten...!'

'God past altijd extra op kleine meisjes, wist je dat niet?' zei Menso. 'Je mag terecht van geluk spreken, want nu hoeft je bankrekening niet geblokkeerd te worden. Dat scheelt je weer een heel gedoe!'

Berbel knikte. Er staat toch niks op, dacht ze, van een kale kip valt niets te plukken. Ze waren bij de flat aangekomen, Berbel bleef staan en zei: 'Hier woon ik. Het zal jou niet spijten dat we er zijn, je moest de hele tijd het voorwiel van de fiets omhooghouden. Mag ik je nogmaals bedanken voor je goede hulp?'

'Moet de fiets niet in een berging of zo?'

'Ja, maar dat doe ik wel, jij hebt al meer dan genoeg voor me gedaan.'

Daar dacht Menso anders over, met als gevolg dat hij de fiets in de berging zette die Berbel hem wees. Zij voelde zich bezwaard en toen hij zonder fiets weer bij haar stond, zei ze verlegen: 'Ik zou je een kop koffie willen aanbieden voor de moeite, maar ik weet niet of jij daar tijd voor hebt. Ik neem aan dat je liever meteen naar huis wilt. Je vrouw zal vast ongeduldig op je wachten...'

'Je hebt het mis, er wacht thuis niemand op mij. Ik heb alle tijd van de wereld, en ik neem je uitnodiging graag aan. Te meer daar ik even naar je enkel zou willen kijken, want die wordt zienderogen dikker!'

Even later opperde Menso: 'Volgens mij is-ie verzwikt, dat betekent dat je zoveel mogelijk rust moet houden. Je kunt je been het beste op een bankje of op een andere stoel leggen. Wacht, die trek ik voor je bij.' Nadat Berbel haar been erop had gelegd, zei Menso: 'Het lijkt misschien een klein ongemak, dat moet je echter niet verwaarlozen.

Tussen twee haakjes, ik ben Menso Wortelboer!' Hij stak zijn hand naar haar uit waar Berbel die van haar in legde.
'Ik ben Berbel Dekker.'
'Berbel, een mooie naam! Er zit iets Duits in, of vergis ik me?'
'Nee, het klopt! Mijn grootmoeder van moeders kant kwam van oorsprong uit Duitsland. Ik ben naar haar vernoemd. Ik heb haar niet gekend, ze is al heel jong overleden. Nu ga ik een kop oploskoffie voor je maken, dat is lekker snel klaar!'
'Dan zou je weer moeten opstaan en dat verbied ik je! Ik hoef geen koffie, ik stap zo meteen weer op. Je kwam me de hele tijd bekend voor, ik wist zeker dat ik je eerder had gezien. Nu weet ik opeens dat ik je herken van de kerk! Daar heb ik je een keer gezien, er zat een jonger meisje naast je. Kan dat kloppen?'
'Ja, dat was Lonneke, mijn zusje. Zij woont niet meer in de stad. Als jij echter naar dezelfde kerk gaat als ik, moet dat betekenen dat je hier in de buurt woont.'
Menso knikte en noemde de straat waar hij woonde. 'Ik ga inderdaad naar dezelfde kerk, door omstandigheden kom ik er helaas sporadisch. Dat ik je die keer gezien heb was louter toeval. Ik woon hier nog geen kwartier lopen vandaan, niettemin heb ik jou tot dusverre niet in mijn zaak mogen ontmoeten!'
'Hoe bedoel je, wat voor zaak heb jij dan?'
Daarop begon Menso uitvoerig over zijn kapperszaak te vertellen. Hij besloot het verhaal met: 'Een halfjaar geleden heb ik de boel laten verbouwen. Sindsdien kan ik de mensen ook van dienst zijn met een schoonheidssalon en een pedicure. We zijn nu compleet en daar ben ik best wel trots op. De heropening heeft met foto's en een interview in de wijkkrant gestaan. Heb je het niet gelezen?'
'Jawel, nu je het zegt herinner ik het me en ook de naam van je zaak: Menso Wortelboers Hairstyling. Dom van me, maar toen jij je daarnet voorstelde, bracht ik je naam niet meteen in verband met die peperdure kapperszaak waar ik met een boog omheen loop! Ik zeg het eerlijk dat dat de reden is waarom ik niet tot jouw klantenkring behoor. Het is ontegenzeglijk een prachtige zaak, dat wel!'
Menso herinnerde zich dat Berbel overstuur had gezegd dat de schurk er met al haar geld vandoor was gegaan. Nu heb ik niks meer, had ze wanhopig gesnikt. Vanuit zijn ooghoeken had hij al gezien dat het in deze flat geen weelde was, en daarnet had ze opnieuw laten blij-

81

ken dat ze op de kleintjes moest letten. Hij boog zich naar haar toe en zei: 'Ik wil me natuurlijk niet met jouw zaken bemoeien, maar als jouw belager er inderdaad met al je geld vandoor is gegaan, dan wil ik je gerust iets voorschieten, hoor!'

Zij staarde hem verbluft aan. 'Hoe zou jij kunnen weten dat ik beroofd zou zijn van al het geld dat ik had...?'

'Dat heb je gezegd toen je zo helemaal overstuur was! Als jij door die lomperik in financiële moeilijkheden bent geraakt, wil ik je graag helpen.' Hij begreep haar afwerende blik en houding en voegde eraan toe: 'Soms, Berbel, word je ongewild in een bepaalde hoek gedrukt waardoor je ertoe gedwongen wordt om je trots even op een laag pitje te zetten. Doe dat dus maar, met valse schaamte kom jij geen spat verder! Door wat jou vanavond is overkomen, hebben wij allebei met een schok moeten ervaren hoe slecht het gesteld is met de wereld. Het geeft te denken dat een jong meisje voor een paar centen ruw van haar fiets wordt getrokken. Het is een teken aan de wand voor hen die niet bij dat schorem wil horen. Daar sluit ik mezelf maar wat graag bij aan, daarom zie ik het ook als mijn plicht jou te helpen. Met hoeveel ben je geholpen, tweehonderd euro?'

Berbel wist niet wat ze hoorde, geschrokken zei ze: 'Nee, joh! Ik zou niet weten hoe ik je dat ooit zou moeten terugbetalen! Er zat honderd euro in mijn tas, maar daar hoef jij je echt geen zorgen om te maken! Ik vraag mijn baas wel om een voorschot, dat zal hij heus niet weigeren...' Ze bloosde tot in haar hals toen ze zacht bekende: 'Ik vind het geen prettig idee dat jij weet hoe beroerd ik er voor sta. Normaal zou er niks aan de hand zijn geweest, maar de laatste tijd heb ik noodgedwongen meer geld moeten uitgeven dan mijn budget toeliet. Dat is de oorzaak van de ellende, maar die kom ik wel weer te boven.'

'Wat doe jij eigenlijk voor de kost?'

Berbel vertelde dat ze verkoopster was bij schoenenwinkel Doornbosch. 'Ik denk dat jij dáár met een boog omheen loopt, omdat je misschien wel maatschoenen draagt...'

Menso schoot in de lach. 'Wat dénk jij nu wel niet van me, dat ik stinkend rijk ben?' In alle ernst vervolgde hij: 'Ik heb het geluk dat mijn ouders niet onbemiddeld zijn, zij hebben me enorm geholpen. Toen ik de zaak zeven jaar geleden opende, was het hele pand vrij van hypotheek. Een cadeautje van mijn vader! Vanaf het begin loopt de salon als een trein, bij jou vergeleken mag ik niet klagen. Toch is het niet allemaal rozengeur en maneschijn. Ik heb nogal wat personeel rondlopen en zo zijn er meer onkosten die gedekt moeten worden voordat er sprake is van winst. Het zou overigens een wonder zijn als ik met mijn drieëndertig jaar al boven Jan was. Dat ambieer ik niet eens, een leven zonder uitdagingen lijkt mij behoorlijk saai!' 'Ik had je jonger geschat,' zei Berbel. 'Ik ben zesentwintig, ik dacht dat jij maar een paar jaar ouder zou zijn.' 'Het valt je dus tegen, maar ik ben in jouw ogen toch hopelijk niet een oude kerel?' Berbel pareerde: 'Nee hoor, als jij mij tenminste niet als een onmondig wicht behandelt!' Menso keek haar indringend aan. 'Ik heb allang in de gaten, Berbel Dekker, dat ik vanavond een vrouw met karakter heb ontmoet. De manier waarop was minder leuk, maar je hebt je in korte tijd geweldig hersteld! Denk je eraan dat je morgen aangifte doet bij de politie? En als je enkel niet snel afzakt, moet je er even een dokter naar laten kijken, hoor! Nu ik weet dat je veilig thuis bent, stap ik weer eens op. Blijf zitten, ik kom er wel uit! Beloof me één ding, fiets niet meer alleen door parken en andere oorden waar het voor een mooi meisje onveilig is! Dag!' Hij stak zijn hand op, zond haar een innemende lach en vertrok.

Toen Berbel de voordeur achter hem in het slot hoorde vallen, dacht ze beduusd: hoe kan het bestaan dat ik op één avond een doortrapte slechterik moest ontmoeten en eentje waar de goedheid van af straalt!

Ze kon zich het gezicht van de onverlaat niet meer voor de geest halen, daarvoor was het allemaal veel te vlug gegaan. Ze wist alleen nog dat ze een krachtige duw had gevoeld, meteen daarna had ze op de grond gelegen. Kwaad, zo verschrikkelijk kwaad was ze geweest dat ze aanvankelijk niet eens pijn had gevoeld. Die was nu haast niet te harden. En behalve haar enkel deed ook haar elleboog zeer. Dat had ze voor Menso Wortelboer verzwegen, nu moest ze toch even kijken wat daarmee aan de hand was. Ze stroopte de mouw op van het dunne, katoenen jasje dat ze over een mouwloos bloesje droeg, en zag op de pijnlijke plek een grote, bloederige schaafwond. Daar moest dadelijk een pleister op, ook dat nog. Durfde je wel, lafbek die je bent...! Ze vermoedde dat de bruut het laatste geld dat zij deze maand uit de

83

muur had kunnen trekken, zou verbrassen aan drugs en drank. Hoe moest ze de maand nu in vredesnaam doorkomen? Natuurlijk zou ze geen voorschot vragen aan Remco Plasman, dat had ze gezegd omdat ze zich tegenover Menso groot had willen houden. Ze kon toch niet van hem – een wildvreemde – geld lenen? O nee, dat liet haar trots niet toe. Te meer omdat ze wist dat ze het bedrag maar mondjesmaat zou kunnen terugbetalen. Wat zou hij dan wel niet van haar denken!

Ze vond het anders bijzonder aardig van hem dat hij haar thuis had gebracht, want behalve spinnijdig was ze ook heel bang geweest. Ze had het nare gevoel gehad dat haar belager achter elk bosje zou kunnen staan, klaar om haar nog eens te bespringen. Toen de stoer ogende Menso naast haar liep, had ze zich veilig gevoeld. Hij had zich echt bezorgd om haar getoond en dat had haar een beetje getroost. Menso had gezegd dat ze de politie moest inschakelen, maar dat deed ze toch mooi niet! Je schoot er immers geen klap mee op, je hoorde toch altijd en overal dat de meeste schurken vrij bleven rondlopen? Wat was het een rotgevoel dat een vreemde kerel háár tas in zijn bezit had, dat hij er naar hartenlust in kon snuffelen en alles kon aanraken wat van haar was. Het idee maakte haar gewoon misselijk. En door wat hij haar had aangedaan, kon zij morgen niet naar haar werk. Ze moest morgenochtend naar de zaak bellen om Remco te vertellen wat haar was overkomen. Met zo'n opgezwollen, pijnlijke enkel kon ze echt niet werken; ze zag zich al door de winkel strompelen. Hè, wat vervelend nou allemaal! Ze kón haar fiets niet eens laten maken. Menso had makkelijk praten gehad, maar waar haalde zij het geld voor de reparatie vandaan? Ze mocht al blij zijn dat ze nog brood in huis had, genoeg voor ongeveer twee dagen. Ze zou niet op stel en sprong verhongeren, maar verder zag ze alles donker in.

Ze was de schrik nog niet te boven, alles in haar trilde. En nu ze weer helemaal alleen was, kreeg de angst opnieuw vat op haar. Stel dat die onverlaat wist waar ze woonde, dat hij haar en Menso ongezien gevolgd was? Misschien had hij in haar tas wel haar adres gevonden! Voorheen had ze er nooit aan gedacht, maar nu wilde ze zo snel mogelijk de veiligheidsketting op de voordeur doen, zodat die in ieder geval slechts op een kiertje open kon. Voor alle zekerheid zou ze de deur ook nog op het nachtslot doen, je wist maar nooit.

Berbel stond op en terwijl ze naar de gang strompelde, voelde ze haar hart in haar keel kloppen. Dit is het ergste dat er is, bedacht ze, dat je bang bent in je eigen huis. Wist die schurk eigenlijk wel dat hij, behalve het stelen van haar tas, nog veel meer op zijn geweten had? Waarom moest mij dit nou overkomen? Ik voel me zo belabberd, eenzaam en ja... ook zielig.

Nadat ze zich ervan had verzekerd dat ze de deur zorgvuldig op slot had gedaan, wierp ze een blik in de spiegel die boven een laag kastje aan de muur hing. Goeie genade, dacht ze geschrokken, ik zie er niet uit! Ze zag bleek als een doek, haar ogen waren rood en opgezet; had ze dan zoveel tranen vergoten? Ze schaamde zich opeens diep voor Menso Wortelboer, wat moest die man wel niet van haar gedacht hebben! Dat ze een onvolwassen, jankerig wicht was? O, wat akelig allemaal. Het liefst zou ze in bed kruipen en er voorlopig niet meer uit komen. Om uit te huilen, want ze voelde nog veel meer hete tranen achter haar ogen branden.

En wat is dát nou weer, dacht ze verbaasd toen ze een briefje van honderd euro op het kastje ontdekte. Het biljet stond opengevouwen tegen een beeldje dat Lonneke ooit voor een habbekrats op een rommelmarkt voor haar had gekocht. Menso... ze kon wel nagaan dat hij het geld er neer had gezet, met de beste bedoelingen. Maar toch had je dit niet mogen doen, man... Of juist wel? Had hij haar ermee duidelijk willen maken dat zij in tijden van nood haar trots gerust mocht laten varen? Ze zat in nood en ze kon het geld verschrikkelijk goed gebruiken. Het kostte haar alleen zoveel moeite om dank je wel te zeggen, en daar kwam ze nu vanzelfsprekend niet onderuit. Ze moest hem morgen bellen om hem te bedanken en om hem te zeggen dat ze het bedrag maar met kleine beetjes tegelijk zou kunnen terugbetalen. Je hebt een armoedzaaier geholpen, dan krijg je dit soort vervelende toestanden. Morgen zou ze die klus moeten klaren, of... moest ze hem nu meteen bellen? Dan was zij ervan af. Hij had immers gezegd dat er thuis niemand op hem wachtte. Dat betekende dat er niemand mee zou luisteren en dat was in elk geval al een pak van haar hart. Zou ze het doen, zou ze het durven?

In de huiskamer zat Berbel er nog geruime tijd over te dubben, totdat ze bedacht dat je de vervelendste karweitjes maar beter direct kon afhandelen. Deed ze het niet, dan zou ze er vannacht gegarandeerd

85

niet van kunnen slapen. Ze moest opnieuw opstaan, hetgeen moeite kostte, om de draagbare telefoon te pakken en het telefoonboek. Ze had het nummer al snel gevonden, en voordat ze zich zou kunnen bedenken, toetste ze het in. Het duurde even, maar toen hoorde ze een stem die ze herkende.

'Menso Wortelboer.'

'Ja… eh, je spreekt met mij. Berbel Dekker. Ik heb het geld gevonden, weet jij eigenlijk hoezeer je mij daarmee in verlegenheid hebt gebracht?'

'Dat was niet de bedoeling, die gevoelens van jou zijn overigens nergens voor nodig. Jij zit om geld te springen, heb ik begrepen en ik kan het wel eventjes missen. Soms word je ertoe gedwongen om je trots te laten varen, weet je nog?'

'Ja, die wijze les van jou gonst nog door mijn hoofd. Laten we dan nu even zakelijk zijn, Menso. Het is zo dat ik het geld inderdaad hard nodig heb en ik wil je bedanken voor je goedwillendheid. Ik wil het echt zo snel mogelijk terugbetalen, maar ik ben bang dat ik niet meer dan tien euro per maand kan missen. Het duurt dus even voordat je het hele bedrag terug hebt. Ik kan de bedenkelijke frons op je gezicht bijna zien, durf eens zeggen dat het niet zo is!'

'Ik sta in mezelf te glimlachen om het kleine meisje dat ik opeens weer voor me zie. Je was diep gekwetst toen ik je te hulp schoot, je wist alleen niet hoe kwetsbaar je eruitzag. Hoe is het nu? Ik ben in gedachten nog aldoor met je bezig. Kun je het aan, daar in je eentje?'

'Jawel, hoor…' loog ze. 'Je moet met mij geen medelijden hebben, daar heb ik gruwelijk de pest aan. En een klein meisje ben ik zeker niet. Daarstraks heb ik me misschien onbewust zo gedragen, maar dat kwam door wat die rotkerel me heeft aangedaan. Ik was vreselijk geschrokken, boos en bang tegelijk, maar doorgaans sta ik mijn mannetje heus wel!'

'Dat klinkt stoer, jammer alleen dat je je niet zo voelt!'

'Hoe zou jij dat kunnen weten…?'

'Omdat ik nog steeds iets van een snik in je stem hoor. Je voelt je verdrietig, verre van happy. Het is helemaal niet erg om toe te geven dat je nog niet de oude Berbel bent. Weet je overigens dat ik die heel graag zou willen leren kennen?'

'Hoe bedoel je…?'

'Wat ik zeg. Het is niet moeilijk om vast te stellen dat het meisje dat ik vanavond te hulp schoot, in de verste verte niet leek op wie zij in werkelijkheid is. Er gebeurde nogal wat met je, daardoor liet je ego je even in de steek. Dat kan immers niet anders. Maar ik vind dat jij je desondanks toch dapper gedroeg. Nou, en daarom zou ik willen weten hoe dapper Berbel Dekker gewoonlijk is. Ik zou je nog graag een keer willen ontmoeten, Berbel!'

'Daar zul je niet eens onderuit kúnnen komen,' pareerde zij. 'Ik sta immers bij je in het krijt! Maandelijks zal ik op je stoep staan om een deel van de schuld af te lossen. Kun je tevreden zijn, Menso, met het bedrag dat ik daarnet noemde?' Op dat moment bedacht ze opeens iets waar ze het warm van kreeg, omdat het volgens haar dé oplossing was. Voordat Menso zijn mond open kon doen, ratelde Berbel druk verder. 'Ik kreeg opeens een geweldig idee, waarmee we allebei geholpen zijn als het jouw goedkeuring tenminste kan wegdragen!'

'Vertel, je maakt me nieuwsgierig!'

'Nou, kijk, ik zou het geld voor je kunnen verdienen! Door voor jou te werken zonder daarvoor loon te krijgen. Op maandagochtend is de schoenenwinkel gesloten, dan zou ik voor jou bijvoorbeeld iets kunnen schoonmaken. In je huis of in de kapsalon, dat kan mij niet schelen. Ik wil wedden dat jij dit ook een grandioos plan vindt, dat echter wel even uitvoeriger besproken moet worden!'

'Ja, Berbel, wij moeten inderdaad nog eens praten,' zei Menso ernstig. Hij verzweeg dat hij er niet over peinsde om haar voor hem te laten werken en voegde eraan toe: 'Wat vind jij ervan als ik je zaterdagavond met de auto kom ophalen? Dan hoef jij niet te lopen en kunnen we in mijn huis in alle rust over het een en ander praten. Als het niet gelegen komt, maken we een andere afspraak.'

'Nee, nee, zaterdagavond is goed. Héél erg gezellig juist! Dan praten we dan verder, voor nu wil ik je nogmaals bedanken. Voor je hulp van vanavond, voor het geld én alvast voor het baantje op de maandagochtenden! Tot gauw!'

De verbinding werd verbroken. Berbel had er geen idee van dat de man aan de andere kant van de lijn vol verbazing zijn hoofd schudde. Wat een doordrammertje zeg! Ze deed warempel net alsof ze al voor hem aan het poetsen was. Dat kon ze dan wel mooi vergeten, want daar had hij zijn mensen voor. Haar had hij voor heel iets anders nodig. En zij hem, anders had ze niet zo gretig gezegd dat het haar op zaterdagavond schikte, dat ze het dan héél gezellig vond. Dat kon volgens hem maar één ding betekenen, dat zij zich dan net zo eenzaam voelde als hij. Dan kon er toch niets op tegen zijn dat twee eenzame harten een beetje troost zochten bij elkaar? Hij had gezien dat zij ook geen ring droeg, en vanwege haar opmerkingen had hij begrepen dat zij ook alleen was. Ze was mooi om te zien en hij was echt nieuwsgierig naar hoe en wie zij was als ze niet zo verschrikkelijk geschrokken, boos en verdrietig tegelijk was.

O ja, hij zou maar wat graag vriendschap met haar sluiten. Hij had al zo lang behoefte aan iemand met wie hij kon lachen en praten, iemand die een klein beetje bij hem hoorde. Als een lief vriendinnetje, want meer zat er niet in. Voor hem niet en voor haar niet. Hij was niet vrij, hij mocht zijn verplichtingen niet uit het oog verliezen. Dat zal ik ook niet doen, daar kan iedereen gerust op zijn, bromde hij in gedachten. Zou er iemand zijn die zonder uitleg begreep dat hij zich nog een jonge vent voelde met alle gevoelens die daarbij hoorden? Iemand die aanvoelde hoe het was om voortdurend in een dwangbuis te moeten lopen? Net als Berbel had hij na een week van hard werken op de zaterdagavond wat afleiding nodig. Was dat dan te veel gevraagd? Zondags moest hij zijn dure plicht vervullen, dat zou hij blijven doen, daar konden degenen die hem nodig hadden gerust op zijn.

De zaterdagavond had voor hem plotseling een geheel ander karakter gekregen. Hoewel hij niet eens wist of Berbel er net zo over dacht, keek hij er al verlangend naar uit. Onder het genot van een hapje en een drankje, een gezellig babbeltje met Berbel, zou hij het verleden eventjes mogen vergeten. Hoe kwam het toch dat dit meisje, dat hij nog van geen kanten kende, toch al zoveel met hem had gedaan? Goeie genade, hij moest ervoor waken dat er geen liefde voor haar in zijn hart sloop! Dan zou hij zich jegens Digna net zo misdragen als de schurk die Berbel had beroofd. Zo'n loeder wilde hij niet zijn, zo was hij niet. Nee Digna, ik zal jou geen pijn kúnnen doen! Wel vraag ik me af of jij wel beseft hoe zwaar het juk weegt dat ik dragen moet vanwege jou.

Menso zuchtte diep en mompelde voor zich uit: 'Ik word geleefd en niemand in mijn omgeving die het weet. Niemand die het weten mág...'

7

Ik heb nooit geweten, dacht Berbel deze zaterdagmiddag, dat niets-
doen zo verschrikkelijk veel energie kost. Verkeerde energie, die je
humeur geweld aandoet. Sinds ze donderdagavond in het park was
overvallen, had ze bijna alleen maar stilgezeten met haar ene been
recht vooruit op een andere stoel. Ze was inmiddels uitgelezen en uit-
gepuzzeld en op de tv was niets dat haar interesse kon opwekken.
Ze was daarnet gewoon blij geweest met het telefoontje van Remco
Plasman, dat had de verveling even doorbroken. Aardig van hem,
om zo meelevend te informeren hoe zij het maakte. Ze had gezegd
dat ze zich stukken beter voelde en dat haar enkel er bijna weer gewoon uitzag. 'Maandagmiddag ben ik weer op mijn post,' had ze beloofd, 'het spijt me heel erg dat ik je in de steek moet laten!'
Daarop had Remco gezegd dat zij eerst maar eens aan zichzelf moest
denken. 'Wij redden ons hier wel, ik vermoed dat bij jou de schrik er
nog goed in zit! We wisten niet wat we hoorden toen jij vrijdagmor-
gen belde en vertelde dat je niet kon komen omdat je met bruut geweld te maken had gehad. Je denkt altijd dat zoiets alleen een ander
kan overkomen, niet jezelf. Gaat het echt weer zo goed als je laat
voorkomen? Heb je momenteel iemand in de buurt die een beetje
voor je zorgt?'
Zonder blikken of blozen had ze hem gerustgesteld. 'Ja hoor, ik heb
een lieve buurvrouw die boodschappen voor me doet en om de haverklap even komt binnenwippen.' Met eenzelfde leugentje uit bestwil had ze Annemarie ook al eens om de tuin geleid, herinnerde ze
zich. Het kon niet anders, als ze de waarheid vertelde zou ze daar
medelijden mee opwekken en daar kocht zij niets voor. Het ging geen
mens wat aan dat zij na die ellendige donderdagavond geen sterveling meer gesproken had. De mensen bij haar in de flat leefden allemaal op zichzelf. Als ze elkaar toevallig in het trappenhuis tegen-
kwamen, werd er vriendelijk gegroet en daar bleef het meestal bij.
Gewoonlijk miste zij het contact met de buren niet, maar nu ze zo
aan huis gekluisterd zat, zou het prettig zijn áls er eens iemand kwam
vragen of ze iets nodig had. Ze zou hem of haar zo een boodschap-
penlijstje kunnen overhandigen, waardoor ze eindelijk weer eens iets
lekkers zou binnenkrijgen. Ze had inmiddels geen kruimel brood

meer in huis, de beschuitbus was leeg en het pakje pannenkoeken ook. Voor morgen had ze nog een blik soep, daar kon ze zich nu al op verheugen! Daarstraks, tussen de middag, had ze haar maag voelen knorren en was ze naar de keuken gehinkeld om te zien of er echt niets eetbaars meer in huis was. Haar blik was gevallen op de aardappelemmer waar nog een bodempje in zat. Gekookte piepers met niks erbij is geen eten, had ze gedacht en op hetzelfde moment had ze een ingeving gekregen. Ze had toen een paar grote aardappels geschild, die vervolgens geraspt en het meeste vocht eruit geknepen. Daarna had ze de smurrie met zout en peper op smaak gebracht en het platgedrukt in de koekenpan waar ze eerst een klontje boter in had gedaan. Ze had het voorzichtig om en om gebakken, en even later had ze van een aardappelpannenkoek zitten smullen. Zij had het tenminste lekker gevonden, bovendien had deze warme hap zo goed als niks gekost! Het 'gerecht' was voor herhaling vatbaar!

Maandagmorgen was de schoenenwinkel gesloten, dan zou ze met haar 'lening' weer voldoende in huis kunnen halen. O nee, dacht ze plotseling, met een beetje geluk ben ik maandagmorgen voor Menso Wortelboer aan het werk. Daar zouden ze vanavond over praten. Wat zou zij voor loon kunnen vragen, zou zeven euro per uur te veel zijn? Ze zou het geld vanzelfsprekend niet in handen krijgen, maar stel dat hij haar van acht tot twaalf uur zou kunnen gebruiken, dan zou haar schuld jegens hem zienderogen slinken! Hè, wat een opluchting! Ze werd er gewoon een beetje warm en blij van. Om dit te vieren, ging ze zichzelf trakteren op een glas thee en de cracker die ze had bewaard voor als de nood te hoog werd! Als ze daar een likje jam op deed, had ze met de nodige fantasie thee met gebak!

Toen ze even later van de cracker zat te smullen en van de thee zat te genieten, bedacht ze dat ze Lonneke wel even zou kunnen bellen. Ze aarzelde geen moment en terwijl ze het privénummer van de familie Timmerman intoetste, hoopte ze dat ze Lonneke aan de lijn zou krijgen. Ze werd niet teleurgesteld, en de stem van haar zusje klonk haar als muziek in de oren.

'Met Lonneke.'

'Hai lieverd, ik ben het! Wat fijn dat ik jou meteen te pakken krijg, daar hoopte ik stilletjes op!'

'De hele familie is beneden in het restaurant. Op zaterdag is het hier smoordruk, dan moet Niels ook helpen. Zijn moeder staat in de keuken groenten en zo schoon te maken, ik moet boven blijven om op Nova te passen. Zij slaapt echter als een roosje en zodoende heb ik alle tijd om huiswerk te maken.'

'Het gaat goed op school, nietwaar? Toen ik onlangs met mevrouw Timmerman sprak, vertelde ze mij dat jij goed je best deed. Dat was voor mij prettig om te horen, maar je beseft zelf ook wel dat jij de kantjes er niet af mag lopen! Jij hebt bepaalde verplichtingen die jij uiterst serieus moet nemen!'

'Ja, ik weet wel dat ik dankbaar moet zijn, dat hoef je mij niet telkens onder mijn neus te wrijven, Berbel! Ik doe heus wel mijn best. Eerlijk gezegd heb ik het niet moeilijk met mijn huiswerk, want als ik er niet uit kom hoef ik maar te kikken en Niels' broers schieten me te hulp. Jan-Willem heeft laatst een proefwerk Duits voor me gemaakt omdat ik er niks van snapte. Dat mogen Niels' ouders natuurlijk niet weten, want dan zwaait er wat! Die mensen zijn lief, maar soms ook vreselijk streng!'

Berbel glimlachte. 'Als ik je zo hoor, sla jij je er wel doorheen. Ben je al gewend op je nieuwe school, voel je je er een beetje thuis?'

'Ja, het is hier hartstikke leuk, ik heb al een paar nieuwe vriendinnen. Ze weten op school allemaal dat ik een baby heb, maar daar doet niemand moeilijk over. De jongens praten er niet over, de meisjes schijnen het eerder interessant te vinden dan gek of... in het andere geval, slecht.'

'Jij bent geen slecht meisje, Lonneke, daar mag jij geen seconde aan twijfelen!' waarschuwde Berbel met klem. 'Het is trouwens net alsof ik al iets van een Brabants accent in je stem hoor, of verbeeld ik me dat?'

'Dat zou best kunnen kloppen! Ik hoor niet anders om me heen dan Brabants en gek genoeg schijn je dat zomaar over te nemen. Het kan ook zijn dat ik er bewust mijn best voor doe, want het Groningse geknauw is hier niet op z'n plaats. Als ik per ongeluk iets in het Gronings zeg, kijken ze me aan alsof ik uit een ander werelddeel kom. Nou, dan laat je het wel, hoor!'

'Ik kan me er veel bij voorstellen. Als jij er maar voor zorgt dat ik jou kan blijven verstaan,' grapte Berbel.

'Hoe kan het eigenlijk dat jij mij overdag belt? Of bel je vanuit de schoenenwinkel?' vroeg Lonneke verwonderd.

Berbel wilde niet dat Lonneke zich zorgen om haar zou maken, daar-

om verzweeg ze wat haar in het park was overkomen. Quasi-luchtig zei ze: 'Ik ben een onhandige lomperd geweest. Op de een of andere manier heb ik mijn voet ongelukkig neergezet waardoor ik mijn enkel heb verzwikt. Ik kan er bijna niet op staan of lopen en zodoende zit ik noodgedwongen thuis duimen te draaien. En aangezien dat niks voor mij is besloot ik jou te bellen. Ik moet zeggen dat het gesprekje me goed doet. Omdat het zo goed gaat met jou, bedoel ik!'
Lonneke haakte er vrolijk rebbelend op in. 'Ja Berbel, het gaat hartstikke goed met mij! Nu ik weer gewoon Lonneke kan zijn, ben ik die akelige maanden van mijn zwangerschap al haast helemaal vergeten! Ik ben weer net zo slank als voorheen, daar is Niels ook heel erg blij om. Hij heeft mijn dikke buik maar één keer gezien, maar hij zegt dat dat genoeg was om diep medelijden met me te krijgen. O ja, vanavond ga ik naar een tuinfeest van een vriendin die jarig is! Niels is ook uitgenodigd, het schijnt een knalfeest te worden dat tot in de kleine uurtjes zal duren. Niels en ik moeten echter al om klokslag twaalf thuis zijn. Soms, Berbel, zijn z'n ouders echt overdreven streng, hoor! Ze strijken nooit eens met hun hand over het hart, terwijl dat toch een kleine moeite zou zijn. Niels en ik worden hier constant in de gaten gehouden. Zijn ouders doen net alsof wij broer en zus zijn, dat dat niet zo is zouden ze kunnen weten door naar Nova te kijken. Ik erger me er soms aan dat mevrouw Timmerman net doet alsof Nova háár kindje is, waarop ik mag passen als het haar zo uit komt. Het is heus niet allemaal even leuk. Zit ik nu erg te klagen, Berbel…?'
'Nee lieverd, dat valt wel mee. Elk mens heeft op zijn tijd een uitlaatklep nodig. Jij mag echter niet vergeten dat die mensen voor jou en Niels alleen maar het goede willen. Waardeer dat alsjeblieft, Lonneke, en bedenk ondertussen dat er voor jullie ooit andere tijden zullen aanbreken. Zodra jullie volwassen zijn, getrouwd en op jezelf wonen, zal mevrouw Timmerman geen claim meer leggen op Nova. Zo verstandig is ze wel. Hoe is het trouwens met Nova, kan ze al haast tante Berbel zeggen?'
Lonneke vatte het grapje serieus op. 'Nee joh, ben je gek! Ze kan nog niet eens mama zeggen, ze kan nog helemaal niet praten! Ze maakt soms wel hele lieve geluidjes die op praten lijken en als ik met haar speel lacht ze heel lief naar me. Ik ben zó blij, Berbel, dat ik haar heb mogen krijgen. Daar danken Niels en ik God nog elke dag voor. No-

va is voor ons een godsgeschenk, ze is terecht een lichtende ster die ons leven licht en zonnig maakt.'

'Ik zou haar ontzettend graag even willen knuffelen,' bekende Berbel. 'Ik zie haar maar zo weinig, dat ik bang ben dat ze mij niet echt zal leren kennen. Nu klaag ík een beetje, maar daar moet jij je niks van aantrekken!'

'Dat doe ik wel, want ik begrijp best wat jij bedoelt. Jij vond het fijn dat ik bij je woonde en opeens was ik met baby en al verdwenen. Jij bleef helemaal alleen achter en daar heb ik best wel last van, Berbel! Ik heb nu alles wat mijn hartje begeert, maar jij hebt niemand meer. En, oen die ik ben, nu heb ik daarnet ook nog juichend verteld dat ik vanavond naar een feest ga. Dat had ik niet tegen je moeten zeggen, ik kan immers wel nagaan dat jij je vanavond nu extra alleen voelt. Sorry, Berbel...'

Deze was blij dat ze haar zusje gerust kon stellen. 'Wil jij weleens gauw ophouden met mij te beklagen! Daar heb ik gruwelijk de pest aan en het is bovendien nergens voor nodig. Ik heb vanavond namelijk ook een uitje! Ik moet op sollicitatiegesprek bij Menso Wortelboer. Je kent die dure kapperszaak toch wel bij ons in de buurt? Nou, hij is de eigenaar ervan en zoekt hulp voor de maandagochtenden. Ik moet zijn huis of de zaak schoonmaken, dat weet ik nog niet precies. Dat doet er ook niet toe, het komt mij heel goed van pas!'

'Zit je nog aldoor krap dan?'

Het ene woord lokt het andere uit, schoot door Berbel heen. Ze kon niet voorzichtig genoeg zijn. Er zat niet anders op, ze moest opnieuw een smoesje verzinnen. 'Nee hoor! Nu ik alleen ben kan ik van mijn maandsalaris wel rondkomen, maar een beetje extra is nooit weg. Snap je?'

Berbel kon niet zien dat Lonneke instemmende hoofdknikjes maakte, ze hoorde wel de opluchting in haar jonge-meisjesstem. 'Ik was al bang dat jij in moeilijkheden was gekomen door al die nieuwe kleren die ik van je kreeg voordat ik hiernaartoe ging. Jij zei toen dat je daar een geheim potje voor achter de hand had. Was dat echt zo...?'

'Kom, Lonneke, we gaan geen oude koeien uit de sloot halen, hoor! Vertel me liever wanneer je weer eens een weekend bij me komt. Ik mis jou en Nova, ik kan niet al te lang zonder jullie...'

'Ik heb ook een beetje heimwee naar jou,' bekende Lonneke kleintjes. 'Ik zal mevrouw Timmerman vragen of ik het aanstaande weekend naar je toe mag. Daar kun jij alvast wel op rekenen, ze weten hier maar al te goed dat wij elkaar niet kunnen loslaten. Dan ben ik aanstaande zaterdag, weer net als de vorige keer, tegen de middag bij je en ga ik zondagmiddag met de trein van vier uur weer terug. O Berbel, wat verheug ik me daar al op...!'

'Ja, ik niet minder. Komen jullie weer met z'n tweetjes, of is Niels deze keer ook van de partij?'

'Was dát maar waar,' verzuchtte Lonneke, 'dat kun je echter wel vergeten. Meneer en mevrouw Timmerman vertrouwen Niels en mij zolang ze ons kunnen zien. Aangezien ze weten dat jij maar één logeerkamer hebt, zullen ze Niels liever aan een stoelpoot vastbinden dan dat hij mee mag naar jou. Niels heeft er al eens een keer heel erg ruzie over gemaakt, maar toen gaf zijn vader hem doodgewoon een draai om de oren. Die mensen laten niet met zich spotten, daar zullen wij ons bij neer moeten leggen. Nog heel wat jaren...'

'Later, Lonneke, zullen jullie op deze tijd terugkijken,' voorspelde Berbel. 'En dan zul je – hopelijk in dankbaarheid – zeggen dat de bescherming die je toen kreeg, uit harten kwam van échte ouders. Begrijp je wat ik bedoel...?'

'Ja, jij denkt nu aan pa en mam, zij hebben ons niks meegegeven. Ik probeer het weleens, maar ik kan niets bedenken dat lief bedoeld was. Als ik soms in mijn binnenste graaf, komt er altijd één afschuwelijk woord bij me boven: abortus... Dat zal ik niet kunnen vergeten, Berbel, laat staan dat ik het pa vergeven kan...'

'Ja lieverd, ik weet het allemaal wel,' zei Berbel aangedaan. 'Toch zou jij niet meer achterom moeten kijken. Er ligt en veelbelovende toekomst vóór je, kijk daar liever naar uit!'

Kort hierna beëindigden ze het gesprek. Berbel dacht een beetje verdrietig: ik wou dat míjn toekomst perspectieven bood, waarom zijn die zo ver te zoeken...? Lonneke dacht dus nog vaak aan datgene waarmee pa had gedreigd en vanwege datzelfde, gruwelijke rotwoord, had zij – Berbel – iedereen om zich heen verloren. Om Lonneke te kunnen beschermen, had zij destijds geen keus gehad en hoewel ze met liefde voor haar zusje had gezorgd, dacht ze de laatste tijd weleens terug aan dat waar anderen haar voor gewaarschuwd hadden.

Opoffering... Zij zou dat woord niet in de mond durven nemen, toch vermoedde ze dat haar leven er nu anders zou uitzien als zij de zorg om Lonneke niet op zich had hoeven nemen. Ze was ervan overtuigd geraakt dat haar relatie met Marcus ook dan stuk zou zijn gelopen, maar ze wist dat ze de moed niet zou hebben laten zakken. Ze zou uit zijn gegaan, nieuwe vrienden hebben gemaakt, in plaats van thuis te zitten om er voor Lonneke te zijn. Lonnekes treintje liep gelukkig weer gladjes over de rails, ze had lief en werd lief gevonden. Berbel wilde ook zo dolgraag mensen om zich heen die om haar gaven, één iemand die haar met heel zijn hart liefhad. Van hem zou zij ook zo'n klein popke als Nova willen. Om dat voor elkaar te krijgen zou ze uit moeten gaan, nieuwe mensen leren kennen. Ze was nu immers bevrijd van de zorgen om haar zusje, dus wat lette haar?

Een heleboel dingen, dacht Berbel somber. In de eerste plaats had ze geen rooie cent en zou ze op de zak van anderen moeten teren. Daar bedankte ze feestelijk voor! Haar garderobe was netjes genoeg om ermee in de winkel te staan, maar in het uitgaansleven zou ze hopeloos uit de toon vallen. Doorslaggevend voor haar was echter dat ze zich geestelijk te moe voelde om stappen te ondernemen die haar leven zouden verbeteren. De achter haar liggende maanden hadden meer van haar gevergd dan ze had verwacht. Ze voelde zich een beetje opgebrand en bovendien was ze bang dat ze zich niet meer zo goed bij leeftijdsgenoten zou kunnen aanpassen. Ze had zo lang 'moedertje' gespeeld dat ze zich geen onbezorgd, jong meisje meer voelde. Dat bleek immers wel, anders zou zij zich op zaterdagavond nota bene toch zeker niet zo verheugen op een sollicitatiegesprek?

Ze keek er echt naar uit, het leek haar beregezellig om met Menso Wortelboer te praten. Hij had afgelopen donderdagavond een goede indruk op haar gemaakt. Hoewel ze hem nog helemaal niet kende, durfde ze te stellen dat hij een aardige man was. Een goed mens. Hoe laat zou hij voor haar deur staan? Ze zou zorgen dat ze klaarzat zodat hij niet op haar hoefde te wachten.

Na dat besluit ging Berbel zich douchen, omkleden en wat extra optutten. Klokslag halfacht zat ze op haar stoel te wippen van ongeduld. Het was alsof Menso Wortelboer dat aanvoelde, want nog geen tien minuten later stond hij voor haar deur. 'Als ik te vroeg ben moet je het maar zeggen!' zei hij na de begroeting.

Berbel schoot in de lach. 'Stel dat ik hier ja op zei, ging je dan gelaten in je auto op me zitten wachten? Nee hoor, ik zat al naar je uit te kijken!'

Het ritje was in een mum van tijd volbracht, onderweg had Menso verteld dat hij boven de kapsalon woonde. Toen ze daar aankwamen en ze uit waren gestapt, wees hij naar een steile, stenen trap opzij van de zaak. 'Die leidt naar het privégedeelte. Wat denk je, kun je hem beklimmen met je zere enkel? Anders gaan we door de salon, maar dan moet ik daar de sleutels even van ophalen.'

'Nee, nee, doe vooral geen moeite,' zei Berbel gehaast. 'Mijn enkel is zo goed als beter, zag je dan niet dat ik al bijna weer gewoon loop?' Achter hem aan beklom ze de hoge trap. Kort hierna stonden ze in de huiskamer, waar Menso met een armzwaai zei: 'Als jij een plekje zoekt, ga ik naar de keuken om voor de koffie te zorgen. Maak het je intussen gemakkelijk!'

Hij maakte zich uit de voeten en nadat Berbel gedaan had wat hij haar adviseerde, keek ze bewonderend om zich heen. Afgezien van het klassieke Chesterfield-bankstel met bijpassende salontafel, had het interieur een modern tintje. Wonderlijk hoe goed dat samenging. Menso Wortelboer had ontegenzeglijk smaak, en dat hij van lezen hield bewees de volle boekenkast die één wand van het vertrek in beslag nam. De vele schemerlampen zouden bij herfst en winter, als het buiten donker was, de sfeer in dit huis enkel nog verhogen.

Lieve deugd, nu ze dit zag drong pas goed tot haar door hoe armzalig het er bij haar uitzag! Ze zou niet weten waar ze het geld vandaan moest halen om de inrichting van haar flat ook wat meer aanzien te geven. Het moest Menso donderdagavond absoluut zijn opgevallen dat haar huis vol stond met oude troep die eigenlijk op de stortplaats thuishoorde. Hopelijk had hij eruit begrepen dat zij een baantje bij hem best zou kunnen gebruiken! Daarvoor was ze tenslotte hier, ze hoefde zich niet mooier voor te doen dan ze was.

Op dat moment kwam Menso binnen met een dienblad waarop twee mokken koffie stonden, suiker en melk en ook een schaaltje met daarop twee gevulde koeken. Hij zette een mok voor haar neer. 'Wil je jezelf bedienen van suiker en melk? Ik hoop dat je niet te veel gegeten hebt, dat er een gaatje over is voor de gevulde koek. Als die te groot voor je is mag je hem gerust doormidden breken!'

Je moest eens weten, dacht Berbel geamuseerd, dat die koek bij mij in een zo goed als leeg gat zal vallen. 'Het ziet er allemaal lekker uit, ik denk dat ik hem zonder moeite naar binnen zal kunnen werken.' Ze hapte gretig in de koek, maar om niet te laten merken dat die inderdaad in een bodemloze put viel, legde ze hem na een paar hapjes eventjes neer.

Menso boog zich naar haar toe. 'Hoe is het je vergaan sinds donderdagavond? Ben je inmiddels wat van de schrik bekomen?'

'Die avond en de dag erna was ik opeens bang in mijn eigen huis, maar daar wil ik niet langer aan toegeven. Ik heb het bewust van me afgezet, en nu gaat ook dat weer stukken beter. Het is toch ook te zot dat je je zou laten inpakken door zo'n schurk?'

'Er zijn zat mensen die er niet zo snel overheen komen,' opperde Menso. 'Het schijnt een zeer ingrijpende ervaring te zijn als je zo bruut wordt overvallen.'

Berbel knikte. 'Dat is ook zo, maar in mijn geval had het ook een goede kant!' Op zijn niet-begrijpende blik legde ze uit: 'Dankzij mijn belager mocht ik jou ontmoeten en dankzij jou heb ik er op de maandagochtenden een baantje bij! Ik hoop tenminste dat jij je niet hebt bedacht?'

Jij zit echt te springen om geld, dacht Menso. Hij zei: 'Voor zover ik weet heb ik je geen baan aangeboden, dat maakte jij er in je enthousiasme zelf van. Ik vrees dan ook dat ik je moet teleurstellen, Berbel.'

Deze keek beteuterd en hakkelde: 'Maar... maar, ik had me er al helemaal op ingesteld! Weet je wel heel zeker dat je niemand nodig hebt?'

'Elke week, op vrijdag, komt mijn trouwe "poetsvrouw". In één hele dag maakt zij mijn huis weer blinkend schoon zodat ik weer een week vooruit kan. Net als alle kappers ben ik op maandag gesloten en dan doet dezelfde hulp de salon en alles wat daarbij hoort. Ik kan haar ter wille van jou niet de laan uit sturen, daar is ze me te dierbaar voor. Begrijp je?'

Berbel dacht van wel. 'Hebben jullie een relatie?' flapte ze er toen uit.

Menso's bulderende lach vulde de kamer. 'Zo'n goeie grap heb ik niet eerder gehoord! De vrouw over wie ik het heb, heet Alie Broekema. Ze is een grote, forse vrouw van achtenvijftig jaar! Ze is getrouwd en heeft zelfs al een kleinkind! Van een relatie tussen haar en mij kan dus geen sprake zijn, maar daarom kan ze mij toch wel dierbaar zijn? Met al mijn personeel heb ik een band die ik niet graag zou willen verbreken!'

'Ja, zo iemand lijk jij me wel...' Ze slaakte een onhoorbaar zuchtje

97

waarna ze met spijt in haar stem concludeerde: 'Dan zit er niets anders op dan dat ik je het voorgeschoten bedrag beetje bij beetje terugbetaal. Mogelijk kan ik op maandagmorgen ergens anders aan de slag, daar zal ik moeite voor doen. Het zit me zo dwars, dat ik bij jou in het krijt sta...'

Menso keek haar bezorgd aan. 'Hoe komt het, Berbel, dat jij in geldnood zit? Twee van mijn kapsters zijn ongeveer net zo oud als jij, en net als jij wonen ze op zichzelf. Ze verdienen bij mij echt geen kapitalen, toch hoor ik hen nooit klagen. Misschien komt dat doordat ze een vaste partner hebben en samenwonen, tweeverdieners hebben natuurlijk wat meer armslag. Sinds ik je te hulp ben geschoten, vraag ik me aldoor af hoe het mogelijk is dat zo'n mooi meisje als jij helemaal alleen woont.'

'Ik heb geen vriend meer,' zei Berbel wat stroef, 'en die kapsters van jou hebben vast geen zusje voor wie ze lang hebben moeten zorgen...'

'Je hebt het nu over dat meisje met wie ik je een keer in de kerk zag,' herinnerde Menso zich. 'Wil je me vertellen over haar en jou, Berbel?'

Ze aarzelde een moment, maar toen ze in de eerlijke ogen keek van de man tegenover haar stak ze zonder schroom van wal. Berbel was lang aan het woord, ze liet haar hele voorgeschiedenis de revue passeren. Ze sprak zelfs het woord abortus uit dat ze tot dusverre angstvallig voor iedereen verzwegen had. Ze besloot het lange relaas met: 'Begrijp je nu dat ik hopeloos krap zit omdat Lonneke ontzettend veel nodig had? Lonneke en ik moesten samen leven van mijn salaris dat eigenlijk nauwelijks toereikend is voor één persoon. De babyuitzet moest er komen, op een gegeven moment moest zij positiekleding dragen en voordat ze naar Tilburg vertrok, heb ik ervoor gezorgd dat ik me niet hoefde te schamen. Ik heb haar helemaal in het nieuw gestoken en daardoor ben ik zelf in moeilijkheden geraakt. Behalve dat ik krap zit, heb ik een huurschuld van twee maanden. Dat weet niemand, en ik snap niet waarom ik het opeens wel aan jou vertel. In elk geval niet om medelijden bij je op te wekken, als je dát maar niet denkt!'

'Ik zou het niet durven, ik zou jouw trots er immers geweld mee aandoen!' zei Menso. Hij keek haar indringend aan. 'Donderdagavond wist ik gelijk al dat ik met een persoonlijkheid te doen had, maar dat er zo'n sterke vrouw school achter het wezentje dat toen zo overstuur was, kon ik niet weten. Ik ben een beetje confuus van jouw levens-verhaal, want goed beschouwd had geen sterveling deze zware taak op jouw schouders mogen schuiven! Daarnet, in je uitleg, heb je me een beeld geschetst van je ouders, voor hen heb ik geen goed woord over. En al evenmin voor je ex-vriend en voor je vroegere vrienden die nooit meer naar je hebben omgekeken, terwijl ze wisten wat jij te verstouwen kreeg. Niemand weet dat jij omwille van je zus nu ook nog eens financieel in de knel zit. Ik heb de grootste bewondering voor je en tegelijkertijd heb ik met je te doen.'

'Dat hoeft niet, behalve de zorgen om dat rotgeld, is de rest verleden tijd. Ik treur allang niet meer om Marcus; ik kan me haast niet meer voorstellen dat ik ooit met hem heb samengewoond! Mijn vroegere vrienden zijn achteraf bezien nooit ware vrienden geweest, anders hadden ze zich niet zo gedragen. Dat kan me niks meer schelen, voor Lonneke is het allemaal goed gekomen en dat is voor mij het aller-belangrijkste. Zo God het heeft gewild, zo is het allemaal gegaan. Ik kan het niet anders zien.'

'Daar kan ik niet in meegaan. Ik kan mij niet voorstellen dat God heeft gewild dat jij de hele tijd door opoffering gevangenzat. Je bent alles en iedereen erdoor kwijtgeraakt. En omdat ik het zo verschrik-kelijk vind dat er al die tijd niemand was die een vinger naar je uit-stak, vraag ik of ik voortaan een steunpilaar voor je mag zijn. Is dat goed, Berbel?'

Zij haalde haar schouders op en wist niets anders te zeggen dan: 'Waarom?'

Menso keek langs haar heen toen hij onverstaanbaar in zichzelf mom-pelde: 'Door opoffering gevangen… Waarschijnlijk ben ik de enige die de diepe betekenis ervan kent.'

'Wat zei je, ik verstond je niet?'

Hij moest zijn emoties overwinnen voordat hij haar blik weer zocht en zeggen kon: 'Laat maar, ik praat wel vaker in mezelf. Geef me lie-ver antwoord op mijn vraag van daarnet, zeg dat je me wilt be-schouwen als een vriend. Alsjeblieft…?'

Berbel reageerde verbaasd. 'Tjonge, ik weet niet wat ik hoor! Na-tuurlijk wil ik graag vriendschap met je sluiten, maar ik vraag me wel af of jij je altijd zo snel het lot van anderen aantrekt…'

'Dat zou ik niet durven zeggen. Het is wel zo dat ik om mensen geef en dat ik me automatisch verdiep in hun problemen. En áls die dan op mijn weg komen, ja, dan wil ik niets liever dan een helpende hand bieden. Dat is toch geen slechte eigenschap?'

'Nee, integendeel! Ik ken alleen bedroevend weinig mensen die denken en doen zoals jij. Je moet wel een goed karakter hebben, dat kan niet anders. Ik geloof dat ik nu al weet dat jij een lieve man bent. Kijk, en dat is ook alweer zo vreemd, want normaal zou ik iets dergelijks niet over mijn tong krijgen. Bij jou heb ik geen last van remmingen, daar betrapte ik me ook al op toen ik je mijn voorgeschiedenis vertelde en niet eens voor je verzweeg dat ik een huurschuld heb. Wat ben jij voor een man, Menso Wortelboer, dat ik zo openhartig tegen jou kan zijn? En waarom woon jij alleen in dit mooie bovenhuis?'

Hij bloosde licht. 'Tja, waarom leef ik alleen? Misschien ben ik in de liefde wel een pechvogel, wie zal het zeggen? Kom, ik ruim de koffieboel op, we gaan iets anders drinken. Hou je van een goede witte wijn, of heb je liever iets anders?'

'Alles is goed,' zei Berbel lachend, 'ik ben wat wijn betreft geen fijnproever en zeker geen kenner. Zal ik je even helpen?'

'Je mag voor de gezelligheid mee naar de keuken, maar je mag geen hand uitsteken.'

Dat deed Berbel vanzelfsprekend wel. Ze nam de koffieboel mee naar de keuken, waar ze de mokken omspoelde voordat ze ze op het aanrecht zette. Menso ontkurkte een fles wijn waarna hij een duik in de koelkast deed waar hij een schaal uit nam met blokjes kaas en plakjes worst. Schouderophalend verontschuldigde hij zich. 'Ik hoop dat jij geen culinaire borrelhapjes verwacht, in de keuken ben ik een vreselijke kluns. Ik kan een ei koken of bakken, maar veel verder gaat mijn kookkunst niet.'

Berbel liep achter hem aan terug naar de huiskamer, de blokjes kaas spiegelden in haar ogen. Ze zou niet meer weten wanneer zij voor het laatst een stuk kaas had gekocht. Voor de prijs ervan kon ze verschillende andere dingen kopen die beduidend goedkoper waren. Een pot appelstroop, jam, een bosje radijs, noem maar op. Ze verzweeg deze gedachten en toen ze haar stoel weer innam, zei ze: 'Ik was ervan overtuigd dat ik hier louter naartoe ging voor een sollicitatiegesprek, maar jij maakt er een feestje van! Gezellig, hoor!' Ze nam een blokje kaas, liet de smaak ervan smelten op haar tong, waarna ze terugkwam op wat Menso in de keuken had gezegd. 'Wie kookt er dan eigenlijk voor jou als je het zelf niet kunt?'

'Niemand, ik behelp mezelf zo goed en zo kwaad als het gaat. Al zou ik mijn eigen potje kúnnen koken, dan nog zou ik er niet toe komen. Na een lange dag in de salon heb ik het wel gezien. Als ik dan boven kom, bak ik voor mezelf een paar eieren, of ik trek een blik soep open, of ik laat iets thuis bezorgen. Ik ben me ervan bewust dat ik op die manier niet binnen krijg wat ik hebben moet, wat dat betreft hoef je niet zo bedenkelijk te kijken!'

'Dat is het niet, ik bedacht juist dat wij, wat de warme maaltijden betreft, in hetzelfde schuitje zitten! Ik kook ook zelden of nooit voor mezelf. Het is een gedoe dat de moeite niet loont. Toch mag ik heel graag koken, ik zou best weer eens een uitgebreid diner in elkaar willen flansen.' Berbel had zonder bijbedoelingen gezegd hoe zij erover dacht.

Menso haakte erop in. 'Ik realiseer me ter plekke dat ik wél een baantje voor je heb! Wat zou je ervan denken als ik je vroeg of je mijn kokkin wilt worden? Ik zie het al helemaal voor me,' zei hij enthousiast. 'Ik zorg ervoor dat de boodschappen in huis zijn. Jij komt na je werk naar mij toe, dan kook je een overheerlijk en gezond potje waar we uiteraard samen van zullen smullen! Nou, is dit even een goed idee, of niet?'

'Het klinkt zeer aanlokkelijk, er is alleen één maar bij! Als ik bij jou aan tafel mag schuiven, is het voor mij geen baantje waar ik geld voor zou durven of willen vragen. Het is louter een vriendendienst waar we allebei mee geholpen zijn.'

'Tjonge, wat kun jij eigenwijs zijn! Jij wílt je domweg niet laten helpen, je blijft je vastklampen aan een misplaatst soort trots!'

'Noem het wat je wilt, maar ik zie het anders. Ik wil gewoon mezelf kunnen redden en er op eigen kracht weer bovenop komen, daar helpt geen lieve moedertje aan! Maar ik kan je wel een klein beetje troosten, want als ik bij jou mag eten scheelt dat mij enorm in mijn huishoudgeld. Dan hoef ik alleen maar voor een boterham te zorgen en zal ik geld overhouden. Daar kan ik de schuld die ik bij jou heb mee voldoen, en zo zal ook mijn huurschuld langzaam maar zeker vereffend kunnen worden. Jouw plan klinkt mij dus als muziek in de oren, deze avond kan voor mij niet meer stuk!'

'Voor mij ook niet,' zei Menso. Hij zond haar een warme blik. Vervolgens nam hij zeer beslist de leiding. 'Ik sta erop, Berbel, dat jij allereerst je huurachterstand wegwerkt! Een woningstichting is geen filantropische instelling, men kent daar geen pardon. Jij zou niet de eerste zijn die vanwege wanbetaling – want zo noemen zij het – uit zijn of haar huis werd gezet. Dan sta je op straat, besef je wel!'

'Doe niet zo eng, man...' Berbel keek hem hevig geschrokken aan. Menso merkte dat hij terrein won en vervolgde: 'Het is de harde waarheid waar ik jou voor moet waarschuwen. Er zit voor jou niks anders op, je zult moeten accepteren dat ik je het bedrag voorschiet. Doe daar toch niet zo moeilijk over,' zei hij ietwat kregelig, 'Ik kan het met alle gemak missen, terwijl jij erom zit te springen! Ik dacht dat we hadden afgesproken dat we vrienden waren, gun me dan ook de lol om dat te bewijzen!'

'Je hebt me bang gemaakt,' zei Berbel kleintjes, 'ik zie me al met mijn boeltje op straat staan... Ik heb dus geen keus.' Ze sloeg haar mooie ogen naar hem op en welgemeend nu, zei ze zacht: 'Dank je, Menso, voor je hulp.'

Hij hief zijn glas naar haar op en lachte. 'Op een eeuwigdurende vriendschap!' De lach bestierf op zijn gezicht toen hij hoorde wat hij had gezegd en hij vroeg zich af: zei ik dat nou om mezelf tot de orde te roepen? Hij kon Berbel niet méér beloven, en zij mocht niet weten dat hij nu al meer van haar wilde dan hij zelf voor mogelijk hield. Was dit een voorzichtig ontluikende liefde, of verbeeldde hij zich dat hij nu al meer om haar gaf dan hij zichzelf mocht toestaan? Ach, het kwam allemaal omdat hij al zo lang liefde tekort was gekomen... Dit riekt naar zelfmedelijden, realiseerde hij zich. Hij durfde zich niet af te vragen of liefde op het eerste gezicht bestond. Hij moest ervan uitgaan dat het een fabeltje was, dat was voor hem het gemakkelijkste. Was Berbel maar minder lief, minder mooi, minder kwetsbaar, dan zou het verlangen in hem minder groot zijn.

'Wat denk je nu toch allemaal? Je zit gewoon weg te dromen,' zei Berbel, terwijl ze verwonderd zijn gezicht bestudeerde.

Daar viel niks op af te lezen, daar zorgde Menso wel voor. Hij schonk haar een ontwapenende lach en hij loog niet toen hij zei: 'Ik ben ervan overtuigd dat het geen toeval was dat wij elkaar leerden kennen. Het heeft zo moeten zijn, al vind ik wel dat die brute overval jou bespaard had moeten blijven. Verder heeft het ons enkel goeds gebracht, vind je ook niet?'

Berbel knikte van ja en bedachtzaam zei ze: 'Ik denk dat God medelijden met ons had, dat Hij vond dat die twee eenzame zielen maar iets voor elkaar moesten gaan betekenen. Ik ben ontzettend blij met jouw vriendschap, maar ik vraag me nog wel steeds af waarom jij alleen woont in dit mooie huis. Jij kent nu mijn levensgeschiedenis, ik ben zeer benieuwd naar de jouwe. Het lijkt mij onmogelijk dat jij net zo alleen in het leven staat als ik, dat jij bijvoorbeeld ook geen ouders hebt bij wie je eens kunt aankloppen!'

Daarop verklaarde Menso: 'De verstandhouding tussen mijn ouders en mij is gelukkig goed. Ik ben enig kind en elke zondag zoek ik mijn ouderlijk huis op. Ze wonen betrekkelijk dichtbij in een alleraardigst dorp.' Hij noemde de naam ervan en vervolgde: 'Met de auto doe ik er een dik halfuur over. Mijn vader is makelaar, dat hij goed heeft "geboerd" bewijst het huis waar ze in wonen. Naar mijn smaak is het 't mooiste huis van het dorp. Wacht, ik heb er foto's van!' Hij grabbelde in een la en overhandigde Berbel een foto die zij aandachtig bekeek.

'Het is inderdaad een juweel van een huis,' beaamde ze. 'Het is een huis waarvan de meeste mensen slechts kunnen dromen. Alleen de welgestelden onder ons kunnen zich zo'n riante villa veroorloven. Een wit huis met een rieten dak straalt een bepaalde voornaamheid uit. Het rode puntdak van het torentje aan de linkerkant op het dak geeft het geheel iets romantisch. In mijn verbeelding zie ik er een schone slaapster zitten achter een spinnenwiel. Nu ik goed kijk is het net alsof er achter het raam naast de voordeur vaag een gezicht te zien is. Niet veel meer dan een schim. Kijk dan, het komt net boven de vensterbank uit. Of vergis ik me daarin?'

Berbel bleef de foto bestuderen en daardoor zag ze niet de vertwijfeling op Menso's gezicht. Stom, om haar nu juist die foto te laten zien! Hij schudde zijn hoofd om zijn eigen domheid en met de juiste wilskracht lukte het hem te zeggen: 'Ik denk dat jij iets ziet wat er niet is. Het zal een bepaalde lichtval zijn. Het doet me goed dat het huis jouw goedkeuring kan wegdragen.'

'Dat lijkt me niet zo moeilijk,' zei Berbel. Ze legde de foto op de salontafel, sloeg haar ogen op naar Menso en grapte: 'Tot dusverre heb ik niet aan jou gemerkt dat ik met een rijkeluiszoontje te doen heb! Je bent dus blijkbaar niet verwend, je loopt in ieder geval niet naast je schoenen. Had jij niet liever ook makelaar willen worden of iets in die geest?'

Menso schonk nog een wijntje in. Het viel hem op dat Berbel het schaaltje met kaas en worst zowat in haar eentje leeg had geknabbeld en glimlachte erom. 'Ik heb het zakelijke inzicht van mijn vader geërfd, verder lopen onze interesses niet parallel. Ik was nog heel jong toen het kappersvak me al trok en daar had mijn vader niet de minste moeite mee. Hij heeft me in het zadel geholpen door het pand voor me te kopen en dat waardeer ik erg.'

'Als je zelf geld bij de vleet hebt, is het voor een vader ook niet zo moeilijk om zijn zoon te helpen,' zei Berbel.

'Dat geldt niet alleen voor vader en zoon,' merkte Menso op, 'maar net zo goed voor vrienden! Ik ben echt ontzettend blij, Berbel, dat ik in de gelegenheid ben om jou te helpen!'

Zij bloosde toen ze bekende: 'Jij hebt mijn trots doorbroken, ik durf nu zonder schroom jouw hulp aan te nemen. Dat komt echter ook doordat ik mezelf ken en dus weet dat ik het zo snel mogelijk zal afbetalen. Het is gelukkig geen aalmoes, daar zou ik het zó verschrikkelijk moeilijk mee hebben!'

'Die vorm van trots is terecht, die moet je angstvallig goed bewaken,' adviseerde Menso. Opnieuw zond hij haar een warme blik. 'Zit jij ook zo te genieten als ik? Het is lang geleden dat ik zo'n gezellige zaterdagavond heb gehad! Ik durf te stellen dat het voor herhaling vatbaar is, zullen we gelijk afspreken voor volgende week zaterdag?'

Het speet Berbel dat ze moest zeggen: 'Wat jammer nou, maar volgende week kan ik echt niet. Lonneke en Nova komen het volgende weekend bij me logeren en daar verheug ik me waanzinnig op. En zondags kun jij niet, heb ik begrepen?'

'Nee. Meestal ben ik halverwege de avond pas thuis en dan moet ik altijd even bijkomen.' Het vreet energie om plichten te moeten vervullen die je haast niet meer aan kunt, dacht hij mistroostig.

Berbel verbrak zijn gepeins door monter op te merken: 'Nou ja, er komen nog meer zaterdagen en we zien elkaar straks elke dag aan tafel! Wat denk je, zal ik maandag gelijk voor je komen koken?'

Dat vond Menso een uitstekend idee en nadat ze nog een uurtje over van alles en nog wat hadden zitten babbelen, vond Berbel het tijd om op te stappen.

Niet lang hierna stapte ze voor de ingang van de flat uit zijn auto, ze keek enigszins verbaasd op toen Menso haar voorbeeld volgde. 'Wat doe je een moeite, of ga je nog even mee naar boven?'

'Nee, maar ik wil gewoon afscheid van je nemen op mijn manier.'

Voordat Berbel erop verdacht was, omvatte hij haar gezicht met beide handen en drukte een voorzichtige kus op haar voorhoofd. 'Dag, mooi, lief meisje, slaap straks maar lekker. Enne... bedankt voor wat je me gegeven hebt.'

Berbel dacht te weten wat hij bedoelde. 'Vriendschap is goud waard, dat ben ik met je eens.' Ze wipte op haar tenen, drukte een vederlichte kus op zijn wang en speels echode ze: 'Dag, mooie, lieve man, slaap lekker straks.' Meteen daarop verdween ze in de flat.

Menso keek haar na. Haar gedachten waren voor hem geheim: van jou zou ik kunnen houden, áls ik het al niet doe.

8

Het leek wel alsof deze eerste dag van de maand maart al een voorbode was van een warme, zonnige zomer. De zon deed uitbundig haar best, er stond geen wind en de temperatuur was bijzonder aangenaam. Net als de meeste mensen verlangde Berbel naar de zomer, desondanks keek ze met grote voldoening terug op de maanden die achter haar lagen. Terwijl ze druk bezig was haar flat schoon te maken, bedacht ze op deze, haar vrije maandagochtend, dat het eind augustus was geweest toen ze in het park overvallen werd. Aan die ellende wilde ze liever niet meer denken en dat kostte haar weinig moeite doordat de daaropvolgende herfst en winter, de mooiste tijd van haar leven was geweest.

Ze durfde met stelligheid te zeggen dat haar relatie met Marcus niet in de schaduw kon staan bij wat er tussen Menso en haar was gegroeid. Een hechte vriendschap vol warme genegenheid, zo noemde Menso het. Zij mocht hem niet tegenspreken, want ze had er geen idee van hoe Menso zou reageren als ze tegen hem zou zeggen: 'Ik hou verschrikkelijk veel van je.'

Achteraf vermoedde ze dat haar liefde voor hem al in haar hart was geslopen toen hij zich die allereerste keer in het park vol goede zorgen over haar heen had gebogen. Sindsdien waren er acht maanden verstreken die haar niets dan goeds hadden gebracht. Behalve dan haar geheime liefde voor Menso, want die zou ze onzegbaar graag beantwoord willen zien. Dat zat er helaas niet in en toch wist ze dat Menso ook om haar gaf. Hij trok haar soms zomaar even tegen zich aan, een andere keer gaf hij haar een zoentje dat weliswaar nooit op haar mond terechtkwam, of hij beroerde vertederd haar wang. Daar bedoelde hij jammer genoeg niet mee wat zij graag zou willen. Menso was een door en door goed mens, hij was een man met louter goede eigenschappen. Het had gewoonweg niet kunnen uitblijven dat zij te veel om hem zou gaan geven. Met hem zou ze morgen willen trouwen, van hem zou ze kinderen willen krijgen. Het was een illusie, toch wist ze nu al heel zeker dat ze nooit meer van een andere man zou kunnen houden. Voor haar was Menso uniek en onvervangbaar. Ze moest verschrikkelijk zuinig met zijn vriendschap omspringen, want ze was zich er continu van bewust dat ze die zou kunnen verspelen als ze liet merken wat ze werkelijk voor hem voelde. Ziezo, onderbrak ze haar gemijmer, de ramen zijn weer blinkend schoon, die kunnen er weer een poosje tegen! Nu moest ze stofzuigen en daarna moest ze haar slaapkamer een goede beurt geven. Als er dan nog tijd over was zou ze de douchecabine eigenlijk nog moeten uitsoppen. Ze was vanochtend al om halfzeven opgestaan en meteen aan het werk getogen. Toch viel het tegen. Eén zo'n vrije ochtend in de week telde gewoon te weinig uren en verder kwam ze er niet aan toe om in de flat iets te doen. Nadat ze een dag in de schoenenwinkel had gestaan, fietste ze naar Menso's huis om voor hen samen te koken. Dat nam de nodige tijd in beslag en vanzelfsprekend ruimde ze na de afwas de keuken weer keurig op. En dan vond Menso het alweer tijd voor koffie en daar kon zij ook geen nee tegen zeggen. Al met al was het dikwijls tien uur, halfelf, voordat ze weer in haar eigen huis was. Het waren lange dagen waarop ze bijna geen moment stilzat. Als ze eindelijk thuis was, verlangde ze naar bed en zo ging het dag in dag uit.

Ze was echter meer dan tevreden met haar drukke bestaantje. Dat had er immers voor gezorgd dat ze geen huurschuld meer had! Vanaf het moment dat ze elke avond bij Menso aan tafel kon schuiven, had ze geld over kunnen houden. Ze had een keer uitgerekend wat ze er per dag mee uitspaarde. Het was een globaal rekensommetje geweest dat uitkwam op ongeveer vijf euro per dag. Dat was per week wel even een slordige dertig euro, per maand gerekend tikte het helemaal lekker aan! Dat bedrag had ze maandelijks trouw aan Menso gegeven, als aflossing van de huurschuld die hij haar destijds had voorgeschoten. Nu was ze bezig met het afbetalen van de honderd euro die hij eens op het gangkastje had neergezet. Nog heel even, dan was ze vrij van schulden en dat was een pak van haar hart. Dan kon ze eindelijk aan zichzelf toekomen.

Zodra ze haar vakantiegeld had, ging ze de stad in om nieuwe kleren voor de zomer te kopen, dat was bepaald geen overbodige luxe. En vanzelfsprekend ging ze dan maandelijks het bedrag sparen dat ze nu aan Menso terug moest geven. Eens zou de dag aanbreken dat ze haar flatje gezellig kon gaan inrichten met mooie, nieuwe spulletjes! Het leven is zo gek nog niet, bedacht ze monter terwijl ze de stofzuiger driftig hanteerde. Maar het belangrijkste voor haar was nog steeds dat het zo goed ging met Lonneke. Die lieverd deed van alle kanten haar best; meneer en mevrouw Timmerman waren tevreden over haar en staken dat niet onder stoelen of banken. De kleine Nova was een aandoenlijk popke van tien maanden, ze was een beeldschoon kindje. Lonnekes wens was uitgekomen, want ze leek nu sprekend op Niels. Jammer toch, peinsde Berbel nu, dat ik haar maar zo weinig zie. Het was toch zeker al een week of acht geleden dat Lonneke en Nova voor het laatst bij haar waren geweest. Berbel had zich er onlangs over beklaagd tegen Annemarie. 'Ik mis die twee schatten zo erg. Het is net alsof ze mij een beetje vergeten, want ze komen haast niet meer.'

Daarop had Annemarie vastgesteld: 'Zoiets hoor je wel vaker. Als je je te veel inspant voor een ander, krijg je gegarandeerd een keer stank voor dank!'

Maar zo wilde Berbel er beslist niet over denken, zo kón het volgens haar niet zijn. Lonneke leidde gewoon een eigen leven, daar wilde zij begrip voor opbrengen. Dat moest, hoe moeilijk het soms ook was en hoezeer het haar kwetste als Lonneke dingen zei als: 'Ik zou wel een keer bij je kunnen komen, maar dan moet ik Niels weer alleen laten. Daar heeft hij gruwelijk de pest aan en ik ben ook liever bij hem dan bij jou. Dat begrijp jij wel, hè Berbel?'

Dan zei zij ja, natuurlijk, terwijl haar hart huilde. Van heimwee en van dingen die ze van zichzelf geen naam mocht geven. Ze kon alleen maar hopen dat Lonneke haar niet vergat en dat Nova haar tante Berbel leerde kennen en lief vond.

Berbel was klaar met stofzuigen, ze maakte voor zichzelf een kopje oploskoffie en terwijl ze daar even rustig mee ging zitten, mijmerde ze verder. Menso zei vaak genoeg dat ze een lief en mooi meisje was, dat was uit zijn mond echter niet voldoende. Hij moest zeggen dat hij van haar hield, dan pas zou zij volkomen gelukkig zijn.

Vijf dagen per week zaten ze tegenover elkaar aan tafel, even vaak dronken ze daarna gezamenlijk koffie. Op de donderdagen, als het koopavond was, kookte ze niet voor hem. Na de winkelsluiting ging ze meestal nog wel even naar hem toe. Dan dronken ze een wijntje en zorgde Menso ervoor dat daar voldoende bij te knabbelen was zodat ze allebei toch iets in hun maag kregen. De zaterdagavond vergeleek zij steevast met een feestje, dan keken ze niet op een uurtje langer. Elke keer dat ze bij hem was, genoot zij in stilte van de man die ze heimelijk liefhad. Die ze inmiddels door en door kende, maar niet altijd begreep. Zij vond het tenminste heel vreemd dat een man van Menso's leeftijd iedere zondag bij zijn ouders doorbracht. Het was een gegeven waar hij niet van afweek. Zodoende had zij de achter haar liggende kerstdagen evenals oud en nieuw, alleen gezeten. Want ook toen had Menso gezegd: 'Ik moet met de feestdagen naar huis, mijn ouders zouden raar opkijken als ik niet kwam opdagen.'

'Jij hebt toch ook nog zoiets als een eigen leven, hebben jouw ouders daar dan geen begrip voor?' had zij willen weten.

Menso had met zijn schouders getrokken. 'Lang geleden hebben wij onderling bepaalde afspraken gemaakt, daar moet ik mij aan houden. Ik kan het je niet uitleggen. Je zou het niet begrijpen of verkeerd opvatten. Laat mij maar begaan, ik doe er immers niemand kwaad mee...'

'Je laat mij met al die feestdagen alleen. Dat mag dan niet kwaad bedoeld zijn, maar gezellig is het voor mij niet. Ga echter gerust je gang, je hebt jegens mij geen verplichtingen. Ik ben slechts een vriendin. Weten je ouders overigens dat ik voor je kook, dat ik dagelijks bij je over de vloer kom?'

Zijn antwoord had haar verbaasd en aan het denken gezet. 'Nee, dat mogen ze niet weten. Vraag me niet waarom.'

'Nu maak je me juist hartstikke nieuwsgierig! Het enige dat ik zo gauw kan bedenken is dat ik te minnetjes voor hen moet zijn. Berbel Dekker is een armoedzaaier, daar mag hun zoon niet mee bevriend zijn! Dat is het, geef het maar gerust toe, hoor Menso!'

Tot haar verbazing had hij echt heel bedroefd gekeken, in zijn mondhoeken had zij iets zien trillen. Dat was beslist geen toneelspel geweest, want Menso was eerlijk als goud.

Zo had zijn stem geklonken toen hij het voor zijn ouders opnam. 'Denk dat alsjeblieft niet, Berbel, zo zijn mijn ouders niet. Het ligt heel anders, gevoeliger... Ik kan het niet uitleggen. Maak het me alsjeblieft niet moeilijk...'

Hij had warempel vochtige ogen gekregen en die hadden haar helemaal week gemaakt. Op dat moment had zij aangevoeld dat hij medelijden verdiende en vol liefde had ze gezegd: 'Het is goed, voortaan zal ik geen vragen meer stellen over je ouders. Waar bemoei ik me ook mee? Jij hoeft mij immers nergens tekst en uitleg over te geven! Wij hebben elkaar enkel voor de gezelligheid nodig, verder is er niks tussen ons.' Daar had Menso niets op gezegd. De gekwelde blik die hij haar toen zond, had zij niet begrepen.

Er was iets met Menso, dat stond voor haar als een paal boven water. Iets wat met zijn verleden te maken had? Waarom werd zij daar zo angstvallig buiten gehouden, ze had toch ook geen geheimen voor hem? Ze zou haar hoofd er maar niet langer over breken en weer aan de slag gaan. Dat was wel zo nuttig. Het was al tien uur geweest, zag ze. Over enkele uurtjes moest ze alweer de rol van verkoopster vervullen.

Ze wilde juist haar slaapkamer onder handen gaan nemen toen de voordeurbel door de flat klonk. Wie kan dat in vredesnaam zijn, vroeg Berbel zich af. Ze verwachtte geen bezoek, het zou dus wel iemand zijn met een collectebus voor een of ander goed doel. Terwijl ze dit bedacht was ze op de voordeur toe gelopen. Toen ze die open had gedaan, keek ze in het gezicht van een jongeman van wie ze de leeftijd niet zo gauw kon schatten. Wat doet hij vreemd en wat kijkt hij me schuchter aan, flitste het door Berbel heen. Vanwege de rare situatie vroeg ze ietwat bits: 'Wat is er?'

'Mag ik even binnenkomen...?'

Berbel staarde hem een moment verbluft aan. 'Ja, zeg, wat denk jij nou eigenlijk, dat ik Jan en Alleman zomaar binnenlaat? Zeg liever eerst waar je voor komt?'

'Ik heb geen kwade bedoelingen... Deze keer niet.'

'Hoe bedoel je, wat sta je daar nou raar te doen?' Berbel kreeg een onprettig gevoel, ze wilde de deur voor zijn neus dichtsmijten toen ze hem hoorde zeggen: 'Ik kom je tas terugbrengen en... zeggen dat ik er verschrikkelijk veel spijt van heb.'

'Mijn tas...? Ben jij dan...?' Berbel keek verdwaasd naar de plastic draagtas die aan zijn hand bungelde. Ze kon niet verder gaan.

De jongen nam het woord van haar over. 'Ja, ik ben de schurk die jou destijds in het park van je fiets heeft geduwd. Ik heb spijt, ik zou graag willen uitleggen hoe ik tot die wandaad ben gekomen. Je hoeft niet bang te zijn, ik doe tegenwoordig geen vlieg meer kwaad. Ik ben bekeerd, door God en goede mensen die me hulp verleenden.'

Berbel geloofde hem nu op zijn woord. Niettemin aarzelde ze nog even voordat zijn trouwe blik haar deed besluiten: 'Kom er dan maar even in, ik ben benieuwd naar wat je te zeggen hebt. Maar ik waarschuw je: Als je ook maar één verkeerde beweging maakt, sla ik erop los! Dan zul jij voelen wat ik destijds heb gevoeld!'

De jongen zag haar tengere gestalte, haar kleine handen en ondanks de ernst van de situatie kon hij een geamuseerde lach nauwelijks onderdrukken.
Berbel ging hem voor naar de huiskamer waar ze hem een stoel wees. 'Ga zitten en steek van wal. Maak het kort, want ik heb meer te doen.'
'Ik wil je graag eerst je tas teruggeven. Het geld dat erin zat, honderd euro, heb ik destijds verbrast, maar nu zit het er weer in.' Hij haalde de tas uit de plastic zak te voorschijn.
Berbel nam de tas werktuiglijk van hem aan. Dit is zó absurd dat ik gillend gek zou kunnen worden, schoot het door haar heen. Ze keek de jongen indringend aan. 'Hoe weet jij eigenlijk dat ik hier woon? Ik vind het een onplezierig idee dat je mij wist te vinden...'
Hij haastte zich opnieuw te zeggen: 'Ik doe je geen kwaad, echt waar niet! Kort nadat ik genezen was van een ellendige kwaal, stond ik op een keer voor de etalage van schoenenwinkel Doornbosch. Ik schrok me lam toen ik zag dat jij daar werkte. Ik herkende je meteen, want jouw gezicht heeft de hele tijd op mijn netvliezen gestaan. Er viel een pak van mijn hart toen ik je terug had gevonden. Ik heb toen net zolang in de buurt rondgezwalkt totdat de winkel dichtging en jij en je collega's naar buiten kwamen. Jij stapte op je fiets en ik ben achter je aan gefietst totdat ik wist waar je woonde. Het heeft niettemin nog een tijdje geduurd voordat ik voldoende moed had verzameld om je eigendommen persoonlijk aan je terug te geven.' Hij zweeg.
Berbel sprak haar gedachten uit. 'Ik geloof dat het erg moedig van je is om je gezicht aan mij te tonen. Van de andere kant moet ik zeggen dat jij acht maanden geleden ook al over de nodige bravoure beschikte. Ik weet nog steeds niet goed wat ik ervan denken moet.'
'Heb ik je erg veel pijn gedaan, toen...?'
'Ja, wat dacht jij dan! Je hebt me lichamelijk, maar vooral geestelijk behoorlijk te pakken gehad. Je beroofde me van het laatste geld dat ik bezat, maar daar zat jij niet mee! Was je aan de drugs, bedoelde je dat met een ellendige kwaal?'
Hij knikte en keek schuldbewust. 'Ik weet niet meer wat me destijds bezielde. Mijn vader overleed zeer plotseling, ik kon het verdriet om hem niet verwerken. Op het verkeerde moment kwam ik in die tijd in contact met een jongen die beweerde dat hij hét middel wist om de pijn om mijn vader te bestrijden. Zo kwam ik ertoe om drugs te gebruiken. Het ging algauw van kwaad tot erger en op een keer zat

ik zonder geld terwijl mijn lichaam om het spul schreeuwde. Toen kwam ik jou tegen... Ik zag je tas in het fietsmandje aan je stuur en begerig veronderstelde ik dat daar het voor mij zo nodige geld in zou kunnen zitten. Toen heb ik je overvallen en alleen God weet hoeveel spijt ik er al haast meteen van had. Het was de eerste en de laatste keer dat ik iemand heb beroofd, dat is echt waar! Tot op de dag van vandaag heb ik je op de grond zien liggen, hoorde ik je kermen en kwaad roepen. Dat beeld, die geluiden, wilden niet uit mijn hoofd verdwijnen. Ten einde raad heb ik hulp gezocht en gekregen. Ik ben een half jaar opgenomen geweest, en nu ben ik zover dat ik met mijn hand op mijn hart durf te zweren dat ik dat ellendige vergif nooit meer aan zal raken. Dankzij de hulp van God ben ik genezen, ik zal echter pas rust kunnen vinden als jij me wilt vergeven. Alsjeblieft...?'

'Ik ben blij voor je dat jij God in je nood wist te vinden, wie ben ik dan nog dat ik zou mogen oordelen of veroordelen? Ik ben de ellende van toen zo goed als vergeten, het is dus goed; bij deze vergeef ik je!' Ze schonk hem een geruststellende blik.

De jongen boog beschaamd zijn hoofd. 'Dank je wel... dit had ik niet verwacht. Ik had gedacht dat er hier misschien een man in huis zou zijn die mij te grazen zou nemen. Daar was ik echt doodsbang voor, toch moest ik het risico nemen...'

'Dat is dan extra moedig van je,' zei Berbel oprecht gemeend. 'Weet je moeder eigenlijk dat jij zo dapper bent om mij, ondanks je angst, op te zoeken?'

Nu sloeg hij zijn ogen naar Berbel op. 'Ja, ze staat om de hoek van de flat bij onze fietsen, op me te wachten. Ik had ma beloofd dat ik mijn spijt aan jou zou gaan betuigen, maar ja... door wat ik allemaal gedaan heb, twijfelt zij nog weleens aan mijn woord van eer. Ze wilde mee om met eigen ogen te kunnen zien dat ik daadwerkelijk bij jou zou aanbellen. Jij hebt haar niet gezien, zij heeft echter wel gezien dat jij me binnenliet. Dan ga ik nu weer...' Hij stond op en dodelijk verlegen vroeg hij schorrig: 'Mag ik je een hand geven, of wil je mij niet aanraken?'

Berbel kreeg op slag medelijden. Ze stak haar hand uit, waar hij de zijne in legde, en zei: 'Je moet het jezelf niet moeilijker maken dan het al is. Ik heb gezegd dat ik je vergeven heb, dan moet je dat ook aannemen. Hoe heet je eigenlijk en hoe oud ben je?'

'Ik heet Tjeerd Cazemier, ik ben negentien.' Hij aarzelde even en stelde toen de vraag die op het puntje van zijn tong brandde. 'Het zou fijn zijn als je even met me mee naar beneden ging, om mijn moeder gerust te stellen. Want als jij het persoonlijk tegen haar zegt, moet ma wel geloven dat je mij vergeven hebt. Vraag ik nu te veel?'

Berbel haalde haar schouders op. Toen ze de hoopvolle blik in Tjeerds ogen las, zei ze glimlachend: 'Nou, vooruit dan maar weer!'

Achter elkaar aan daalden ze de twee trappen af, buitengekomen wees Tjeerd. 'Daar staat ze!'

Berbel zag een vrouw van middelbare leeftijd met bruin haar. Ze stond zowat tegen de muur van de flat aangedrukt en diep in gedachten verzonken zag ze noch Berbel, noch haar zoon. Ze schrok pas op toen Berbel voor haar stond en haar hand uitstak. 'Ik ben Berbel Dekker, ik heb uw zoon zojuist vergeven!'

De vrouw omvatte Berbels hand met allebei haar handen en hevig ontroerd zei ze: 'Ik ben Femke Cazemier. Ik vind het nog altijd verschrikkelijk wat Tjeerd jou destijds heeft aangedaan. Ik schaam me onzegbaar diep...'

'Daar kan ik me wel iets bij voorstellen,' zei Berbel. 'Toch lag de schuld ervan niet bij u!'

'Dat zeg jij nu wel zo gemakkelijk,' merkte de vrouw op, 'maar voor mij is het niet zo eenvoudig. Ik heb me ondertussen al wel honderdduizend keer afgevraagd waar ik als moeder gefaald heb. Hoe kan het bestaan dat mijn zoon toen hij zo'n verdriet had om zijn vader, niet bij mij kwam maar naar de drugs greep? Hoe durfde hij zo'n mooi, jong meisje als jij met geweld te overmeesteren... Met dit soort vragen ben je als moeder niet zomaar klaar.'

Berbel wierp een schuin oogje op Tjeerd. Toen ze zag hoe verloren hij luisterde naar wat zijn moeder zei, nam ze het ondanks alles voor hem op. 'Tjeerd heeft zijn leven inmiddels gebeterd! Ik ken hem nog maar heel kort, toch geloof ik in wat hij tegen mij zei: dat hij geen vlieg meer kwaad zou doen.'

De vrouw glimlachte mat. Ze legde liefdevol een arm om Tjeerds smalle middel en sloeg haar ogen op naar Berbel. 'Ik hou nog altijd zielsveel van hem, daar hoeft niemand aan te twijfelen! Hij is qua karakter precies als mijn man, in zijn hart is hij eerlijk als goud. Het is triest dat juist hij zo in de vernieling moest gaan. Hij is er – God zij dank! – weer bovenop gekomen en nu jij hem ook hebt kunnen vergeven zal ik een stuk rustiger kunnen ademhalen. Meisje, meisje, ik weet niet hoe ik je bedanken moet!'

Berbel lachte. 'Dan doet u dat toch gewoon niet! Met mij is niks meer aan de hand, ik vind het voor u nu opeens veel erger. U hebt uw man verloren, en alsof dat al niet genoeg was, kwamen de moeilijkheden met Tjeerd op u af.' Even zocht ze het gezicht van de vrouw af en toen zei ze wat ze al een paar keer gedacht had. 'Ik zal me wel vergissen, maar u komt me bekend voor. Het is net alsof ik u eerder heb gezien.'

'Dat zou best kunnen kloppen!' Femke Cazemier lachte nu ook. 'Ik vermoed dat je weleens bij ons in de winkel bent geweest. Rob Cazemier, warme bakker, zegt dat je iets?'

'Ja, vanzelfsprekend! Het is de naam van de warme bakker in het winkelcentrum hier vlakbij. Ik ben er weliswaar geen vaste klant, maar ik ben er toch meer dan eens binnen geweest.'

'Mijn man en ik runden de zaak lange jaren samen. Rob bakte het brood en aanverwante artikelen die ik in de winkel over de toonbank verkocht. Na zijn heengaan is alles anders geworden. Het zal nooit meer zijn zoals het was, het mooiste is weg...'

'Hebt u de zaak van de hand moeten doen?' vroeg Berbel meelevend. Femke vertelde: 'De bakkerij achter de winkel staat er leeg en verlaten bij, ik sta echter nog steeds op mijn post. Tjeerd en ik moeten hoe dan ook verder en zonder inkomen zou dat moeilijk gaan. De winkel draait gewoon door, het brood en dergelijke wordt nu elke ochtend bij me bezorgd. Door een warme bakker die aan de andere kant van de stad zijn bedrijf heeft. Ik ben zijn filiaalhoudster geworden. De overgang was groot, maar wonderlijk genoeg went op den duur alles. We redden ons, dankzij Gods hulp,' besloot ze.

Berbel knikte begrijpend. 'Ik weet wat u bedoelt, zonder Hem zou ik het ook niet gered hebben.'

Femke dacht te begrijpen dat Berbel hiermee op Tjeerd doelde. Tegen hem zei ze bestraffend: 'Hoor je nu wat je gedaan hebt, jij deugniet!' De jongen keek beteuterd.

Berbel haastte zich te zeggen: 'Nee, nee, dát bedoelde ik niet! Dat kwam er wel bij, maar daarvóór al had ik op een andere manier zo mijn zorgen. Daar komt echter geen van ons onderuit. Toch...?'

'Het schijnt erbij te horen,' beaamde Femke. 'Wij mogen jou nu niet langer ophouden en eerlijk gezegd spijt me dat. Ondanks de ernst van de situatie heeft het babbeltje met jou me goed gedaan. Je hebt een last van mijn schouders genomen en daar kan ik je werkelijk niet genoeg voor bedanken. Tjeerd en ik laten een grote bos bloemen bij je bezorgen, en als je eens bij me in de winkel wilt komen, krijg je het lekkerste dat ik heb gratis.' Ze nam Berbels hand opnieuw in haar beide handen en aangedaan zei ze: 'Bedankt voor wat je voor ons hebt gedaan. Je bent een goed meisje!'

Daarna zei Tjeerd: 'Ook van mij hartstikke bedankt enne... Sorry!'

'Ja, joh, het is immers allang goed. We praten er niet meer over! Pas maar extra goed op je moeder en doe haar geen verdriet meer. Beloofd?'

Nadat de jongen haar zijn woord had gegeven, stapten moeder en zoon op hun fiets en verdwenen ze uit Berbels blikveld. Terug in de flat had zij geen zin en geen tijd meer om nog iets schoon te maken. Wat ik ook had verwacht, dacht ze vol verbazing, niet dat mij dit zou overkomen! Dat ze haar tas terug had was op het moment niets meer voor haar dan een bijkomstigheid, de honderd euro was vanzelfsprekend voor Menso. Ze stond nu plotseling nog maar voor vijfentwintig euro bij hem in het krijt en dat was een verademing.

Hierna dwaalden haar gedachten terug naar Femke Cazemier. Ze had haar meteen al een aardige vrouw gevonden en bovendien een echte moeder. Dat concludeerde ze uit de manier waarop Femke haar arm om Tjeerd had gelegd. Dat was haar niet alleen opgevallen, het beeld had iets met haar gedaan. Door de warmte die Tjeerd heel even van zijn moeder kreeg, had zij in haar hart een leegte gevoeld die schrijnde als een schaafwond. Eens te meer had ze beseft met hoe schrikbarend weinig liefde Lonneke en zij waren opgegroeid. Berbel had totaal geen behoefte meer om naar pa en mam te gaan, ze zou er immers toch niet vinden waar ze naar verlangde. Als je eens bij me in de winkel wilt komen, had Tjeerds moeder gezegd, en dat was zij niet vergeten. Ze wist nu al dat ze er zeer binnenkort heen zou gaan. En niet omdat haar iets lekkers in het vooruitzicht was gesteld, maar louter vanwege een vrouw die iets uitstraalde waar zij nog altijd behoefte aan had.

Moederliefde, hoe oud zou je moeten zijn of worden voordat je daar zonder kon? Lonnekes schade van vroeger werd ruimschoots goedgemaakt door mevrouw Timmerman, dat was voor Berbel een troost. Verder moest zij gewoon haar best doen om niet te klagen, niet alle wensen konden immers vervuld worden. Ieder kreeg een eigen hoeveelheid bagage te dragen, daar kon mevrouw Cazemier over mee praten. Met haar zoon was het gelukkig weer goed gekomen, het verdriet om haar man was vanzelfsprekend nog groot. Het zou vast niet meevallen, dacht Berbel, om brood te moeten verkopen dat niet meer door haar man gebakken werd. De inkomsten, vermoedde ze, zouden er ook naar zijn. Eigenlijk was het je plicht als christen om je dagelijkse brood bij zo'n vrouw te halen in plaats van het snel mee te nemen uit de supermarkt. Dit mag niet bij gedachten blijven, ze horen in daden te worden omgezet!

Na dit voornemen gingen haar gedachten naar Tjeerd Cazemier. Tjonge, ze kon er helemaal niet bij dat ze destijds was overvallen door zo'n jonge, uiterst kwetsbare knul. Als ze dat toen had geweten, zou ze hem niet uitgescholden hebben. Daar had ze nu een beetje spijt van. In die tijd was de jongen zowat gesmoord in het verdriet om zijn vader en dat wilde ongetwijfeld zeggen dat de vader-zoonverhouding goed was geweest. Er was sprake geweest van liefde, anders ging je niet kapot aan het verlies van je vader. Dat durfde zij uit eigen ervaring te stellen. Zij miste pa noch mam en dat was heus geen prettig besef. Ze leed er stilletjes onder en al even stilletjes verlangde ze naar een moederfiguur als Femke Cazemier. Hoe wonderlijk dat die vrouw dat verlangen bij haar had opgeroepen. Is het eigenlijk wel normaal, vroeg Berbel zich af, dat ik op mijn leeftijd nog zo sentimenteel kan hunkeren naar iets waarvan ik weet dat het niet voor mij is weggelegd? Ze moest er maar niet al te diep op ingaan, want ze voelde nu al iets in haar keel dat weggeslikt moest worden.

Met een vlugge blik op de klok zag ze dat zij het zich niet langer kon permitteren om zielig te zitten doen. Wilde ze op tijd in de winkel zijn, dan zou ze zich nu als de wiedeweerga moeten haasten! Dat werd gauw omkleden en optutten, een boterham uit het vuistje en wegwezen!

Omdat ze zich had gehaast, verscheen Berbel tijdig op haar werk, en toen ze haar baas en collega's begroette, keek ze niet meer bedroefd, maar blij. Een blos van opwinding bedekte haar wangen toen ze in geuren en kleuren vertelde met wie zij kennis had gemaakt. Ze besloot haar drukke geratel met: 'Hij is pas negentien, mijn belager van weleer, hij leek ook nog eens jonger! Hij gedroeg zich als een klein, bang ventje! Het heeft me totaal geen moeite gekost om hem uit medelijden vanuit mijn hart vergeving te schenken. En dat is wel zo'n geweldig goed gevoel dat ik er tegelijkertijd om zou kunnen lachen en huilen! Hij heeft een ontzettend aardige moeder, voor haar ben ik ook dankbaar en blij dat dit oud zeer opgeruimd kon worden.'

De anderen wisten niet wat ze hoorden. Remco zei waarschuwend: 'Het is allemaal goed en wel, maar als ik jou was zou ik voortaan toch wat voorzichtiger zijn! Je haalde die jongen binnen zonder te weten wat hij in zijn schild voerde, daar mag je gerust eens goed bij stilstaan! Het is goed afgelopen, maar voor hetzelfde geld had hij je in je eigen huis nog eens te grazen genomen. Ik vind dat jij wel erg goedgelovig was, hoor, Berbel!'

Zij lachte zijn zorgen weg. 'Jij kent Tjeerd Cazemier niet, anders zou je niet zo praten. Ik ben reuze benieuwd hoe Menso op het verhaal zal reageren, ik kan haast niet wachten tot het avond is!'

De middag leek voor Berbel extra lang te duren, maar toen was het avond en stak ze tegen Menso opnieuw het hele verhaal af. Ze was lang aan het woord voordat ze besloot met: 'Vind je het niet frappant dat dit mij moet overkomen? Je hoort toch zelden of nooit dat een overvaller zijn slachtoffer opzoekt om zijn spijt te betuigen! Ja hoor, als je Berbel Dekker heet gebeurt dat dus blijkbaar wel!'

Menso fronste zijn voorhoofd en zei bedachtzaam: 'Ik kan er nog niet zo enthousiast over zijn als jij. Er is maar één ding dat ik me vóór alles realiseer en dat is dat jij nog niet alleen losgelaten kunt worden.' Hij schudde zijn hoofd en net als Remco zag hij het gevaar waar Berbel haar ogen voor gesloten had. 'Het betrof nu een jongen vol schuldgevoel, maar het had ook iemand anders kunnen zijn waar jij de deur wagenwijd voor openzette. Zul je dit alsjeblieft nooit meer doen, Berbel! Het moet nu overigens ook maar eens afgelopen zijn met al dit soort toestanden, het wordt tijd dat jij zonder problemen en onverwachte, vervelende situaties gelukkig wordt!'

Daar kun jij een heleboel aan doen, dacht Berbel stil. Ze zond hem een lieve lach terwijl ze hem zoveel meer zou willen geven.

Dat moest Berbel achterwege laten en nog steeds wist zij niet waarom Menso haar verlangen niet kon bevredigen. En evenmin wist ze dat hij zo mogelijk nog meer van haar hield dan zij van hem. Hij moest zijn liefde voor haar in zijn hart opsluiten. De vraag was hoe lang Menso en Berbel dit nog vol konden houden.

9

'Het zit er weer op en dat spijt me niet,' bromde Menso binnensmonds.

Hij gaf gas en omdat hij wist dat hij vanuit de villa nagekeken werd, stak hij zonder omkijken een hand op bij wijze van groet. Voor hem was het mooi geweest, hij wilde naar huis. In tegenstelling tot andere zondagen was hij vannacht in de villa blijven slapen. Zijn ouders waren gisteren bij een zus van zijn moeder op bezoek geweest. Tante Marthe – zij woonde met oom Jos in Leeuwarden – was gisteren jarig geweest.

Tegen de avond had mama gebeld en gezegd dat ze morgenochtend pas thuis zouden komen. 'Jij moet voor één nachtje op je voormalige kamer slapen. Ik hoop tenminste dat je me dit plezier wilt doen, want dan kunnen wij er nog een gezellige avond aan vastknopen. Het is zó knus, we zijn met ons viertjes en we raken niet uitgepraat. Het is lang geleden dat ik me zo heerlijk heb kunnen ontspannen. Papa kwam met het plan om hier te blijven logeren. Hij zegt dat hij kan zien dat ik opknap van het uitje. Kan ik op je rekenen, Menso, je bent morgen immers gesloten?'

Vanzelfsprekend had hij mama dit pleziertje niet kunnen weigeren, het arme mens had bitter weinig verzetjes. Vanwege de zorg om Digna zat mama doorgaans aan huis gekluisterd, ze had een zwaar leven. Hij had niet kúnnen zeggen dat hij voor maandag een afspraak had, want Berbels naam mocht in huize Wortelboer niet genoemd worden. Dat ging niet om Berbel persoonlijk, in zijn leven was geen plek voor een andere meisjesnaam.

Omdat schoenenwinkel Doornbosch zijn winkel niet sloot, moest het personeel zijn vakantie gespreid opnemen. Zodoende had Berbel nu, eind juni, al vakantie; in totaal twee weken. Vandaag was de vakantie van start gegaan en om het begin ervan te vieren, had hij zaterdag tegen haar gezegd: 'Kom maandagmorgen naar mij toe, dan gaan we de stad in. Ik wil je blij maken met iets moois en dit keer hoef je niet tegen te sputteren, want ik zet mijn zin toch door! Kom lekker vroeg, zo tegen een uur of negen, dan hebben we een lange, fijne dag voor de boeg. Op het eind ervan trakteer ik je op een etentje in een goed restaurant!'

Berbel was zichtbaar verrast geweest, ze had gebloosd toen ze zei dat ze zich er al bij voorbaat op verheugde. 'Ik zou niet weten wanneer ik voor het laatst in een restaurant gegeten heb en een cadeautje krijg ik ook niet elke dag!' Ze had beloofd dat ze er op de afgesproken tijd zou zijn, maar vanwege de plannen van mama had hij daar verandering in moeten brengen.

Opdat Digna het gesprek niet zou kunnen volgen, was hij na het telefoontje van mama met zijn mobieltje de tuin in gelopen en had hij Berbel verteld dat hij pas in de loop van de maandagochtend terug kon komen. Discreet als ze was waar het zijn ouders betrof, had Berbel geen lastige vragen gesteld. Ze had gezegd dat het goed was, dat ze dan tegen de middag bij hem zou zijn. 'Je hoeft je niet te haasten, ik heb een sleutel van je huisdeur en kom er wel in. Mocht ik er eerder zijn dan jij, dan zet ik alvast een pot koffie. Voor morgen wens ik je alvast een goede terugreis.'

Lieve Berbel, schat van een meid, als je eens wist hoeveel ik om je geef. Menso slaakte een moedeloze zucht toen hij zich afvroeg hoe hij zijn tot dusverre goed bewaakte geheim aan Berbel moest vertellen. Hij had Digna beloofd dat hij open kaart zou spelen, maar wat schoot hij ermee op? Hij wist immers bij voorbaat dat er voor hem niets zou veranderen. Ook in de toekomst zou hij diep medelijden blijven hebben met Digna. Elke keer dat hij met die gevoelens naast haar zou zitten, zou hij in een allesoverheersende liefde naar Berbel verlangen. Digna was een stakker, hij zou haar niet in de steek kúnnen laten. Berbel daarentegen, was een vrouw om van te dromen. Zonder het te kunnen weten maakte zij keer op keer al het mannelijke in hem los. Hij kon bijna niet meer vechten tegen zijn verlangen om haar als vrouw te bezitten. Met haar wilde hij slapen, met haar wilde hij trouwen en kinderen krijgen. Daar was toch niks abnormaals aan, hij was toch warempel een gezonde vent! Jawel, maar toch mocht het niet, kon het niet.

Hij was er voor zichzelf zo goed als zeker van dat Berbel ook meer om hem gaf dan ze zelf wist of toe wilde geven. Wanneer ze dacht dat hij niet oplette, zat ze soms in diep gepeins naar hem te staren. Hij observeerde haar dan vanuit een ooghoek en elke keer vroeg hij zich af wat er op dat moment door haar heen ging. Waar was ze mee bezig, wat vond ze van hem, wat zocht ze op zijn gezicht dat ze grondig leek te bestuderen? Als hij zich dan opeens naar haar toe keerde,

kleurde ze diep. 'Waar dacht je aan, Berbel, je zat me zo op te nemen?'

'O, niks bijzonders… Ik zat te denken dat ik je een mooie man vind.
Als je er echter verwaand van wordt, trek ik mijn woorden onmiddellijk terug!'

Waar waren ze op dergelijke momenten mee bezig? Was het een spel
zonder betekenis, of was het bewust verstoppertje-spelen omdat de
waarheid voor hen allebei bedekt moest blijven? Wist hij maar voor
honderd procent zeker óf Berbel van hem hield… Menso schrok ter
plekke van deze gedachte en gaf zichzelf een reprimande: gebruik je
gezonde verstand, man! Want wat zou je doen als je zekerheid had?
Zou je Berbel dan als man liefhebben zonder gewetensbezwaren? Nee,
dacht Menso zuchtend, dat zou onmogelijk zijn. Wanneer hij met
Berbel de liefde zou bedrijven, zou het gezicht van Digna zich onherroepelijk aan hem opdringen. Hij zou er verdriet van aflezen, een
immense pijn die hij haar moest besparen. Dat was zijn plicht, bovendien had hij haar gisteren bezworen dat ze op hem kon blijven
vertrouwen.

Was het leven maar wat minder ingewikkeld, kon een mens maar leven zonder liefde. Hij kon het niet, het werd echter wel van hem verlangd. Ondanks zijn belofte aan Digna, wist hij dat het leven zonder
Berbel de moeite niet waard zou zijn. In de nabije toekomst zou hij
jaloers zijn op alles wat hij over haar hoorde. Op dezelfde manier als
toen Berbel vol enthousiasme vertelde over haar vriendschap met
Femke Cazemier. Hij wilde haar met niemand delen en toch, hoe te-
genstrijdig zat hij soms in elkaar, was hij ook weer blij voor haar dat
ze iemand gevonden had met wie ze goed overweg kon. Berbel noemde de moeder van haar jeugdige overvaller bij de voornaam, vaak zei
ze ook: 'Femke is een beetje mijn tweede moeder geworden!'

Hoe durfde hij jaloers te zijn, een dergelijke uitspraak was immers
intriest. Berbel had moederliefde nodig, en omdat ze die niet van haar
eigen moeder kreeg, zocht ze die bij een oudere vriendin. De beide
vrouwen brachten de zondagen veelal bij elkaar door. Logisch, ze
waren dan immers allebei alleen. Femke had haar man verloren en
op zondag moest Berbel het stellen zonder hem. Waar haalde hij dan
het lef vandaan om jaloers te zijn als Berbel in geuren en kleuren vertelde hoe fijn ze het hadden gehad en hoe blij ze was dat ze Tjeerd
Cazemier die dag bij haar binnen had gelaten.

'Als ik dat niet had gedaan, had ik Femke niet leren kennen en dan zouden mijn zondagen er nog net zo oersaai uitzien als daarvoor. We praten nooit meer over de manier waarop we contact kregen, dat is verleden tijd. Ik kan het me al niet eens meer voorstellen dát Tjeerd me beroofde. Het past helemaal niet bij hem, nu hij gelukkig weer degene is die hij voorheen was, kan ik net als Femke, zeggen dat hij een schat van een jongen is.'

Hij wist van Berbel dat Tjeerd sinds kort een meisje had, Sabine van der Hoek, ze was zeventien. Daar was niks op tegen, maar waarom moest dat wichtje nou zo nodig een oudere broer hebben? Wybo van der Hoek, hij was negenentwintig jaar en volgens Berbel was hij een bijzonder boeiende man, en ook nog eens een héél aardige vent. Dergelijke verhalen hoorde hij veel liever niet, ze maakten hem somber en zijn hart raakte erdoor van slag. Toch mocht hij de realiteit niet uit het oog verliezen. Als hij nuchter nadacht, kon hij wel nagaan dat hij Berbel ooit aan een ander zou moeten afstaan. Of die nou Wybo heette, Piet of Klaas, ooit zou er een man komen die gelukkig werd met het liefste dat hij bezat.

Wat had het leven zonder Berbel nog voor zin? Hij zou kapot gaan van verdriet. Hij kón Berbel niet meer missen. Alleen het idee al maakte dat hij nu al voelde wat hij in de toekomst voelen zou. Een man mag niet huilen, kan ik het helpen dat ik mijn emoties even niet onder controle heb...

Met de muis van zijn hand wiste Menso een paar dikke druppels weg. En zichzelf verontschuldigend bedacht hij dat hij zo week was doordat het gesprek met Digna alsmede haar verzorging hem te zwaar was gevallen. Normaliter was hij slechts een dag bij haar en hoefde hij haar alleen maar een paar keer te verschonen en te voeden. Dit keer was de algehele verzorging op hem neergekomen. Vanochtend had hij haar met de badlift in bad geholpen, hij had haar gewassen, afgedroogd en aangekleed. Hij had haar blonde haar geborsteld en toen hij tranen had ontdekt in haar mooie, viooltjesblauwe ogen, had hij zijn eigen ogen niet droog kunnen houden. Arme meid, waarom moest jou dit gruwelijke overkomen? Het trieste van alles was misschien wel dat haar geest gezond was gebleven, terwijl de rest van haar lichaam het liet afweten. Ze beleefde alles bewust, maar ze kon haar emoties slechts kwijt door het uitstoten van onverstaanbare klanken en door tranen. Vol onmacht en droefheid.

Toen Digna eindelijk weer in haar aangepaste rolstoel lag, had hij zich volkomen uitgeput gevoeld. Niet zozeer lichamelijk, maar vooral geestelijk. Want in tegenstelling tot Berbel hoefde hij zich niet af te vragen wat er allemaal in Digna omging. Voordat ze zondagmorgen vertrokken, had mama hem even apart genomen. Bezorgd kijkend had ze hem toen verteld dat Digna de laatste tijd erg onrustig was. 'Ze is bang, Menso, dat er een andere vrouw in jouw leven is. Daar huilt de lieverd in alle stilte om, ze ligt veel te vaak met betraande ogen naar me te kijken.'

Daar was hij van geschrokken, jegens mama had hij zich een houding moeten bepalen voordat hij zo neutraal mogelijk had kunnen zeggen: 'Kom, mama, hoe zou u dat nu kunnen weten? U kunt geen gedachten lezen en Digna kan haar gevoelens niet verwoorden. Ook niet jegens u!'

Mama had hem terechtgewezen. 'Je vergist je, jongen! Ik ga meer met haar om dan jij, op den duur leer je hoe je bepaalde klanken moet interpreteren. Het meisje houdt nog altijd zielsveel van jou. Ze kijkt de hele week uit naar de zondag dat ze jou weer zal zien. Laat haar én ons alsjeblieft niet in de steek, Menso!'

Hij had mama gerustgesteld, maar toen hij alleen was met Digna had hij het gevoelige onderwerp toch aangesneden. 'Mama zei iets tegen me waarvan ik nogal geschrokken ben. Denk je echt, Digna, dat er een andere vrouw in mijn leven is?' Hij had gespannen naar haar ogen gekeken, als ze daar tweemaal mee knipperde betekende dat ja. Op die manier had ze inderdaad ja gezegd en hij had zich naar haar toe gebogen. Hij had haar hand gepakt die in de zijne was verdwenen, en gezegd: 'Ik wil eerlijk tegen je zijn zodat je niet over mij hoeft liggen piekeren als ik weer in de stad ben. Je hebt het blijkbaar scherp aangevoeld, want er is inderdaad een meisje in mijn leven gekomen dat mij zeer dierbaar is geworden. Ze heet Berbel Dekker, ze is eerlijk en goed. Ik weet niet of zij om mij geeft, ik echter wel om haar. Nu zie ik je mooie ogen verdonkeren van pijn, maar die kan ik eruit wegnemen. Want met mijn hand op het hart, Digna, kan ik je zeggen dat er tussen haar en mij niets oneerbaars is voorgevallen. Ik heb Berbel nooit op haar mond gezoend, nooit met haar geslapen. Geloof dat alsjeblieft van me!'

Met vochtige ogen had Digna daarop klanken uitgestoten die hij dacht te begrijpen. 'Als je me nu vraagt of ik het gewild had wat ik tot dusverre nagelaten heb, moet ik ja zeggen. Helaas ja, omdat ik een mens ben van vlees en bloed met alle gevoelens van dien. Nu ik er zo openhartig met jou over praat, nu ik zie wat het doet met jou, besef ik pas dat ik me de hele tijd op glad ijs begeven heb. Om het mezelf, maar jou in de eerste plaats, niet moeilijker te maken dan het al is, zie ik in dat ik een eind zal moeten maken aan mijn vriendschap met Berbel. Dat zal de nodige moeite kosten, maar vanwege jou heb ik geen keus. Ik wil jou niet verraden, dat zou voor mij hetzelfde zijn als dat ik God de rug toe zou keren. Heb ik je tevreden kunnen stellen, zul je nooit meer bang zijn dat ik jou bedrieg met een ander...?' Digna had hem geen teken gegeven, ze had niet met haar ogen geknipperd. In plaats daarvan had ze gehuild en hij had aangevoeld dat het tranen van medelijden om hem waren. Hij had zich ontroerd over haar heen gebogen en schor gefluisterd: 'Stil maar, ik weet wel dat jij wilt dat ik weer gelukkig word, maar zo egoïstisch mag ik van mezelf niet zijn. Zoals wij elkaar in goede tijden trouw beloofden, zo zal ik met jou verbonden blijven. Ik had Berbel niet mogen toelaten in mijn leven, ik heb de hele tijd geweten dat ik jou er verdriet mee deed. Ben je gerustgesteld als ik beloof dat ik een eind zal maken aan de vriendschap met haar?' Op dat moment had hij na jaren opeens verlangd naar Digna's armen om hem heen, naar haar stem van vroeger. Hij had troost nodig gehad, maar zelfs dat kon de stakker hem niet meer geven. Zou ze beseffen of aanvoelen dat hij niet meer van haar hield, dat zijn trouw aan haar louter uit medelijden en plichtsbesef bestond? Met die dieptrieste boodschap was hij onderweg naar Berbel. Naar de vrouw die hij niet meer missen kon, maar die hij vanwege Digna zou moeten loslaten.

In opoffering gevangen... Berbel was de enige die zou kunnen begrijpen wat dat betekende. Eens had zij ter wille van haar zusje hetzelfde lot aanvaard. In die tijd had zij zich dapper getoond, hij voelde zich nu een lafaard. Omdat alles in hem in opstand kwam, omdat hij zich wanhopig voelde. Was hij dan opeens van een kerel met ruggengraat een slappeling geworden? Biggelden er daarom opnieuw tranen over zijn wangen en zat er een prop in zijn keel die gemeen zeer deed? O Berbel, wat moet ik zo dadelijk tegen je zeggen of juist verzwijgen? Ik durf je bijna niet meer onder ogen te komen...

In het bovenhuis van Menso vroeg Berbel zich voor de zoveelste keer af waar hij bleef. Het was al bijna halftwee, de koffie stond al een poos te verpieteren, ze kon maar beter een verse pot gaan zetten. Hè, wat vervelend nou, ze had zich zo verheugd op hun uitstapje, maar op deze manier bleef er niet veel tijd over. Had ze maar niet gezegd dat hij zich niet hoefde te haasten, dat advies had Menso blijkbaar veel te letterlijk opgevat. Waarom had hij dan ook per se bij zijn ouders moeten blijven logeren? Hij was toch geen kleuter meer die zo nodig een keer bij mammie moest blijven slapen! Nou ja, ze zou er maar niet over oordelen, zolang zij het fijne er niet van wist bleef het gissen. Ze vond het wel bespottelijk dat zijn ouders blijkbaar vóór alles gingen. Of zou Menso in zijn hart een moederskindje zijn? Zij kende hem als een kerel uit één stuk, maar bij hem thuis was Menso misschien wel een totaal ander iemand.

Kwam hij nou maar, ze was hartstikke benieuwd naar het cadeautje dat hij haar had beloofd. Stel nou toch eens, fantaseerde ze, dat hij haar meenam naar een juwelier en dat hij haar verraste met het kopen van hun verlovingsringen... Ach, natuurlijk zou hij dat niet doen, hij wist immers niet wat zij voor hem voelde. Hij zou hooguit een zilveren vriendschapsring aan haar vinger kunnen schuiven. En daar moest zij zich dan even blij mee tonen, terwijl ze er stilletjes om zou moeten huilen. Ze hield gewoon veel te veel van hem. Waar had ze ook alweer eens gelezen dat geen enkele man het verdiende dat een vrouw om hem huilde? Daar was zij het niet mee eens, zij zou haar laatste tranen voor Menso willen vergieten.

Nadat ze opnieuw een blik op de klok had geworpen, werd ze plotseling overvallen door een paniekgolf. Ze sloeg van schrik een hand voor haar mond toen ze bedacht dat er misschien iets ernstigs met Menso was gebeurd. Een vreselijk auto-ongeluk, waarom zou dat alleen een ander kunnen overkomen? In haar verbeelding zag ze hem zwaargewond en hevig bloedend ergens langs de kant van de weg liggen. In plaats van een gezellig uitstapje samen, moest zij zo dadelijk misschien wel halsoverkop naar een ziekenhuis.

In bange onrust over wat er gebeurd zou kunnen zijn, liet Barbel haar fantasie de vrije loop en maakte ze het voor zichzelf onhoudbaar. Ze was werkelijk ten einde raad toen ze een schietgebedje naar boven zond: 'O goede God, geef dat er geen onheilsbericht naar mij onderweg is. Laat de deur alstublieft gewoon opengaan en laat Menso gezond in de deuropening staan...'

Toen dat bijna op hetzelfde ogenblik gebeurde, dacht Berbel dat ze droomde. En in haar radeloze angst om wat er zich voor haar geestesoog had afgespeeld, vergat ze zichzelf en dat wat ze zo lang voor hem verborgen had weten te houden. Ze sprong op uit haar stoel, snelde op hem toe, sloeg haar armen om hem heen en liet haar hoofd rusten tegen zijn borst. Menso wist niet wat hem overkwam. Hij durfde zijn oren niet te geloven toen hij haar met een snik in haar stem hoorde zeggen: 'Daar ben je dan eindelijk! O lieveling, als je eens wist hoe bang ik mezelf heb zitten maken. Wat ben ik blij dat je gezond en wel bij me terug bent gekomen...'

Berbel zweeg abrupt toen ze hoorde wat ze zei, en het tot haar doordrong wat ze deed. Ze maakte zich los van Menso en met een beschaamde blik in haar ogen zei ze nog zachter dan daarnet: 'Je bent niet doof, dus heb je gehoord wat ik zei... Ik kan mijn woorden niet meer inslikken en misschien ben ik er in mijn hart wel blij om dat je nu eindelijk weet dat ik je liefheb... Ik hou al zo verschrikkelijk lang van je, Menso. Al vanaf het moment dat jij je in het park over me heen boog. Sorry...'

'Sorry...?' echode hij, schor van emoties. 'Je hoeft je niet te verontschuldigen, ik hou ook van jou. Meer nog dan jij van mij, dat weet ik heel zeker...'

Berbels blik werd zacht als fluweel, haar stem paste zich erbij aan. 'Dat vermoedde ik al een tijd, ik durfde het echter niet te geloven. Waarom sluit je me dan nu niet in je armen, jij domme man! Er is immers niets dat ons nog belet om elkaar lief te hebben! Of ben jij verlegen in de liefde, moet ik de leiding nemen?' Voordat Menso erop verdacht kon zijn sloeg ze haar armen om zijn nek, trok ze zijn gezicht naar haar toe en kuste ze hem vol en warm op zijn mond.

Vanwege de vurige kus voelde Menso haar liefde door heel zijn mannenlijf tintelen. Een moment genoot hij er begerig van, meteen daarop maakte hij haar armen los van zijn nek en bromde hij gekweld: 'Niet doen, Berbel, niet doen... Het is te veel, te wreed...' Hij keerde zich abrupt van haar weg en liet zich in een hoek van de bank zakken.

Berbel begreep er niets van, wat deed Menso nou raar opeens? En wat zat hij daar in elkaar gedoken. Zo met zijn handen voor zijn gezicht leek het net alsof hij zich totaal verslagen voelde. Hij kon nu toch alleen maar overgelukkig zijn, net als zij? Ze liep op hem toe, ging naast hem zitten en trok zijn handen weg van zijn gezicht. 'Wat is er nou toch, het lijkt wel alsof ik je de schrik van je leven heb bezorgd! We hebben elkaar alleen maar de liefde verklaard, dat is toch heerlijk? Voor ons het allermooiste dat er is?'

'Het spijt me zo, Berbel... Niet dat ik van je hou, maar dat ik je pijn moet doen. Het kan niets worden tussen ons, ik mag jou niet liefhebben. Ik ben namelijk... niet vrij.'

De ernst ervan wilde niet dadelijk tot Berbel doordringen. Ze zocht zijn gezicht af en lachte nerveus. 'Dat meen je niet!'

'Het is helaas de waarheid. Ze heet Digna... ik hou al heel lang niet meer van haar. Ze verdient mijn medelijden... ik mag haar niet in de steek laten. Niet voor een ander, zelfs niet... voor jou.'

Hoewel Menso's gemompel voor Berbel zo onsamenhangend was geweest dat ze er geen begin of eind aan kon ontdekken, zag ze de ernst er nu wel van in. Een bangmakend gevoel overmeesterde haar, haar stem leek die van een ander. 'Je moet me alles vertellen, Menso. In klare, duidelijke taal. Ik vind dat ik daar recht op heb...'

'Je hebt volkomen gelijk, ik had veel eerder open kaart moeten spelen. Voordat ik je zo lief kreeg dat ik niet meer zonder je kon...' De zucht die hij slaakte was loodzwaar en kwam uit een overvol hart. Het duurde nog even voordat hij van wal kon steken, en het ontging hem niet dat Berbel een eindje bij hem wegschoof. Net alsof ze al aanvoelde dat ze niet te dicht bij hem mocht zijn. Het voor hem veelzeggende gebaar sneed door zijn ziel en belette hem zijn mond open te doen.

Berbel wist niet wat er in hem omging, toch spoorde ze hem aan: 'Toe, Menso... maak het niet moeilijker dan het al is.'

Hij knikte begrijpend, in een gebaar van troost beroerde hij heel even haar wang. 'Lief meisje, mooi meisje... het is vreselijk dat ik jou dit aan moet doen. Ik heb het er zo moeilijk mee, Berbel.'

Deze nam nu de leiding. En hoewel alles in haar op hol leek te slaan, zei ze gedecideerd: 'We zijn geen kleine kinderen meer, Menso. Ik denk dat jij je gevoel een poosje moet uitschakelen. Dat zal je helpen je verhaal aan mij te vertellen.'

Menso nam haar advies ter harte en na nog een aarzeling stak hij nu daadwerkelijk van wal. 'Ze heet voluit Digna Albersma. Ze is nu dertig jaar, ik leerde haar kennen toen zij twintig was en ik drieëntwintig. Het was wat je noemt liefde op het eerste gezicht. Mijn ouders waren meteen bijzonder ingenomen met haar, voor mijn moeder werd zij al snel de dochter die ze zich altijd gewenst had. Digna heeft geen prettige jeugd gehad. Ze heeft haar vader noch haar moeder gekend, want die deed meteen na de geboorte afstand van haar. Het waarom ervan is voor Digna altijd een raadsel gebleven, dat zij uit zelfbescherming niet wilde oplossen. Bang om teleurgesteld te zullen worden, wilde ze niet in haar verleden gaan wroeten. Ze weet dat ze als baby geadopteerd werd, en meer wilde ze niet weten.

Ze kwam terecht bij een echtpaar zonder eigen kinderen, die dachten dat een adoptiekind hun huwelijk zou kunnen redden. Dat bleek al gauw een misvatting, de man en de vrouw gingen scheiden toen Digna amper op eigen beentjes kon staan. Haar adoptievader vertrok naar het andere eind van het land, en liet al snel niets meer van zich horen. Haar moeder leerde een andere man kennen bij wie ze met Digna introk. Zij heeft geen prettige herinneringen aan de man. Hij duldde haar omdat het niet anders kon, de moeder deed enkel haar best om het haar nieuwe liefde naar de zin te maken. Digna bungelde er een beetje bij, ze werd een stil, verlegen meisje. Totdat wij elkaar leerden kennen en ze bij mij thuis mocht ervaren dat er van haar gehouden werd om wie ze was. Toen veranderde ze in een levenslustig, stralend mensenkind.

Ik heb mijn ouders het hoofd echt gek gezeurd. Een jaar later, toen ze inzagen dat het ernst was tussen Digna en mij, kreeg ik mijn zin en kwam Digna bij ons in de villa wonen. In die tijd zal haar stiefvader vast en zeker een onzichtbare vlag hebben uitgehangen, haar moeder nam ook zonder tranen afscheid van haar. Jij bent niet de enige, Berbel, die het in haar jeugd zonder ouderliefde moest stellen!'

'Ik weet het,' zei Berbel zacht, 'het komt helaas vaker voor. Digna mocht echter een verloren schade inhalen. Uit wat je vertelde begrijp ik tenminste dat jouw ouders veel voor haar hebben goed gemaakt?'

'Ja. Papa liet merken dat ze bij ons welkom was, mama houdt van haar als van een eigen dochter. Voordat ze bij ons introk, hebben wij mijn ouders moeten beloven dat wij hun vertrouwen in ons niet zouden beschamen. Die belofte hebben wij niet altijd kunnen nakomen, maar dat hebben mijn ouders gelukkig niet geweten.

Ik heb Digna leren kennen in de kapsalon waar ik toen werkte en waar zij op een gegeven moment als kapster in dienst trad. We koesterden beiden liefde voor hetzelfde vak en wilden niets liever dan een eigen zaak openen. Nou, toen heeft papa ons dus in het zadel geholpen. Inmiddels waren er enkele jaren verstreken. Ik was zesentwintig, Digna drie jaar jonger, toen papa dit pand voor ons kocht. Het was een voormalige groentewinkel, die van boven tot beneden opgeknapt en verbouwd moest worden. Het heeft papa behoorlijk wat geld gekost. En die zomer, toen de verbouwing in volle gang was, gingen wij met ons viertjes op vakantie in Ierland. De afspraak was dat wij daarna voorbereidingen zouden treffen voor ons huwelijk. Hoe konden we toen weten dat er van een feestelijke trouwdag geen sprake kon zijn? Digna heeft geen bruidje mogen zijn, ze heeft de opening van de zaak niet kunnen bijwonen, ze heeft nooit gezien hoe mooi alles is geworden.

Op die fatale dag gingen papa en mama 's morgens met de auto een tocht maken, onderweg wilden ze kastelen en kerken gaan bezichtigen. Digna en ik trokken vanuit het vakantiehuisje de natuur in. We ontdekten een meertje, niet veel groter dan een plas, en besloten het voorbeeld van andere mensen te volgen en ook te gaan zwemmen. Digna was een echte waterrat, het is nog steeds onvoorstelbaar dat dat vreselijke juist haar moest overkomen.

Op een gegeven moment dook ze vanaf een heuvel aan de kant van het meer het water in. Nog zie ik haar sierlijke duik, nog voel ik wat er in me omging toen ze beangstigend lang onder water bleef. Ik heb alarm geslagen voordat ik haar na dook en zo heb ik haar met hulp van anderen op het droge kunnen brengen. Ze was buiten bewustzijn en alles verliep daarna in een roes; de helft kan ik niet meer navertellen. Op een zeker moment lag ze in het ziekenhuis. Ze heeft daar drie dagen in coma gelegen voordat ze weer bijkwam. Toen was ze al de stakker die ze nu nog is. Ze moet bij haar duik in het meertje met haar hoofd op een rots of iets dergelijks zijn terechtgekomen, dat veronderstelden artsen van het ziekenhuis. Volgens hen had ze anders geen twee gebroken nekwervels kunnen oplopen...' Hier zweeg Menso een ogenblik. Berbel fluisterde vol ontzetting: 'O Menso... wat afschuwelijk. Gebroken nekwervels, wil dat zeggen...'

Menso onderbrak haar. 'Ja, het is wat jij denkt. Ik heb er geen idee van of het in alle gevallen zo hard aankomt, maar Digna is er totaal verlamd door geraakt. Ze kan alleen nog met haar ogen knipperen, ze moet verzorgd worden als een baby.'

Berbel zag hoe moeilijk hij het ermee had. Ze schoof weer wat dichter naar hem toe en legde haar hand op die van hem die rusteloos op zijn knie lag. 'Ik heb met je te doen, Menso... en met haar, die ik niet ken. Wie verzorgt haar, hebben jullie hulp van een verpleegster of zo?' Hij schudde ontkennend zijn hoofd. 'Mama wil niet dat vreemden haar aanraken en haar wellicht pijn doen, ze wil zelf voor Digna zorgen. Dat heeft ze inmiddels al zeven jaar met toewijding en liefde gedaan. Mijn ouders zijn inmiddels allebei achter in de vijftig, je kunt dus wel nagaan dat het voor mama niet meevalt. Dat is dan ook een van de redenen dat ik elke zondag naar huis moet. Als ik op Digna pas, kunnen mijn ouders samen naar de kerk en daarna doen ze dingen waar ze door de week, vanwege Digna, niet aan toe komen. Samen een eind wandelen of fietsen, een bezoekje afleggen. Voor mijn gevoel is het allemaal even simpel, maar zij genieten van elkaar en van de vrijheid die hun eens per week gegund wordt.

Voor mij is het de enige manier om een steentje bij te dragen aan de belofte die wij elkaar gedaan hebben. Die houdt in dat we Digna nooit of te nimmer in de steek zullen laten. Mama heeft een keer tegen me gezegd dat zij het niet zou kunnen verdragen als ik verliefd zou worden op een ander meisje. Haar kennende weet ik dat ze daar nog net zo over denkt. Niettemin kost het haar moeite, want in haar hart zou ze mij graag weer gelukkig zien. Daar is ze een moeder voor, Digna gaat echter vóór mij. Mama houdt net even meer van haar dan van mij, haar eigen zoon. Dat neem ik haar niet kwalijk, Digna heeft haar liefde harder nodig dan ik.

Begrijp je nu, Berbel, waarom ik thuis verzwijgen moest dat ik vriendschap had gesloten met jou? Het was niet zoals jij dacht, dat je te min was voor mijn ouders. Als mama jou zou kennen zou ze niets liever willen dan dat wij elkaar in liefde gelukkig maakten. Als Digna er tenminste niet was, aan wie wij alle drie onze verplichtingen hebben. Ik heb foto's van haar, wil je die zien, of... is dat te pijnlijk voor jou?'

Daarop zei Berbel: 'Ik denk dat ik even geen pijn kan voelen, mijn eigen leed wordt overheerst door medelijden met haar. Ik heb verschrikkelijk te doen met jou en je ouders, maar ook zeker met Digna. Ja, Menso, ik wil graag een foto van haar zien. Op die manier zal ik haar mogelijk een beetje leren kennen en hopelijk zal ik daar in de toekomst wat houvast aan hebben...'

Als ik zonder jou verder moet, dacht ze terwijl Menso naar een ander vertrek was gelopen om de foto's te halen. Hoe had ze daarnet kunnen beweren dat ze geen pijn kon voelen? Haar hart voelde nu aan als een open wond die vreselijk zeer deed. Ja ja, door het intrieste verhaal had Menso haar medelijden opgewekt, dat kon immers niet anders, ze was niet ongevoelig voor het leed van anderen. Maar waarom werd er in vredesnaam zo wreed een streep gehaald door háár leven? En waarom juist nadat Menso had gezegd dat hij ook van haar hield? Als hij dat voor haar verzwegen had, zou het allemaal minder moeilijk zijn geweest. Ze wist niet wat er allemaal nog komen zou, maar wel dat Menso en zij niet samen gelukkig mochten worden. Misschien ging het nog verder en mochten ze zelfs geen omgang meer hebben als vrienden. Had Menso dat niet al een beetje laten doorschemeren...? Ze wist het niet meer, hij had in korte tijd te veel verteld. Zij kon het allemaal niet zo snel verwerken of op een rijtje zetten, Digna, arme stakker. Menso, ik hou van je. Heeft mijn stem, mijn gevoel, dan helemaal geen waarde meer?

Op dat moment kwam Menso binnen. Hij schoof weer naast haar en overhandigde haar een foto. 'Deze foto is genomen tijdens die bewuste vakantie in Ierland. Zo zag Digna eruit een paar dagen voor het ongeluk.'

Berbel keek lang naar de afbeelding van een jong, beeldschoon meisje. Haar ovale gezicht, waarin een paar grote, blauwe ogen domineerden, werd omkranst door een bos lang, honingblond haar. Ze had een figuurtje om jaloers op te zijn. 'Ze is een ware schoonheid,' zei ze tegen Menso, 'ik heb zelden zo'n mooi meisje gezien.'

Er verscheen een trieste glimlach op zijn gezicht. 'Er werd altijd naar haar omgekeken, waar ik me ook met haar vertoonde. Er wordt altijd en overal beweerd dat God met ons mensen alleen maar goede bedoelingen heeft. Daar heb ik me niet altijd in kunnen vinden. In het begin heb ik vele malen in radeloosheid op Hem gescholden, andere keren vroeg ik Hem waarom dit juist zo'n mooi wezentje moest overkomen. Ik kreeg uiteraard geen antwoord op mijn vragen en op den duur kon ik het toch niet zonder Hem stellen en ben ik weer naar de kerk gegaan. Het leven gaat door, zegt men, dat geldt echter niet voor Digna. Ze heeft geen leven meer. Zij is een uiterst zwak kasplantje en ik heb het gevoel dat ik geleefd word, al heb ik dat tot dusverre tegen geen sterveling gezegd. Ik doe mijn werk waar ik de nodige afleiding in vind, verder is er al zeven jaar lang geen franje, kleur of fleur meer in geweest.

Totdat ik jou ontmoette, toen kon ik weer lachen en zong mijn hart de mooiste melodieën. Ik ging steeds meer van jou houden, maar mijn schuldgevoelens jegens Digna en mijn ouders groeiden net zo hard. Toch kon ik je niet loslaten, daar moest ik blijkbaar eerst toe gedwongen worden.' Hij nam een adempauze en daarna overhandigde hij Berbel een andere foto. 'Kijk, zo ziet Digna er nu, zeven jaar later, uit.'

'O, maar dit is te erg voor woorden...' fluisterde Berbel ontzet. Vervuld van medelijden staarde ze naar de foto waarop Digna in een aangepaste rolstoel lag, een soort bed op wielen. Ze lag tegen een kussen, haar nog altijd mooie haar was in een staart gebonden. Maar verder leek ze in niets meer op het levenslustige meisje van de eerste foto. Haar ogen straalden niet meer, het was te zien dat het levensgeluk eruit weggenomen was. Hevig aangedaan legde ze de foto voor zich op de salontafel, en werktuiglijk nam ze een volgende van Menso aan. En terwijl ze daar een blik op wierp, zei ze: 'Deze komt me bekend voor, ik heb hem al eens gezien!'

Ze had gelijk, het was de foto van de villa die ze eens had bewonderd. En ook ditmaal zag ze achter een van de ramen een gezicht als een vage schim die net boven de vensterbank uit kwam. Nu begreep ze dat ze het zich toen niet verbeeld had. Aan Menso vroeg ze: 'Waarom hielp je me niet uit de droom? Jij had het toen over een verkeerde lichtval, terwijl je wist dat het Digna was...'

Menso zei dof: 'Ik kon mezelf wel voor het hoofd slaan dat ik je juist deze foto had laten zien. Ja, het is Digna, ze ligt altijd voor dat raam. Op deze manier kan ze een beetje naar buiten kijken. Mama denkt dat het haar wat afleiding biedt, maar ik vermoed dat het haar pijn doet om te moeten zien dat het leven buiten de villa gewoon doorgaat. En dat alles alleen voor haar is blijven stilstaan. Ze kan ons niets duidelijk maken. Als ik zo zou moeten leven, zou ik liever dood zijn. Ik weet wel haast zeker dat Digna er ook zo over denkt.'

'Ik merk aan alles dat jij vreselijk met haar lot begaan bent en dat kan vanzelfsprekend ook niet anders. Maar... Heb ik het goed begrepen, Menso, dat jij eerder in het gesprek zei dat je niet meer van haar houdt?'

'Ik heb enkel zielsveel medelijden met haar. De liefde die er voor haar in mij was, is langzaam maar zeker verdwenen. Daar ben ik niet trots op, maar het is wel de waarheid. Ik vermoed dat de tijd er debet aan is. Zeven lange jaren, je weet niet half hoe lang die duren... Eén dag in de week ben ik bij haar, dan zit ik naast haar en praat ik tegen haar. Ze kan me geen antwoord geven en dat vreet aan ons allebei. Die ene dag in de week voed en verschoon ik haar als een onmondige baby en ook dat is voor haar even moeilijk als voor mij. Geen mens weet hoe vaak onze tranen zich in de loop der jaren al met elkaar vermengd hebben. Liefde kan echter niet groeien als die alleen maar met tranen wordt gevoed. Wat er eens was voelde ik gaandeweg in me verdorren, op den duur bleef er slechts medelijden over. En plichtsbesef. Tegen het wegebben van mijn liefde voor haar heb ik niet kúnnen vechten, misschien kun jij dat niet begrijpen. Vind je me een egoïst, Berbel, dat het zo gegaan is met mijn gevoelens jegens Digna?'

Hij keek haar zo verloren aan dat Berbel het niet kon laten hem te troosten. Ze streelde vol liefde zijn gezicht. Er lagen tranen in haar stem toen ze zei: 'Jij bent in mijn ogen alleen maar een regelrechte lieverd. Je kunt niets verkeerd doen, daar ben je te goed, te integer voor. Je hebt je zeven lange jaren opgeofferd voor de vrouw die je eens liefhad, maar die jou niets meer geven kon. Natuurlijk verdroogt dan je gevoel, dat kan volgens mij niet uitblijven. Je hebt het de hele tijd knap moeilijk gehad, als man kwam je in alle opzichten tekort. Tot overmaat van ramp kwam ik in je leven, daar werd het voor jou niet eenvoudiger door, snap ik nu.'

'Jij liet de zon weer voor me schijnen, elke keer als je bij me was voelde ik me gelukkig. Als ik weer alleen was, kwam het schuldgevoel meteen weer in me boven. Toch wilde ik je niet verliezen, louter en alleen daarom zweeg ik. Achteraf bezien had ik veel eerder openhartig tegen jou moeten zijn. In het beginstadium, toen mijn liefde voor jou nog niet zo allesoverheersend was en ik nog niet wist dat jij ook van mij hield.'

'Ik wilde al heel lang dat jij ook van mij hield. Soms vermoedde ik dat je meer om me gaf dan je liet merken, maar dat stille verlangen werd niet door jou gevoed. Je hebt me nooit met een vinger aangeraakt en daar verlangde ik juist naar...'

Menso glimlachte vertederd. 'Wat zie je er lief uit, nu je diep bloost bij die bekentenis. Je hoeft je er niet voor te schamen, het is zo menselijk als ik weet niet wat. Ik heb zo verschrikkelijk vaak naar jou verlangd. Als ik alleen in bed lag, kon ik wel janken omdat jij niet naast me lag. Zodra ik echter weer vat kreeg op mijn nuchtere verstand, was ik blij dat ik Digna niet had verraden. Ik móét haar recht in de ogen kunnen blijven kijken, maar vraag niet hoe moeilijk dat soms is...'

'Het zal makkelijker voor je worden als ik uit je leven verdwijn...' opperde Berbel. Ze moest iets wegslikken voordat ze verder kon gaan. 'Want uiteindelijk komt dit hele gesprek er immers op neer dat wij voorgoed afscheid van elkaar moeten nemen...?'

'Daar moet ik ja op zeggen, terwijl heel mijn wezen nee schreeuwt. Ik kan je niet meer missen en toch zal ik je moeten loslaten. Want nu ik weet hoe jouw gevoelens jegens mij zijn, zal ik je niet meer alleen een vriendschappelijke kus kunnen geven. Nu wil ik meer, ik wil je helemaal...' Hij hapte naar adem en riep toen radeloos uit: 'Waarom is het leven zo wreed voor jou en mij! Waarom worden wij gestraft voor iets waar we machteloos tegenoverstaan? Wij zijn toch niet aan een rolstoel gebonden, ónze lichamen kunnen en willen méér dan alleen maar ademen!'

Hij zweeg en keek opzij naar Berbel. Toen hij zag hoe zij tegen haar tranen zat te vechten, sloeg hij een arm om haar heen en trok hij haar tegen zich aan. Hij drukte een kus op haar geurende haar en gesmoord zei hij: 'Het spijt me zo voor jou. Ik wil je geen pijn doen, alleen maar gelukkig maken. We zouden uitgaan vandaag, ik wilde er voor jou een fantastische dag van maken. Ik heb je een etentje beloofd, een cadeautje... Niets, niets, komt er terecht van wat ik zo dolgraag zou willen...'

Berbel bleef stil tegen hem aangedrukt liggen en zacht zei ze: 'Als je in opoffering gevangen zit telt je eigen ego niet meer mee. Ik had er indertijd geen moeite mee om mezelf weg te cijferen, het besef dat jij dat nog steeds moet doen, knaagt aan mijn ziel. Ik heb verschrikkelijk met je te doen. Om het voor ons allebei niet nog moeilijker te maken, is het denk ik beter dat ik opstap. Vind je niet, Menso...?'

Tegen beter weten in vroeg Menso jongensachtig: 'Zie ik je dan nooit meer? Zullen we nooit meer samen aan tafel zitten, en na afloop koffie of een wijntje drinken?'

'Als we op de oude voet verder zouden gaan, gebeurt er onherroepelijk datgene waar jij, ter wille van Digna, voor moet oppassen. En nu ik weet hoe beroerd zij eraan toe is, weet ik niet hoe ik met jou verder zou kunnen gaan. Elke keer dat wij elkaar zouden zoenen of

de liefde zouden bedrijven, zou ik me jegens de stakker een fatale vrouw voelen. Met haar voor mijn geestesoog zou ik jou niet eerlijk kunnen liefhebben. Op die manier wil en kan ik niet leven. We worden ertoe gedwongen om afscheid te nemen, ik weet alleen niet hoe...'
Berbel maakte zich los uit Menso's arm en hij bromde aangedaan: 'Als jij hier de deur uitstapt is alles voor ons beiden verloren. Waarom, Berbel, moest ik destijds opeens naar dat park zodat ik jou te hulp kon schieten? Waarom moesten wij van elkaar gaan houden, waarom mag ik de vrouw die ik boven alles liefheb niet gelukkig maken? Waarom, waarom?'
Hoewel Berbel zich zo mogelijk nog zieker van ellende voelde dan Menso, probeerde ze hem te troosten. 'Er is maar een, die op alle vragen van ons mensen het antwoord weet. We moeten op Hem blijven vertrouwen, want anders is echt alles verloren. Nu zit ik tegen jou flink te doen, maar in werkelijkheid zit ik met net zoveel onbeantwoorde vragen te worstelen. Ik moet maken dat ik wegkom, maar ik wil zo graag bij je blijven... O Menso, hoe moet het nou toch met ons?' Met ogen vol tranen zocht ze vertwijfeld zijn gezicht af.
Menso liet zich sturen door zijn hart. Hij sloot haar in zijn armen, zocht haar mond en zoende haar. Het was een kus vol liefde, waar geen eind aan leek te komen en waar ze zich allebei volledig aan overgaven. Omdat ze wilden vasthouden in plaats van loslaten. Ook omdat ze beseften dat ze hun verdere leven zouden moeten teren op deze ene zoen. Die gold als een bezegeling van hun liefde die niet mocht groeien, maar in de kiem werd gesmoord.

IO

Wat was het een afschuwelijke rotweek, mopperde Berbel deze za-
terdagochtend. Ze zat achter een glas thee met een beschuitje en ze
snapte niet hoe ze de dagen om had gekregen. Voor haar gevoel hadden die eindeloos geduurd. Ze zou zich zonder moeite een mooiere
vakantie kunnen voorstellen. Ze had nu nog maar een week vrij en
die zou ze hoe dan ook op een andere manier moeten invullen.
De afgelopen dagen had ze niet anders gedaan dan piekeren, pein-
zen en huilen. Als ze daar moe en down van was geworden, had ze
zichzelf een uitbrander gegeven: zo kan het niet, Berbel Dekker! Met
de moed der wanhoop had ze haar best gedaan en had ze de deur
achter zich dichtgetrokken. Vervolgens had ze doelloos door de stad
geslenterd, daar was ze ook niet vrolijker van geworden. Ze miste
Menso echt verschrikkelijk en hij haar niet minder. Tot dusverre had
hij iedere avond gebeld. En hoewel het goed deed elkaars stem even
te mogen horen, waren de gesprekken een kwelling. Zodra de verbinding verbroken was, was zij elke keer uitgebarsten in een niet te
stuiten huilbui.
Gisteravond had ze Menso gesmeekt of hij haar alsjeblieft niet meer
wilde bellen. 'We schieten er niets mee op, ik word er alleen nog maar
beroerder door. We moeten elkaar helemaal loslaten en ons leven op
eigen kracht een nieuwe invulling geven.' Menso had gezegd dat zij
gelijk had en beloofd dat hij haar niet meer lastig zou vallen. Alsof
hij dat zou kunnen doen! Ze hoopte dat hij vanavond de verleiding
zou kunnen weerstaan en dat hij niet naar de telefoon zou grijpen.
En evenzeer hoopte ze dat zij dat wat ze zich voorgenomen had, in
daden zou kunnen omzetten.
Gisteravond in bed, toen ze op een gegeven moment geen tranen meer
over had, had ze zich onderworpen aan een grondige zelfanalyse. Wat
wil je nou, had ze zich afgevraagd. Wil je blijven treuren om iemand
die met handen en voeten gebonden is aan een ander? Wil jij je leven
op die manier aan je voorbij laten gaan? Nee, had ze tegen zichzelf
gezegd, dat wil ik niet. Eens had ze zich weggecijferd voor Lonneke.
Daar had ze nog steeds geen spijt van, toch wilde ze niet nog eens alles aan de kant schuiven voor een ander. Ze moest een nieuw leven
opbouwen zonder Menso, en hoewel ze nog geen idee had hoe ze dat

zou moeten aanpakken, besefte ze dat ze het aan zichzelf verplicht was om het te proberen. Misschien moest ze zich aansluiten bij een vereniging. Ze kon aardig zingen, zou een zangkoor niets voor haar zijn? Sportief was ze niet, dus in die hoek viel voor haar niets te zoeken.

Had ze maar een vriendin van haar eigen leeftijd met wie ze uit zou kunnen gaan of met wie ze andere leuke dingen zou kunnen ondernemen. Zo iemand plukte je echter niet zomaar van de straat, bovendien hadden de meisjes van haar leeftijd meestal een vriend. In elk geval vriendinnen. Niemand was volgens haar zo alleen als zij. Ze had een paar fijne collega's en bij Femke Cazemier was ze altijd welkom, maar verder kende ze geen mensen die hun deur voor haar wilden openzetten. Was het dan een wonder dat ze van louter eenzaamheid wel huilen moest?

Hier schrok Berbel van haar eigen gedachten. Zie je wel, nu zit ik mezelf alweer zielig te praten! Ze voelde ook weer iets achter haar ogen branden. Maar waarom moest zij dan ook telkens weer iemand verliezen die ze niet missen kon? Haar ouders, Lonneke en Nova, vroegere vrienden en nu was ze Menso ook nog kwijt. Hield ze maar niet zo allesoverheersend van hem, dan zou ze nu minder naar hem verlangen. Toen Marcus en zij besloten uit elkaar te gaan, had ze daar nauwelijks een traan om gelaten. Dat bewees dat ze niet waarachtig van elkaar gehouden hadden. Ze dacht zelden of nooit meer aan Marcus, Menso daarentegen zou ze niet kunnen vergeten. Verlangen naar hem knaagde nu al voortdurend aan elke vezel van haar lichaam en het idee dat hij net zo verdrietig was als zij bezorgde haar een zere plek op haar ziel. Hij was ook zo'n regelrechte lieverd, ze wist vrijwel zeker dat er geen tweede man als hij bestond. Ze kon met niemand echt over hem praten, terwijl ze daar juist zo'n behoefte aan had.

Ze zag Annemarie en Wiert volgende week pas weer. Dan zou ze moeten vertellen dat er aan haar vriendschap met Menso Wortelboer een eind was gekomen. Gelukkig had ze in de winkel nooit verteld dat zij van Menso hield, dat maakte alles wat eenvoudiger. Dat hij ook van haar hield kon ze nu zonder moeite voor hen verzwijgen, dan werd ze tenminste niet bedolven onder medelijden. Als ze ergens een hekel aan had dan was het medelijden. Je schoot er geen zier mee op.

Morgen ging ze naar Femke Cazemier. Zij wist nog niet wat er tussen Menso en haar was voorgevallen, maar aan haar zou ze wel vertellen hoe de vork precies in de steel zat. Ze was inmiddels vertrouwelijk met Femke geworden, en als zij medelijden toonde zou ze dat van haar kunnen verdragen. Femke ging nooit te ver, maar ze noemde de dingen wel bij hun naam. Ze beschouwde Femke een beetje als haar tweede moeder. Misschien klampte ze zich onbewust weleens te veel aan haar vast, dat kwam dan doordat haar eigen moeder niets met haar te maken wilde hebben. Van de week, toen ze het vanwege het verlangen naar Menso weer eens moeilijk met zichzelf had gehad, had ze in een opwelling naar huis gebeld. Achteraf bezien had ze slechts troost gezocht, maar helaas was ze van een akelig koude kermis thuisgekomen. Mam had niet verrast gereageerd op haar telefoontje; ze had koel en afstandelijk gedaan en vervelende dingen gezegd. Ze had de feiten verdraaid en gezegd dat de schuld louter en alleen bij haar en Lonneke lag.

Daarop had Berbel een poging gedaan om recht te zetten wat hopeloos scheef getrokken werd. 'Je weet toch, mam, waarom ik Lonneke destijds bij me moest nemen? Je bent toch niet vergeten waar pa Lonneke mee dreigde en hoe erg je jongste dochter er toen aan toe was?'

Mam had afgebeten geantwoord: 'Ik weet niet waar je het over hebt, ik heb geen idee wat je bedoelt.' Meteen daarop had ze laten blijken dat ze nog deksels goed wist wat er was voorgevallen. 'Voor mijn eigen gemoedsrust is het beter dat ik dingen wegstop die pa heeft gezegd. Hij is geen gemakkelijke man, maar daar heb ik mee leren leven. Waar bel je eigenlijk voor, toch niet om het goed te maken? Daar is het te laat voor, wij hebben elkaar niks meer te zeggen.'

'Je hebt gelijk, mam... het heeft geen zin meer. Laten we het hier maar bij laten. Dag...' Nadat de verbinding verbroken was had zij weer een potje zitten grienen. Om dat wat verloren was gegaan en zij zo graag terug wilde vinden. Met een hart vol verdriet was ze de stad in gegaan. Ze had er geen afleiding gevonden, maar ze had zich lopen schamen. Ze had haar ogen niet droog kunnen houden en de mensen hadden verwonderd naar haar gekeken. Ze had op zichzelf gefoeterd, daar had ze baat bij, want die avond had ze zich in zoverre hersteld dat ze Lonneke kon bellen zonder te laten merken dat ze zich niet happy voelde.

Ze hadden lang en gezellig met elkaar gebabbeld tot Berbel op een gegeven moment besloot haar zusje deelgenoot te maken van de scheiding tussen haar en Menso. Lonneke wist niet dat zij Menso al heel lang liefhad en ze hoefde nu niet meer te weten dat hij ook van haar hield. Ze had geprobeerd een luchtig toontje aan te slaan. 'Ik heb nog een nieuwtje, ik moet voortaan weer voor mezelf koken.'

'Hoe kan dat? Vindt Menso het niet lekker wat jij klaarmaakt?'

'Jawel, er is echter iets tussen ons voorgevallen dat ik liever niet van a tot z wil uitleggen. Het komt erop neer dat Menso en ik besloten hebben om niet langer met elkaar om te gaan. Zoiets kan gebeuren, daar doe je niets aan…'

'Nou zeg, ik schrik er wel van, hoor! Ik was de hele tijd juist zo blij dat jij met iemand bevriend was, nu heb je weer niks! Waarom moet jij almaar weer iemand verliezen? Dat is gewoon niet eerlijk!'

'Misschien ligt het wel aan mezelf. Het kan best zijn dat als de mensen erachter komen hoe ik qua karakter in elkaar steek, ze verschrikt afhaken.'

'Je moet me niet zo aan het lachen maken, Berbel,' had Lonneke gezegd, haar jonge stem had bezorgd geklonken. 'Jij bent juist hartstikke lief. Ik snap nog steeds niet dat er na Marcus geen andere man op je af is gekomen. Behalve lief, charmant en aardig, ben je een mooie vrouw. Dit zijn niet mijn woorden, Niels zei het een keer en ik sta er vierkant achter. Hè bah, ik wou dat je het me niet had verteld, nu maak ik me zorgen om jou. Ik ken je en weet dat je niet goed voor jezelf zult zorgen wat eten en zo betreft. Wees eens eerlijk dan, kook je net zo uitgebreid voor jezelf als dat je dat voor Menso deed?'

Vanzelfsprekend had ze niet gezegd dat het eten haar in haar dooie uppie niet smaakte. Ze zou Lonneke alleen nog maar bezorgder maken als ze zei dat haar 'warme' maaltijd meestal bestond uit een boterham met een gebakken eitje. Als ze er zin in had bakte ze een paar pannenkoeken, die waren ook warm en ze vulden de maag.

Tegen Lonneke had ze gezegd: 'Nee, natuurlijk maak ik voor mezelf geen driegangenmenu klaar! Maar ik krijg heus wel wat ik hebben moet, wees daar maar gerust op, hoor Lonneke!'

'Ik krijg opeens een geweldig goede ingeving, Berbel!' Lonneke had zowat gejuicht, en zij had gelachen.

'Zo, en wat mag dat dan wel niet zijn? Ga me alsjeblieft niet vertellen dat je een leuke vent voor me weet, ik laat me namelijk niet koppelen!'

'Nee nee, het is iets heel anders! Jij moet hier ook naartoe komen, dan kunnen wij net als vanouds weer veel bij elkaar zijn! Ik vind het heus wel rottig dat ik zo weinig bij je kom, maar dat is grotendeels overmacht. Ik vind het heel gênant dat ik meneer of mevrouw Timmerman moet vragen om het reisgeld voor de trein. Bovendien is het een heel gedoe met Nova, ik moet zo vreselijk veel bagage voor haar meeslepen. Nou, en Niels vind het ook niet leuk als ik een heel lang weekend weg ben. Dan mist hij mij en Nova, begrijp je dat, Berbel?'

'Ja, lieve schat, dat is alleen maar een heel goed teken! Je moet je niet zo tegen mij verontschuldigen, ik heb je immers nooit iets verweten?'

'Nee, maar ik weet zelf wel dat jij naar mij en Nova verlangt. Doe je het, Berbel, kom je hier bij mij in Tilburg wonen? Er zijn hier best wel leuke flatjes te huur. Als jij ja zegt kunnen wij daar alvast naar op zoek gaan. Niels en zijn broers willen je wel helpen met het opknappen ervan als dat nodig mocht zijn. En met de verhuizing willen zij hun handen vast ook wel voor jou uit de mouwen steken. Nou, en een baan als verkoopster kun je hier altijd vinden. Anders kun je misschien weer doktersassistente worden. Dat zou nog eens leuk zijn, het klinkt veel duurder dan verkoopster. Toe Berbel, zeg ja! Je hebt daar in je eentje immers niks meer te zoeken en hier ben je zo allerverschrikkelijkst welkom!'

Tjonge, dacht Berbel terwijl ze haar theeglas nog eens vol schonk, mijn zusje heeft me wel aan het denken gezet! Enerzijds had Lonneke gelijk, ze had hier weinig meer te zoeken. Maar wat moest zij als rasechte Groningse in Tilburg? Het was nog maar de vraag of ze daar zou kunnen aarden. Het idee dat ze dan volledig uit Menso's blikveld was verdwenen, beviel haar evenmin. Hier kon ze hem nog eens onverwachts tegenkomen en dan zouden ze blijven staan om een praatje te maken. Dan zouden ze allebei weer eventjes mogen voelen hoezeer ze elkaar liefhadden. En nodig hadden.

Ze kreeg nu opeens ook het verlangen hem te bellen. Eventjes maar, om te horen hoe hij dacht over het voorstel van Lonneke. Zou ze...?

Nee, domkop, natuurlijk niet, bitste ze in diep gepeins tegen zichzelf. Ze had Menso verboden haar te bellen. Als zij hem nu wel belde, zou ze het sluimerende vuurtje weer in alle hevigheid aanwakkeren. Ze moest leren haar gevoel uit te schakelen en haar nuchtere verstand beter te gebruiken. Dat was makkelijker gezegd dan gedaan, wat moest ze nou met Lonnekes goed bedoelde plannen voor haar? Ik weet het niet, dacht Berbel met een zucht. Ze zou zich eerst maar eens gaan douchen en aankleden, vervolgens moest ze de dag zo goed mogelijk zien door te komen. Morgen was het zondag en dan kon ze na de kerk naar Femke.

Eindelijk zou er een lief mens zijn dat naar haar zou willen luisteren en goede raad zou weten te verschaffen. Hoe zou Femke reageren als ze hoorde dat zij, Berbel, de hele tijd van Menso had gehouden en dat hij ook van haar hield? Was het maar alvast zondag, ze had zo verschrikkelijk veel behoefte om ergens haar ei kwijt te kunnen dat ze haast niet meer wachten kon. Ze was een Jantje-ongeduld, wist ze van zichzelf. Ze vroeg zich af hoe zo iemand moest omgaan met een liefde die zo snel mogelijk gedoofd moest worden, terwijl hij nog volop aan het groeien was. Het was een tergend gegeven dat nieuwe tranen losweekte.

Berbel was blij dat ze inmiddels onder de douche stond en dat ze die hinderlijke lastpakken met het warme water kon wegspoelen. Precies zo gemakkelijk, bedacht ze, zou je de liefde voor een man uit moeten kunnen bannen. Menso, hou me even vast, ik heb het zo koud…

De volgende dag, na de kerkdienst, keek Berbel verlangend uit naar de warmte van de zon. Ze verruilde haar nette kleren voor een luchtig, kort rokje met daarop een topje en hoopte dat ze vandaag een beetje bruin zou worden. Femke woonde weliswaar boven de bakkerszaak, maar beneden, grenzend aan de leegstaande bakkerij, was een klein tuintje. Femke had met dit prachtige weer de tuinstoelen vast al klaarstaan en de koffieboel zou ze al naar beneden hebben gebracht voordat Berbel arriveerde. Ze wist niet of Tjeerd en zijn meisje, Sabine, van de partij zouden zijn, maar daar kwam ze straks wel achter.

Hè, gezellig om ergens naartoe te kunnen, dacht ze verheugd toen ze even later richting Femke fietste. Het zou vast een fijne dag worden; Femke had erop gestaan dat ze in elk geval bleef tot na de warme maaltijd. Ze zou vandaag over Menso praten, maar geen tijd hebben om hem te missen zoals ze dat deed als ze alleen was. Ik bedank je bij voorbaat, Femke Cazemier!

Kort hierop begroetten de vrouwen elkaar zoals gewoonlijk, met een warme kus op beide wangen. Terwijl Femke haar mee loodste naar de tuin, bekende Berbel: 'Ik had er al op gerekend dat we buiten zouden zitten! Ik heb me er gewoon op verheugd, ik hou van de zon!' Femke schonk koffie uit een thermoskan, en zette twee gebaksbordjes met een moorkop op de tuintafel. Nadat ze zich net als Berbel in een luie stoel had laten zakken, haakte ze in op wat Berbel had gezegd. 'Er gaat niks boven een tuin, er is niks gezonder dan een tuin. Al is die nog zo klein!'

Berbel schoot in de lach. 'Moet ik dit opvatten als een wijze les?'

'Dat moet jij weten. Ik ben ervan overtuigd dat de mens grond onder zijn voeten nodig heeft. Net als in de oertijd, toen er nog geen sprake was van hoogbouw. Elke keer als ik al die hoge flats zie, moet ik denken aan duiventillen waar veel mensen tegelijk in worden gepropt. Ik krijg medelijden met ze als ik ze op een benauwd, stenen balkonnetje zie zitten, terwijl ze hun voeten op eerlijke grond zouden moeten kunnen zetten. Geloof me, Berbel, flatbewoners zijn over het algemeen genomen niet de gezondste mensen. Er wordt geklaagd over flatneurose, over dat het zo eenzaam wonen is op een flat, zo zoeken ze een oorzaak voor hun ongerief. Die ligt echter op een geheel ander vlak. De mens hoort verbonden te zijn met de natuur, met Gods schepping dus, en die wordt op een flat verbroken. Met alle gevolgen van dien. Doe je schoenen maar eens uit en zet je blote voeten op het zachte gras, dan zul je voelen wat ik bedoel!'

Berbel deed werktuiglijk wat Femke haar adviseerde, ze schopte haar schoenen uit en maakte een kort ommetje over het gras. 'Ja, het voelt inderdaad heerlijk. Net of je steviger op je voeten staat, maar dat zal wel verbeelding zijn. Ik kan namelijk niet helemaal meegaan in jouw theorie, ik geloof niet dat ik in een benedenhuis met een tuintje gelukkiger zou zijn dan in mijn flatje.'

'Dat komt doordat je eraan gewend bent, je weet niet beter meer. Ik woon boven de zaak ook naar mijn zin, maar er gaat geen dag voorbij dat ik niet even mijn tuintje opzoek. Al is het nog zo koud, al regent het pijpenstelen, of dwarrelen de sneeuwvlokken naar beneden. Ik ben een natuurmens, wat ik broodnodig heb is op een flat ver te zoeken. Daar blijf ik bij en nu gaan we het over iets anders hebben!'

Ze lachte haar innemende lach en bracht het koffiekopje naar haar mond. Na een paar slokjes nam ze een gretige hap van haar moorkop.

Terwijl ze daar zichtbaar van genoot informeerde Berbel: 'Is Tjeerd niet thuis?'

Femke maakte eerst haar mond leeg. 'We zijn vanmorgen samen naar de kerk geweest, daarna is hij naar Sabine gegaan. Ik hoop dat hij door haar ouders goed wordt ontvangen, dat ze hem niets laten merken van hun onvrede over hem.'

'Hoe bedoel je dat en waarom kijk je opeens zo donker? Doen haar ouders dan vervelend tegen Tjeerd, mogen ze hem soms niet?'

'Daar kan ik geen ja of nee op zeggen. Tjeerd beklaagt zich nooit over die mensen, het zal dus wel goed zijn. Ik denk gewoon voor mezelf dat ze liever hadden gezien dat hun dochter met een ander vriendje thuis was gekomen. Het kan toch haast niet anders dan dat ze sceptisch tegenover mijn jongen staan? Ze zullen ook wel hun bedenkingen jegens mij hebben. En ik kan me enkel verweren door te zeggen dat ik het pas in de gaten kreeg toen het te laat was. Dat weet God van mij, maar de ouders van Sabine niet...'

Berbel begreep dat Femke het over een nare periode van haar leven had waar zij, Berbel, nauw bij betrokken was geweest. Ze probeerde Femke op andere gedachten te brengen. 'Volgens mij ben jij nu spijkers op laag water aan het zoeken! Je hebt het over iets dat allang de vergetelheid toebehoort. Tjeerd is een alleraardigste, fijne knul! Als ik dat vanuit mijn hart kan zeggen, wie zijn dan de mensen die daar anders over zouden mogen oordelen?'

'Ik weet het wel, Berbel,' verzuchtte Femke. 'Jij hebt het slechtste in Tjeerd aan de lijve moeten ondervinden. Dat spijt me nog steeds, ik sta er echter machteloos tegenover. Het kwam allemaal door het overlijden van mijn lieve man, Rob. Door mijn eigen verdriet om zijn heengaan zag ik waarschijnlijk niet hoe moeilijk Tjeerd het ermee had. Later, in zijn afkickperiode, heb ik voor Tjeerd professionele hulp ingeroepen en zodoende kreeg de jongen toen de juiste hulp voor de rouwverwerking om zijn vader. Hij kan er nu goed mee omgaan. We kunnen nu samen over Rob praten, lachen en als het moet ook samen om hem huilen. Dat laatste gebeurt zo weinig mogelijk, daar zorg ik wel voor. Ik wil dat Tjeerd gelukkig is, dat hij blijft zoals hij nu is.'

'Je bent toch niet bang dat hij opnieuw...'

Verder kwam Berbel niet, want Femke onderbrak haar. 'Dat weet je nooit van tevoren, ik hoop dat hij op het rechte pad zal blijven. Daar bid ik voor zodra de gelegenheid zich voordoet. En op één dag zijn er heel wat gelegenheden, geloof dat maar van mij! Het zou mij niet verbazen als de ouders van Sabine met dezelfde angst leven.'

'Ken jij de familie van Sabine, heb je ooit met hen gesproken? Over Tjeerd, bedoel ik?'

'Ja, ik ben een paar keer door hen uitgenodigd en ik moet zeggen dat het aardige mensen zijn. Ze hadden jegens Tjeerd hun bezwaren, maar die werden minder naarmate ze hem beter leerden kennen. Dat zeggen ze tenminste.'

'In plaats van aan hun woorden te twijfelen, zou jij ze moeten accepteren. Dat zou voor jou wel zo prettig zijn! Wat voor iemand is hun zoon eigenlijk?'

'O, Wybo is een alleraardigste jongen. Ik heb je toch verteld dat hij verloofd is en dat hij binnenkort gaat trouwen? Ze hebben een vrijstaand huis gekocht dat ze al druk aan het inrichten zijn.'

Berbel knikte en lachte tegelijk. 'Ik heb jou niet verteld dat ik zijn naam eens gebruikt heb om Menso jaloers te maken! Ik ken Wybo van der Hoek alleen van naam, ik heb hem nooit gezien of gesproken en toch heb ik een keer laaiend enthousiast over hem gedaan tegen Menso. Ik heb over hem opgeschept dat hij bijzonder knap was en héél erg aardig. Gemeen, nietwaar?'

'Dat weet ik niet. Het is de vraag óf je hem er jaloers mee hebt gemaakt. En waar was dat voor nodig?'

Voordat Berbel die vraag beantwoordde, schonk ze hun lege kopjes nog eens vol, daarna zei Femke welgemeend warm: 'Kijk, dát vind ik nou zo mooi, dat jij laat merken dat je je hier bij mij thuisvoelt! De vorige keer dekte je boven in de huiskamer vanuit jezelf de tafel, dat vertrouwelijke, daar geniet ik echt van!'

'Dat heb je louter aan jezelf te danken,' pareerde Berbel. 'Als jij niet zo'n regelrechte schat was zou ik me in jouw huis als een stijve hark gedragen. Ben je nog benieuwd waarom ik Menso jaloers probeerde te maken?' Femke maakte heftige hoofdknikjes en Berbel stak van wal. Ze vertelde gedetailleerd over haar vriendschap met Menso en hoe zij zowat vanaf het eerste uur van hem gehouden had. Ze liet het hele verhaal over Digna de revue passeren, en besloot haar lange relaas met: 'Ik hoef hem niet meer jaloers te maken, hij houdt evenveel van mij als ik van hem. Voor een boek zou dit een mooi happy end kunnen zijn, ware het niet dat wij in plaats van samen gelukkig te worden, afscheid van elkaar hebben moeten nemen. Daar heb ik het knap moeilijk mee, Menso niet minder. Ik heb zo verschrikkelijk met hem te doen, de laatste dagen heb ik meer om hem gehuild dan om mezelf...'

'Ja, zo ben jij wel,' stelde Femke. 'Toch zou het niet verkeerd zijn om eens een keer eerst aan jezelf te denken! Je kunt niet altijd maar geven, je moet ook durven nemen, meisje! Natuurlijk is het ook triest voor Menso, maar hij heeft zijn ouders bij wie hij kan aankloppen en hij heeft het meisje Digna, voor wie hij er zijn moet. Vergeleken met hem sta jij er stukken beroerder voor. Jij hebt niemand en dat zit mij al dwars zolang als ik je ken. Laat Menso gerust medelijden hebben met Digna, ik heb het met jou.'

'Als anderen dit tegen me zouden zeggen, zou ik kwaad worden. Van jou kan ik het verdragen omdat ik weet dat je om me geeft. Dan stoort het niet, maar is het een troost. Toch moet jij je niet ongerust maken over mij, Berbel Dekker redt zich wel. Toentertijd met Lonneke had ik het ook niet gemakkelijk, niettemin heb ik me ook door die moeilijke periode heen weten te slaan. Ik zou je wel heel graag iets willen voorleggen waar ik zelf niet uitkom.' Op Femkes vragende blik vertelde Berbel met welk plan Lonneke op de proppen was gekomen. 'Ik begrijp wel dat ze mij graag bij zich wil hebben, maar wat heb ik in vredesnaam in Tilburg te zoeken? Ik ben zo verknocht aan Groningen, daarginds zal alles me vreemd zijn. Wat denk jij ervan, Femke?'

Zij glimlachte en zei: 'Het feit dat jij de vraag aan mij voorlegt, lief kind, bewijst al dat jij in je hart niets liever wilt dan herenigd te worden met je zusje en met de kleine Nova! Als je werkelijk bang was om de stap te zetten, zou je er niet met mij over hoeven te praten, dan zou je meteen nee hebben gezegd tegen Lonneke. Nee, Lonneke, dank je feestelijk, ik zit hier goed in het hoge noorden. Je weet zelf deksels goed dat je hier niet op de juiste plaats zit. Niet meer nu Menso uit je leven verdwijnen moest. Wat let je om te vertrekken, je laat hier immers niets achter?'

'O nee? En jij dan...?'

'Zeker, wij zullen elkaar missen, maar je gaat de wereld niet uit! We kunnen elkaar naar hartenlust bellen en reken er maar op dat ik je daarginds kom opzoeken!' Dat laatste had Femke gemeend, maar lachend gezegd. Ze was echter de ernst zelve toen ze vervolgde: 'Je moet niet langer aarzelen, Berbel, hoe verder jij bij Menso vandaan gaat, hoe beter het voor jullie beiden is. De verhuizing op zich zal al een enorme afleiding voor je zijn. Ik ben ervan overtuigd dat jij in Tilburg niet alleen een nieuw leven, maar vooral een beter leven zult kunnen opbouwen. Hier blijf je waarschijnlijk in hetzelfde kringetje ronddraaien, je zult weer even eenzaam zijn als voordat je Menso leerde kennen en liefhebben. Dat gun ik je niet, je bent er te jong, te lief en te mooi voor. Ik mag je niet overhaasten of aansporen tot iets waar je zelf nog niet klaar voor bent. Ik wil je alleen adviseren: denk er goed over na. Overweeg de voors en tegens en grijp vervolgens de kans die je geboden wordt. Want geloof me, Berbel, Lonnekes plan kwam niet bij toeval in haar op. Het werd haar ingegeven, het is nu aan jou om er iets mee te doen. Ik denk namelijk dat dat van je verwacht wordt.'

Berbel kon er niet op ingaan, want op dat ogenblik ging de deur van de bakkerij open en kwamen Tjeerd en Sabine achter elkaar aan de tuin in lopen. Na een hartelijke begroeting lieten ze zich neerploffen in het gras.

Tjeerd verzuchtte: 'Het zweet staat op mijn rug, fris voelt anders! We komen op de fiets van Paterswolde, we hebben de afstand in een mum van tijd afgelegd. Hè, Sabine?'

Zij knikte bevestigend. 'Jij fietste als een razende Roeland, ik kon je haast niet bij houden.' Ze keek Tjeerd verongelijkt aan en wiste zweetdruppeltjes van haar voorhoofd.

Femke wist dat haar broer en zijn toekomstige vrouw in Paterswolde gingen wonen. Het was een lieflijk plaatsje onder de rook van Groningen. Belangstellend vroeg ze aan Sabine: 'Jullie zijn bij Wybo en Anita geweest, begrijp ik. Schieten ze al op met de inrichting van het nieuwe huis?'

'Op een paar kleinigheden na zijn ze al helemaal klaar,' vertelde Sabine geestdriftig. 'Het is een prachtig huis met rondom een mooi-aangelegde tuin waar ze niks aan hoeven te veranderen. Als ik ooit zo'n mooi huis kreeg dat ook nog eens vol stond met schitterende spullen, zou ik mezelf wel driemaal in de arm moeten knijpen om te voelen of ik niet droomde. Maar ik ben niet jaloers op Wybo, hoor!'

'Nou, ik wel een klein beetje,' bekende Tjeerd. Femke reikte Sabine en hem een glas cola aan dat hij in één keer leegdronk, waarna hij vervolgde: 'Ik weet nu al dat Sabine en ik ons later niet zo'n mooi huis, laat staan zulke mooie spullen zullen kunnen permitteren.'

'Dat weet je van tevoren maar nooit,' opperde Sabine. 'We moeten dan natuurlijk wel meespelen in een of andere loterij, anders kunnen we het inderdaad vergeten.'

Femke merkte dat Berbel niet begreep wat Sabine precies bedoelde, zij verduidelijkte: 'Ik heb er niet eerder met je over gesproken, nu voel ik me echter verplicht je uit de droom te helpen. Wybo heeft een poos geleden zowat twee ton gewonnen. In een loterij die hem aantrok omdat het merendeel van het geld besteed wordt aan goede doelen, daar wilde hij zijn steentje aan bijdragen. Het is werkelijk verbluffend dat juist hij meteen de eerste keer dat hij meedeed, zoveel geld in de schoot kreeg geworpen terwijl hij daar juist geen moment op geaasd had. Het gebeurde echter en ik geef hem en Anita groot gelijk dat ze er hun droomhuis van kochten. Ik weet van Wybo dat hij er een kleine hypotheek op heeft genomen zodat er voldoende geld overbleef voor andere dingen. Nou, en wat is er nou mooier om je liefdesnestje helemaal naar je eigen smaak te kunnen inrichten zonder dat je op een euro meer of minder hoeft te letten? Ik heb het niet zo op loterijen, maar nu Sabines broer er geluk mee heeft gehad ben ik blij voor hem.'

Femke verzweeg wijselijk dat Wybo een aardig bedrag voor Sabine had vastgezet waar zij niets van af wist en waar ze pas over kon beschikken als zijzelf ging trouwen. Wybo had haar dit eens in vertrouwen verteld en haar verzocht haar mond erover te houden. Dat zou ze zeker doen, net zoals ze niet aan Berbel zou vertellen dat zij, Femke, Wybo zowat alles over Berbels voorgeschiedenis had verteld. Hier verbrak Femke haar gedachten, en net als Berbel luisterde ze nu naar Sabine.

'Het duurt nog veel te lang voordat wij eraan toe zijn, anders zou ik de spullen uit Wybo's oude huis wel willen hebben. Alles ziet er nog hartstikke mooi uit. Wybo zit er nu mee in zijn maag, want zijn oude huis is inmiddels alweer verhuurd. Hij moet er binnen een paar weken uit zijn en het vanzelfsprekend leeg achterlaten. Nou ja, dat is mijn zorg gelukkig niet,' besloot ze laconiek.

Berbel had met gespitste oren zitten luisteren. Sabine was nauwelijks uitgesproken toen zij vroeg: 'Wat vraagt je broer voor die overtollige meubels?'

Sabine haalde haar schouders op. 'Dat weet ik echt niet. Maar ik kan er wel achter komen, dan moet ik hem even bellen. Heb jij er soms belangstelling voor?'

Berbel verzweeg dat ze inmiddels haast niet meer op een stoel of bank durfde te gaan zitten uit vrees erdoorheen te zakken. Alles was nu echt tot op de draad versleten, ze schaamde zich ervoor. Tegen Sabine zei ze alleen dat haar spulletjes aan vervanging toe waren. 'Wat mij betreft mag je je broer wel even bellen, als hij en ik het eens kunnen worden zou dat voor mij niet gek zijn.' Als hij er tenminste niet te veel voor wil hebben, dacht ze, want dan kan ik het wel vergeten. Sabine had inmiddels haar mobieltje te voorschijn gehaald, kort daarop viel ze met de deur in huis. 'Hai Wybo, met mij, Sabine. Zeg, wat vraag jij voor je oude meubels?'

'Ja zeg,' zei de man aan de andere kant van de lijn lachend, 'denk je nou heus dat ik dat aan jouw nieuwsgierige neusje hang!'

'Het heeft met nieuwsgierigheid niks te maken, ik weet er een liefhebber voor. We zitten bij Tjeerds moeder in de tuin, er is hier nog iemand en namens haar stelde ik de vraag. Het is Berbel Dekker, die naam zegt je toch wel iets?'

Jawel, dacht Wybo, de naam van dat meisje roept bij mij automatisch medelijden én bewondering op. Femke Cazemier, de toekomstige schoonmoeder van zijn kleine zusje, had al zoveel over haar verteld dat dat niet had kunnen uitblijven. In de hoorn bedisselde hij: 'Het lijkt mij het verstandigst dat Berbel de spullen eerst komt bekijken voordat er over een prijs gesproken wordt. Het schikt mij vanmiddag het beste, volgende week ben ik van 's morgens vroeg tot 's avonds laat bezet. Als zij nu in haar auto stapt, doe ik dat ook en dan tref ik haar bij mijn oude huis. Jij hebt het adres, geef dat maar aan haar door. Wat zeg je, Sabientje? O, hééft Berbel geen auto, dan moeten we er iets anders op verzinnen.' Het was even stil, toen zei hij: 'Het is geen punt, ik kom wel naar jullie toe! Ik haal Berbel op en breng haar weer netjes terug. Breng je de boodschap voor me over? Dag, tot zo dadelijk!'

Toen hij de verbinding had verbroken, vertelde Sabine aan Berbel wat haar broer besloten had. Zij keek vragend naar Femke. 'Je gaat toch hopelijk wel even mee?'

'Ja, vanzelfsprekend! Al was het alleen maar om erop toe te zien dat er jou geen rotzooi wordt aangesmeerd voor een te hoge prijs. Nee hoor, ik maak een grapje. Ik ken Wybo ondertussen al wel zo goed dat ik weet dat hij geen mens oneerlijk zal kunnen behandelen. Gaan jullie ook mee?' vroeg ze aan Tjeerd en Sabine.

Zij schudden tegelijk hun hoofd. Tjeerd zei: 'Oude meubels kijken, wat is daar voor ons nou voor leuks aan!'

'Je hebt nog gelijk ook,' gaf Femke toe. Ze stond op en zei verontschuldigend tegen Berbel: 'Ik moet even naar boven om mijn tuinslippers te verwisselen voor een paar fatsoenlijke schoenen. Ik ben zo terug!'

Dat was inderdaad het geval en niet veel later stopte Wybo voor de voormalige bakkerij van Rob Cazemier. Hij toeterde even waarop Femke en Berbel naar buiten kwamen.

Femke gaf hem een schouderklopje. 'Aardig van je om ons op te halen, hoor!'

Berbel stak haar hand uit en stelde zich voor. Daarna zei ze: 'Ik sluit me aan bij wat Femke zei, het is geweldig dat je zoveel moeite doet!'

Hij lachte breed. 'Vergis je niet, er speelt ook een portie eigenbelang mee! Ik moet de spullen kwijt zien te raken, dus zal ik er iets voor over moeten hebben. Nee hoor, dat is niet het belangrijkste. Ik kon het niet over mijn hart verkrijgen om jullie met deze warmte drie kwartier te laten fietsen. Die tijd zouden jullie zeker nodig hebben, want mijn oude huis staat helemaal aan de andere kant van de stad.'

Zonder op te scheppen praatte hij onderweg enthousiast over zijn nieuwe huis. Toen er eventjes een stilte viel benutte Femke die door plompverloren te zeggen: 'Berbel gaat binnenkort ook verhuizen! En niet zomaar eventjes van de stad naar Paterswolde, nee, zij gaat helemaal naar Tilburg!'

Berbel vond het niet leuk dat Femke zich ongevraagd tegen een ander uitliet over haar leven. Voordat Wybo erop kon reageren, zei ze haastig: 'Femke loopt nu een beetje te hard van stapel, het moet allemaal nog gebeuren. Anderen willen dat ik verhuis, maar zelf heb ik nog geen beslissing genomen. Ik zal er nog heel wat nachtjes over moeten slapen voordat ik een definitieve beslissing neem. Hoe die uiteindelijk zal uitpakken weet ik niet, hoe zou Femke het dan nu al wel kunnen weten? Als ik alleen al denk aan de verhuiskosten, krijg ik subiet kippenvel. Gezien de afstand zal het behoorlijk in de papieren lopen, vermoed ik.' Daarom alleen al zal het niet eens kunnen, dacht Berbel.

Wybo wist uit de verhalen van Femke waarom Berbel geen spaargeld had. Hij had met haar te doen en probeerde hulp te bieden op een manier die bij haar geen argwaan zou kunnen wekken. Zo neutraal mogelijk zei hij: 'Ja, als je een erkende verhuizer in de arm neemt, zul je een flink bedrag moeten neertellen. Je zou wel gek zijn als je dat deed, of heb je nooit gehoord van vriendendiensten?'

'Ik heb niet zo bar veel vrienden…'

Vertel mij wat, dacht Wybo. Hij zei: 'Ik gelukkig wel! Een ervan heeft een autoverhuurbedrijf. Als ik hem uitleg dat jij geholpen moet worden, is hij niet te beroerd om een bestelbus ter beschikking te stellen.'

'Waarom zou je die moeite nemen, je kent me niet eens?'

'Moet je dan per se iemand goed kennen? Mag je niet vanuit je hart of vanuit een opwelling voor mijn part, iemand een hand toesteken? Of ben jij er te trots voor om gewoon te kunnen zeggen: "Hartstikke tof; bedankt, hoor!" Dat is anders heel gewoon, we zijn op de wereld om elkaar te helpen. Dat hoeft je niet in de kerk voorgekauwd te worden, dat moet je vanuit jezelf weten. Zo denk ik erover. En nu zijn we waar we wezen moeten en ben ik benieuwd of ik mijn oude spulletjes aan jou kan slijten!' Hij lachte zowat van oor tot oor.

Kort hierna durfde Berbel haar ogen niet te geloven. Wybo had aangewezen wat weg moest: de eethoek, het tweezitsbankje, de bijpassende makkelijke stoelen en de salontafel. Ze keek er met ingehouden adem naar en pas toen ze wat bekomen was van de schrik zei ze teleurgesteld: 'Ik heb geen idee wat je ervoor vraagt, ik zie echter zo wel dat ik het niet kan betalen. Ik heb geen geld achter de hand, daar kom ik eerlijk voor uit. Dit is geen troep die weg moet, het ziet er bijna nog uit als nieuw! Het roomkleurige leer van het bankje en de stoelen is smetteloos schoon alsof er nog nooit iemand op gezeten heeft. Een krasje of andere oneffenheden kan ik er ook niet op ontdekken. Het is veel te mooi, en dus voor mij onbetaalbaar.'

'Wat hier staat is nog geen jaar oud,' vertelde Wybo, 'bovendien ben ik geen smeerpoets. Ik ben zuinig op wat ik heb, dat is altijd al zo geweest. Nou ja, je hebt het gezien, als je ervoor wegloopt is dat je goed recht. Dan zit er voor mij niks anders op dan dat ik de kringloop bel.'

Hij blufte, maar Berbel stapte pardoes in de voor haar uitgezette val. Ze staarde hem met grote ogen aan en struikelde zowat over haar eigen tong. 'Maar, maar… die geven er niks voor, hoor! Weet je dan niet dat die mensen het alleen maar gratis komen ophalen?'

'Jawel,' zei hij kalm, 'maar als jij het niet gratis wil hebben, heb ik immers geen keus? Ik heb aldoor gezegd dat ik er graag iemand blij mee zou willen maken, het liefst iemand die ik ken. Ik ben sentimenteel genoeg om te willen weten waar mijn spulletjes blijven. Jij bent er wat mij betreft de aangewezen persoon voor. Geloof me Berbel, ik zou slecht in elkaar zitten als ik er zelfs maar een euro voor zou durven vragen!'

'Hoezo, dat begrijp ik niet...'

Wybo wist niet dat Femke haar mondje al geroerd had, het leek hem verstandig om Berbel in te lichten over zijn situatie. 'Ik heb ooit een smak geld gewonnen. Daardoor kunnen Anita en ik ons dingen permitteren die wij van huis uit niet gewend zijn. Jij hebt geen spaargeld achter de hand, zei je, en ik weet precies hoe dat voelt! Ik ben de tijd nog niet vergeten dat ik er net zo voorstond. Maar ík was in die tijd niet te trots om dank je wel te zeggen tegen iemand die het goed met mij meende! Waarom verzet jij je daar zo koppig tegen? Ik wil je alleen maar een klein beetje tegemoet komen. Ik word er niet minder van, jij bent ermee geholpen. Klaar toch!' Hij zweeg en keek haar bestraffend aan.

Berbels ogen werden verdacht vochtig. 'Je staat nu gewoon te pleiten, maar ik heb me al gewonnen gegeven. Ik wil het héél, héél graag hebben... Dank je wel, Wybo van der Hoek.' Ze wiste met de rug van haar hand een traan weg die kans had gezien te ontsnappen en fluisterend voegde ze eraan toe: 'Wat heerlijk om soms zomaar een goed mens te mogen ontmoeten...'

Hij glimlachte vertederd. 'Je bent een lief meisje.'

Femke had zich de hele tijd afzijdig gehouden, nu liep ze op Berbel toe. Ze sloeg een arm om haar heen, omvatte met beide handen haar gezicht en warm gemeend zei ze zacht: 'Voel je nu wat ik voel, dat een mens nooit helemaal alleen in het leven staat? Van boven af wordt er altijd op je gepast, altijd voor je gezorgd. Dat feit ontroert mij zo dat ik er tranen van achter mijn ogen voel branden. Het zijn gelukstranen om jou, lief kind.'

'Dank je...' zei Berbel. Op dit goede moment kon zij zich niet voorstellen dat ze zich ooit eenzaam en alleen had gevoeld.

I I

'Ziezo, jij ziet er weer lekker fris uit,' zei Menso deze zondagochtend. Hij had Digna in bad gedaan, nu was hij bezig haar haar te borstelen. 'Ik zie dat je haar geknipt moet worden, maar dat doe ik in de loop van de dag wel. Je bent er nu te moe voor. Het gebadder eist van jou heel wat, is het niet?'

Menso wist dat hij geen antwoord op zijn vraag zou krijgen, hij praatte dan ook gewoon door. 'Heb ik je stoel goed voor het raam gezet, zodat je naar buiten kunt kijken? Wacht, ik zal hem nog een beetje rechter zetten. Zo is het beter, zie je hoe de mensen op straat lopen te kleumen ondanks hun dikke winterjassen? Het is dan ook bitter koud, maar dat kun je verwachten als het half januari is. De tijd gaat snel, voordat je het weet is het weer voorjaar en dan kun jij weer lekker in de tuin geschoven worden. Dan komt er hopelijk weer wat kleur op je bleke wangen.'

Toen hij zag dat Digna haar ogen sloot, zei hij beschaamd: 'Ik zal mijn mond houden, mijn geklets maakt jou nog vermoeider dan je al bent. Ga maar rusten, probeer een poosje te slapen.' Hij streelde haar wang en liep naar de eethoektafel waarop de krant lag die hij nog lezen moest. Vooralsnog kwam daar niets van terecht, want in plaats van dat hij de krant opensloeg, schoof hij hem een eindje van zich af. Zijn ogen dwaalden naar de rug van de rolstoel waar Digna's blonde hoofd half bovenuit stak. Arme stakker, dacht hij meewarig, wat stelt het leven voor jou nog voor? Hij vermoedde dat ze zelf wist hoe beklagenswaardig ze was. Dat was volgens hem nog het beroerdste van alles. Wat ging er door haar heen, wat voelde ze en wat niet? Haar arts, bij wie ze op gezette tijden in het ziekenhuis terug moest komen, had onlangs tegen mama gezegd dat Digna voor hem en zijn collega's medisch gezien een raadsel was. Hij kende patiënten die in eenzelfde situatie hadden verkeerd, maar die hadden korter geleefd dan Digna.

Volgens hem moest Digna een oersterk hart hebben, of een ijzeren wil om ondanks alles te willen blijven leven. Dat laatste geloofde hij echter niet. Hij had zich er al een paar keer op betrapt dat hij dacht: was het maar afgelopen. Hij was ervan overtuigd dat het een bevrijding voor Digna zou zijn als Jezus haar bij zich thuis zou laten komen. Die stille wens zou hij niet hardop uit durven spreken. Niet tegen Digna, maar ook zeker niet tegen papa en mama. Zij wisten dat zijn hart nog altijd naar Berbel trok, ze zouden hem van egoïsme beschuldigen. En misschien was dat niet helemaal ten onrechte.

Hij miste Berbel nog onverminderd, zijn liefde voor haar was nog volop in hem aanwezig. Hij hoefde niet op een kalender te kijken, hij wist zo uit zijn blote hoofd wel dat het inmiddels alweer drie jaar geleden was dat zij Groningen had verlaten en zich ver weg, in Tilburg, had gevestigd. Ondanks die vervlogen jaren zou hij niet vergeten dat Berbel destijds vlak voor haar vertrek, op een avond onverwachts bij hem voor de deur had gestaan. Hij had een blij roffeltje in zijn hart gevoeld, maar Berbel had hem de kans voor nog meer blijdschap ontnomen.

Ja, ze had heel even binnen willen komen. Ze had op het puntje van een stoel gezeten toen ze zei: 'Je moet je niets voorstellen van mijn komst, Menso. Ik zie je ogen lachen, maar tussen jou en mij staat immers een levensgroot bord waarop met grote letters één woord staat: verboden! Ik ben naar je toe gekomen om nog eenmaal afscheid van je te nemen. Om persoonlijk tegen je te zeggen dat ik de stad ga verlaten. Ik wil niet met stille trom vertrekken, dat kan ik mezelf en jou niet aandoen.'

Daarna had ze verteld dat haar zusje zo verschrikkelijk graag wilde dat Berbel bij haar in Tilburg kwam wonen en dat Femke en anderen haar er ook toe aangespoord hadden. Die avond hoorde hij uit Berbels mond dat alles toen al in kannen en kruiken was geweest. De familie Timmerman had een flat voor haar kunnen huren; het was klein, maar daar was de huur dan ook naar. Wybo van der Hoek had een bestelauto voor haar weten te bemachtigen. Samen met een paar kameraden zouden ze haar spullen gratis overbrengen. Zie je nou wel, was het door hem heen geschoten, ik heb me destijds niet vergist, die Wybo van der Hoek zit wel degelijk achter haar aan! Hij was van gedachten veranderd toen Berbel had verteld dat Wybo op het punt stond te trouwen en dat Berbel zijn oude meubels gratis van hem had gekregen. Dat nieuws had hem meer dan goed gedaan. Het was voor hem een troost dat er mensen waren die Berbel op zo'n aardige manier tegemoet traden. Wybo van der Hoek was ter plekke in zijn achting gestegen.

Nadat Berbel haar nieuws aan hem had overgebracht, had ze dadelijk weer willen opstappen. Hij had haar niet kunnen verleiden met een kop koffie of een wijntje. Ze had zacht, maar beslist gezegd: 'We moeten ons verstand gebruiken, Menso. Ik zou voor eeuwig en altijd bij je willen blijven, maar dat mag immers niet. Daarom moet ik zo snel mogelijk weer gaan, voordat we onze emoties niet langer in de hand kunnen houden...'

Hij had begrepen wat ze bedoelde, en naar hetzelfde verlangd als zij. De tranen in haar mooie ogen hadden hem week gemaakt en voordat hij er zelf op verdacht was geweest had hij haar vast in zijn armen gesloten. Voor de tweede keer in hun leven hadden ze elkaar uit zuivere liefde gekust. En allebei hadden ze geweten dat deze lange zoen de allerlaatste zou zijn. Vanwege dat bizarre besef was Berbel toen zowat bij hem weggevlucht. Nadat hij de deur achter haar gesloten had, had hij uit louter onmacht met zijn hoofd tegen de muur van de gang staan bonken. Als iemand die ze even niet allemaal op een rijtje had en zo had hij zich toen ook gevoeld. Hij was zo wanhopig, zo verslagen geweest dat hij een moment niet wist wat hij deed. Waarom moest hij het liefste dat hij bezat loslaten, dat was voor hem nog steeds onaanvaardbaar.

Voor Berbel trouwens ook. Die avond, drie jaar geleden, had ze geen nieuw telefoonnummer willen achterlaten, wel haar nieuwe adres. Hij had wel moeten beloven dat hij er geen misbruik van zou maken. 'Ik weet dat je door middel van het adres heel gemakkelijk mijn telefoonnummer kunt opvragen, maar alsjeblieft, Menso, doe dat niet. We moeten elkaar in bescherming nemen, en elkaar niet opzettelijk gaan kwellen.'

Berbel had volkomen gelijk en zo schreven ze elkaar door de jaren heen met hun verjaardagen een lange brief en als de nood werkelijk te hoog werd, pleegden ze een kort belletje. Louter om elkaars stem even te horen, zonder al te nadrukkelijk te zeggen waar ze mee worstelden. Met kerst stuurden ze elkaar een kaart met daarop een tekst waar ze even mee vooruit konden. De laatste van haar was al bij hem in de bus gevallen voordat hij een kaart naar haar op de post had kunnen doen. De tekst erop was zeer kort geweest, niettemin had die hem hevig ontroerd omdat de inhoud ervan zo veelzeggend was geweest. 'Ik ook van jou...' Meer stond er niet, het was echter ruimschoots voldoende geweest. Voordat hij aan haar kon schrijven dat hij nog onverminderd van haar hield, antwoordde zij hem. Op haar lieve manier.

Berbel, lieve schat van me, hoe vergaat het jou daarginds? Wat zou hij er veel voor over hebben als hij heel even een blik mocht werpen in haar huidige leven. Was ze gelukkig, tevreden met het nieuwe bestaan dat overigens alweer drie jaar oud was? Zou ze zich opnieuw als een bezorgd moedertje om haar zus bekommeren, nu ze weer dicht bij haar was? Als ze zichzelf maar niet weer helemaal wegcijferde ter wille van Lonneke, want daar was hij soms bang voor. Hij wist uit ervaring hoeveel energie opoffering uit plichtsbesef een mens kostte. Je werd er geestelijk door gesloopt, je eigen ik werd er dermate door aangetast dat je het gevoel kreeg alsof je langzaam maar zeker uitdroogde. Dat gebeurde immers met alles wat niet gevoed werd?

Hij liep voortdurend op zijn tenen, want geen sterveling mocht aan hem merken dat hij niet goed in zijn vel zat. In de salon moest hij jegens de klanten vriendelijk en voorkomend zijn. Het personeel had er gewoon recht op dat hij zich gedroeg als een goede werkgever bij wie men kon aankloppen als dat nodig mocht zijn. Hij werd soms zo moe van almaar geven en je plicht doen.

Onlangs had mama gezien of aangevoeld, dat hij het nauwelijks meer aan kon. Om Digna er niet mee te belasten had ze hem een stille wenk gegeven. Hij was haar gevolgd naar de keuken en daar had mama meewarig gezegd: 'Ik heb met je te doen, Menso. Je ziet er soms zo vertrokken uit en ik krijg de indruk dat je bent afgevallen. Ik vind het allemaal zo erg voor je. Sinds je papa en mij hebt verteld dat jij zielsveel houdt van Berbel en dat zij evenveel om jou geeft, houdt dat feit onze gemoederen danig bezig. Jij bent mijn zoon, het is toch logisch dat ik jou gelukkig wil zien? Dat geldt ook voor Berbel, een meisje dat ik alleen ken uit jouw verhalen over haar. Zij lijkt mij goed en lief, wat zij jou kan geven mist Digna. Ik moet dit even aan je kwijt, omdat ik wil dat jij weet dat wij aanvoelen hoe moeilijk jullie het hebben. In mijn hart zou ik niets liever willen dan dat jij en Berbel gelukkig mochten worden. Het doet mij pijn dat dat onmogelijk is omdat Digna nu eenmaal vóór alles hoort te gaan. Het zou onmenselijk zijn als we haar verdriet deden, zij heeft het in haar eentje nog veel moeilijker dan jij en Berbel samen. Vergeet dat niet, mijn jongen, vergeet dat alsjeblieft nooit!'

Daarop had hij gezegd: 'Het doet me goed uit jouw mond te mogen horen hoe je erover denkt. Ik weet dat je ook uit naam van papa spreekt. Jullie kunnen gerust zijn, ik zal Digna nooit of te nimmer opzettelijk pijn doen. Veel liever cijfer ik mezelf weg en Berbel denkt er net zo over. Zij zou zich schuldig voelen jegens Digna als zij en ik toegaven aan onze verlangens naar elkaar. Dat zijn Berbels eigen woorden, zo grootmoedig is zij dus!'

Voordat ze de huiskamer weer opzochten had mama nog gezegd: 'Als jij behoefte voelt om in de toekomst met iemand over Berbel te praten, zou ik het fijn vinden als ik daarvoor in aanmerking mocht komen. In dit huis is altijd wel een gelegenheid te vinden om ongestoord van gedachten te wisselen. Begrijp je wat ik bedoel...?'

'Jawel. Je maakt me duidelijk dat je mijn moeder bent, dat je er, behalve voor Digna, ook voor mij wilt zijn. Daar heb ik weleens aan getwijfeld. Bedankt, mama!'

Om mama te laten merken dat hij het op prijs stelde dat zij zich nu ook open kon zetten voor de problemen van Berbel en hem, had hij haar en papa een beetje op de hoogte gehouden over wat hij van Berbel wist. Zo had hij één keer verteld wat Berbel hem geschreven had op zijn verjaardag. Destijds, kort na haar vertrek uit Groningen. De brief was drie jaar oud, hij kende hem inmiddels uit zijn hoofd.

Ik moet je bekennen dat het hier voor mij erg wennen is. Het enige positieve is dat ik Lonneke en Nova weer dicht bij me heb, verder kan het mij allemaal niet veel schelen. Alles is hier anders dan bij ons in Groningen; de mensen, de natuur, de taal. Ik heb overwogen om toch maar weer doktersassistente te gaan worden, maar ik heb ervan afgezien. Ik moet hier hoe dan ook een nieuw leven opbouwen, nieuwe mensen leren kennen. Dat deed mij besluiten om toch weer een baan te zoeken waar ik collega's om me heen zou hebben. Het is ditmaal geen schoenenwinkel geworden, ik sta nu bij V&D op de afdeling damesmode. Het werk ligt me minder goed dan bij Doornbosch, maar dat kan me niet schelen.

Wat ik van mijn nieuwe collega's verwachtte is bij nader inzien ook tegengevallen. Ze hebben allemaal een eigen leven, ze vragen mij niet mee uit. Dat is wel even slikken, toch begrijp ik wel dat zij net zo goed aan mij moeten wennen als ik aan hen. Mijn dagen zijn gevuld zodat ik me niet verveel en met mijn maandsalaris kom ik in mijn eentje wel rond.

De flat is ronduit lelijk, ik woon in een buurt waar ik bij ons in de stad voor geen goud zou willen wonen. Hier kan het me niet schelen. Ik woon erg klein, ik heb een kamer, een slaapkamer, een keuken en een doucheruimte. Precies wat een mens alleen nodig heeft, geen halve meter meer. Denk niet dat ik me erover beklaag, ik ben weer bij Lonneke en Nova, de rest doet er eigenlijk niet veel toe.

Ik mis jou, Menso. Elk uur van de dag en zodra ik 's nachts even wakker ben zijn mijn gedachten ook onmiddellijk bij jou. Ik wou dat ik je niet had leren kennen, het was beter geweest als jij me destijds in het park niet te hulp was geschoten. Dan zou alles er nu anders voor me uitzien. Ik heb er nog geen idee van of ik hier het geluk zal vinden waar ik naar verlang. Zonder jou lijkt me dat uitgesloten. Ik zal mijn best doen, meer kan ik niet.

De brief was langer geweest, alleen dit gedeelte had hij aan zijn ouders voorgelezen. Papa had bedenkelijk gekeken, mama had haar conclusie eruit getrokken. 'Dat meisje is daarginds vreselijk ongelukkig. Ze schrijft naar mijn smaak ook veel te vaak "het kan me niet schelen". Die paar woorden liggen vol weemoed, vol triestigheid. Het lijkt wel alsof ze het bijltje erbij neer heeft gelegd, alsof ze de moed om te leven heeft verloren. Dat is dan niet best. Arme meid.'

Berbels latere brieven waren gelukkig beduidend minder somber van toon geweest. Hopelijk had ze haar draai er nu inmiddels gevonden. Het kan echter ook zo zijn, bedacht Menso, dat ze zich groot houdt voor mij. Wist hij maar hoe Berbel zich werkelijk voelde. Het zou zo'n troost voor hem zijn als hij met een gerust geweten kon stellen dat Berbels leventje er weer zonnig uitzag. Was ze maar hier gebleven, dan zou hij haar vast weleens toevallig – of opzettelijk – tegen het lijf zijn gelopen. Dan zou hij hebben kunnen zien hoe het haar verging en hoefde hij niet almaar te gissen. Daar werd je op den duur niet goed van, de zorg om Berbel zoog hem zowat leeg. Hier schokte Menso uit zijn diepe gepeins terug in de werkelijkheid. Toen het tot hem doordrong dat hij zich had gewenteld in zelfmedelijden, gaf hij zichzelf een uitbrander: egoïst, schaam je!

Bij Digna vergeleken hadden hij en Berbel immers geen reden tot klagen. Ze waren gezond, als ze het per se wilden zouden ze heus wel een nieuw leven zonder elkaar kunnen opbouwen. Want wat moesten mensen dan wel niet die een dierbare aan de dood hadden moeten afstaan? Die gingen over het algemeen genomen toch ook niet bij de pakken neerzitten? Ach, hij hoefde immers alleen maar aan Digna te denken om in dankbaarheid zijn eigen zegeningen te tellen? Digna, hoe lang had hij zitten mijmeren, hoe lang had hij niet naar haar omgekeken? Bij die zelfgestelde vraag veerde Menso uit zijn stoel omhoog en liep hij haastig op de rolstoel toe. Ze lag nog steeds met gesloten ogen, zag hij en lachend vroeg hij: 'Hè, luiwammesje, zou je zoetjesaan niet eens wakker worden!' Hij streelde haar wang en ondernam een nieuwe poging. 'Kom Digna, doe je ogen open, anders kun je vannacht niet slapen! En ik moet je haar nog knippen, je wilt er toch nog wel graag een beetje mooi uitzien voor mij?'

Geen reactie, helemaal niets. Het lijkt wel, schoot het door Menso heen, alsof ze haar adem inhoudt. Waar is dit dan weer voor nodig, wie houdt er zijn adem nu zo lang in? Dat kan helemaal niet…

Wat er op dat moment door Menso heen ging zou hij later niet na kunnen vertellen. Daarvoor was het te schokkend, te ongeloofwaardig. De ernst van de situatie drong tergend langzaam tot hem door. Zijn ogen zogen zich aan haar vast en hij dacht verbouwereerd: dat is Digna niet meer… Ze lijkt op een engeltje dat onderweg is naar boven. Hij boog zich over haar heen, streelde haar blonde haar en drukte een voorzichtige kus op haar blanke voorhoofd. 'Meisje toch, wat doe je nou… Ben je nu zomaar bij me weggegaan zonder dat ik het merkte?' Nogmaals streelde hij haar stille gezichtje en gesmoord fluisterde hij: 'Vergeef me dat ik alleen maar mijn best voor je kon doen. Al die lange, vervlogen jaren terwijl jij wist waarom ik je niet meer kon geven. Vergeef me, vergeef me…'

Een droge, wanhopige snik ontsnapte aan zijn lippen en leek hem terug te voeren naar de realiteit. Ik moet iets doen, bedacht hij paniekerig, de dokter moet gewaarschuwd worden en papa en mama! Zij waren vandaag te gast bij vrienden, Jan en Jantien Bouwmeester. Vanochtend zouden ze gezamenlijk naar de kerk gaan, daarna koffiedrinken, een hapje eten en vanmiddag wilden ze een lange winterwandeling gaan maken. Laten ze die niet vervroegd hebben ondernomen, ze moeten nog thuis zijn… Met bevende handen greep hij de telefoon. Hij slaakte een zucht van verlichting toen zijn smeekbede scheen te zijn verhoord.

Jan Bouwmeester nam op en nadat het onheilsbericht tot hem was doorgedrongen, beloofde hij geschokt het door te zullen geven. 'Heb je de dokter al gebeld, Menso? Nee? Doe dat dan nu meteen. Je ouders begrijpen al dat er iets ergs aan de hand is, ze staan al op en zullen zo dadelijk bij je zijn. Sterkte, Menso!'

Hij verbrak de verbinding en als een robot deed hij wat Jan Bouwmeester hem geadviseerd had. Met de belofte van de huisarts in zijn oren dat hij er onmiddellijk aankwam, liep Menso weer op Digna toe. En nooit zou hij kunnen zeggen hoe lang hij naar haar had staan staren, noch wat er op dat ogenblik allemaal door hem heen ging. Menso verkeerde in een roes, hij keek verdwaasd om zich heen toen de kamer opeens vol mensen was. De dokter, die zich vanzelfsprekend over Digna heen boog, en zijn ouders. Gedragen door de dokter en papa, werd Digna naar haar kamer gebracht, zag hij. Mama bleef als verstijfd bij de lege rolstoel staan, ze huilde geluidloos. In een opwelling liep Menso naar haar toe. Jolien Wortelboer liet zich door haar zoon in zijn armen sluiten en samen huilden ze om haar die er plotseling niet meer was.

Frits Wortelboer kwam weer binnen, gevolgd door de dokter die vertelde dat Digna aan een hartstilstand was overleden. Vervolgens gaf hij enkele instructies wat er morgen gedaan moest worden. Wat voorrang had en wat niet. 'Ze is uit haar lijden verlost. Beste mensen, laat dit gegeven voor jullie een troost zijn.' Kort hierna liet hij de familie alleen.

Frits liet hem uit, toen hij weer binnenkwam liep hij op Jolien toe. 'Tot dusverre heb ik geen gelegenheid gehad om jou te troosten, nu die er wel is weet ik niet wat ik zeggen moet...'

'Zeg maar niks,' zei Jolien met een gebroken stem. 'Het is allemaal nog zo onwaarschijnlijk. Ik kan nog niet geloven dat die lieve schat er niet meer is, dat ik niet meer voor haar zal hoeven te zorgen. Het viel me steeds zwaarder, maar ik heb het met liefde gedaan. Tot het laatste toe, dat is voor mij een troost.' Ze keerde zich naar Menso en bekende aan hem: 'Ik heb het voor jou verzwegen, papa is de enige die weet dat ik mijn plicht jegens Digna de laatste tijd haast niet meer vervullen kon. Papa heeft er herhaaldelijk op aangedrongen dat Digna naar een verpleeghuis zou gaan, maar daar wilde ik niets van weten. Ik hield van haar, ze was mijn meisje, mijn lieve dochter...'

'Stil maar,' zei Menso toen Jolien achter haar handen huilde, 'jij hoeft jezelf niets te verwijten. Ten opzichte van Digna heb jij voortdurend de allermooiste kant van jezelf laten zien. Digna heeft veel moeten missen, maar tot het allerlaatste toe heeft het haar niet ontbroken aan moederliefde. Daar zal ik je nooit genoeg voor kunnen bedanken. Ik ben trots op je, mam...'

Frits haakte erop in. 'Dat heb ik door de jaren heen haast elke dag wel een keer tegen haar gezegd. Wij werden ouder en ouder, we zijn allebei zestig geweest, en dan heb je niet meer zoveel veerkracht als wanneer je jong bent. De laatste tijd kon ik haar altijd durende zorg om Digna haast niet meer aanzien, omdat zij het gewoon niet meer aan kon. Het ging maar door, van 's morgens vroeg tot 's avonds laat. En hoewel ik net zo diep begaan was met het vreselijke lot van Digna, vond ik dat ik niettemin mijn verstand moest gebruiken. Dat deed mij inzien dat ik toch in de eerste plaats aan mijn eigen vrouw hoorde te denken. Daarom drong ik aan op opname in een verpleeghuis. Niet omdat Digna me te veel werd, denk dat vooral niet! Ik deed het louter en alleen om mama tegen zichzelf in bescherming te nemen!'

'Nu zit jij je warempel te verontschuldigen,' zei Menso verbaasd. 'Waarom doen jullie zo, jullie hebben je immers allebei geweldig gedragen. De enige die zich terecht schuldig mag voelen ben ik. Jegens Digna heb ik gefaald en bovendien heb ik me er daarnet op betrapt dat ik wilde dat ze dood was. Ik weet niet eens of die stille wens van mij alleen bedoeld was om Digna uit haar lijden te laten verlossen, of... dat er een portie eigenbelang aan te pas kwam.'

'Ik weet wat je bedoelt, lieve jongen,' zei Jolien zacht. 'Je zou eens moeten weten hoe vaak ik de laatste tijd niet gebeden heb en gesmeekt of Digna uit haar lijden verlost mocht worden. En net als jij weet ik niet zeker of ik dat louter ter wille van haar welzijn deed. Daaruit blijkt dat we slechts mensen zijn met sterke, maar ook zwakke kanten. Ik wil dit gevoelig liggende onderwerp graag nog eens met jou bespreken, op het ogenblik ben ik er echter niet toe in staat. Ik wil naar Digna, ik heb behoefte om met haar te praten. Op mijn manier en... helemaal alleen.'

'Ga maar, we zullen je niet storen,' zei Frits begripvol. Nadat Jolien het vertrek verlaten had keerde hij zich naar Menso. 'Ik wil een serieus gesprek met jou niet uitstellen. Het zit me allemaal zo hoog, dat ik het meteen van me af moet praten. Om te beginnen wil ik zeggen dat het is gegaan zoals het gegaan is. We hebben alle drie gedaan wat we konden, wat in ons vermogen lag. Er was met jou niks aan de hand, totdat Berbel in je leven kwam. Je hield toen al niet meer van Digna en geloof mij, dat is je niet kwalijk te nemen. Digna kon je al zo lang niet meer geven wat jij als jonge, gezonde vent nodig had. Dan verbleekt datgene wat eens mooi en goed was. Je bent goed voor Digna geweest, twijfel daar niet aan! In het andere geval zou je haar allang de rug toe hebben gekeerd en zou je de roep van je hart zijn gevolgd. Dat deed jij niet, in plaats daarvan verbrak je het contact met Berbel. Daarmee heb je aan ons getoond dat je ruggengraat hebt, want ik denk dat er niet veel mannen zijn die jou dit hadden nagedaan. Heb ik je hiermee een beetje gerust kunnen stellen, mijn jongen?'

Menso glimlachte mat. 'Je bedoelt het ontroerend goed, papa, maar ik heb nu eenmaal eigen gevoelens, een eigen mening. Die vertelt mij dat het niet zo eenvoudig is om nu "gewoon" verder te gaan. Digna heeft ruim drie jaar lang geweten dat ik van Berbel houd. Ik denk tenminste dat ze me dat eens duidelijk heeft gemaakt. En ik heb haar niet tegengesproken. Ze heeft eronder geleden, dat las ik in de tranen die dikwijls in haar ogen sprongen. Denk niet dat die mij onberoerd lieten…'

'Tranen kunnen hun bedoeling niet verwoorden,' oordeelde Frits, 'en Digna kon haar stem niet gebruiken om duidelijk te maken wat ze bedoelde als haar ogen nat werden. Dat gold althans voor jou en mij, voor mama lag het anders. Zij trok dag en nacht met de stakker op. Vanuit haar liefde voor Digna verstond mama datgene wat niet gezegd werd. Wij konden alleen maar raden naar wat Digna ons probeerde te zeggen, mama verstond haar echter. Zij is er heilig van overtuigd dat Digna haar herhaaldelijk duidelijk heeft gemaakt dat ze levensmoe was. Gezien de omstandigheden waarin zij verkeerde, lijkt mij dat helemaal niet verwonderlijk. Ze leefde immers al lange, lange jaren niet meer! Ze wilde volgens mama niets liever dan naar haar hemelse Vader, niets liever dan dat jij gelukkig werd met het meisje aan wie jij je hart verloor. Dát wilde Digna jou duidelijk maken, ze kon het alleen maar doen met tranen. Die jij verkeerd begreep. Zo is het, Menso, en niet anders!'

'Je zou weleens gelijk kunnen hebben,' zei Menso bedachtzaam. 'Er zijn momenten geweest dat ik dacht dat ze me dat op haar eigen manier vertelde. Van de andere kant bekeken hoort een mens het liefst dat wat hij horen wil. Omdat dat beter in zijn eigen straatje past. Ik

weet het niet, papa, op het ogenblik lukt het me niet de dingen rationeel te beredeneren. Ik kan niet eens aan Berbel denken, terwijl zij onder normale omstandigheden continu in mijn gedachten is. Net als mama heb ik er behoefte aan om bij Digna te zijn. Ik heb nog zoveel tegen haar te zeggen, nog zoveel goed te maken...'
Frits sprak zijn gedachten hardop uit. 'We hebben alle drie hulp nodig. Ik ga dominee Klaasens bellen. Als hij thuis is zal hij vast hiernaartoe willen komen om samen met ons te bidden. Dat is op het moment het enige dat wat licht kan scheppen in de duisternis waarin wij ons bevinden.'

In de villa van Frits Wortelboer heerste diepe droefenis. Onkundig daarvan keek Berbel deze zelfde zondag verlangend uit naar de komst van Lonneke, Niels en Nova. Ze zouden met de auto van Niels' vader komen die Niels af en toe mocht lenen sinds hij zijn rijbewijs op zak had. Kleine kinderen worden groot, dacht Berbel glimlachend. Zij kon zich al niet meer herinneren wanneer zij voor het laatst achter het stuur van Menso's auto had gezeten. In die tijd was zij stukken gelukkiger geweest dan nu. Daar kon ze maar beter niet dieper op ingaan, ze zou er alleen maar verdrietig van worden. En dat kon ze zich niet permitteren, ze moest straks vrolijk zijn. Al was het alleen maar voor Nova, die kleine schat.
Nova was alweer vier jaar, het was gewoon niet te bevatten dat de tijd zo snel ging. Ze hield zielsveel van het kleine hummeltje, er smolt iets in haar als Nova zei: 'Tante Berbel is héél lief! Wil jij wel een kusje van mij?' Nou, dan zei ze geen nee, maar volgde er een knuffelpartijtje waar ze helemaal warm van werd. Als Lonneke haar armen spontaan om haar heen sloeg en iets liefs zei, ging er vanbinnen ook iets in haar gloeien. Ze had gewoon liefde nodig, wist ze zelf. En nu Menso haar niet geven mocht waar zij niet zonder kon, zocht ze het ergens anders.
Wat ze bij Lonneke vond was overigens geen nep, ze gaven om elkaar. Zij zag Lonneke nog altijd als haar kleine zusje, terwijl ze dat allang niet meer was. Van het kwetsbare kind was niets meer over; ze was lichamelijk zowel als geestelijk uitgegroeid tot een volwassen vrouw. In doen en laten leek ze ouder dan negentien. Dat zou kunnen komen, vermoedde Berbel, doordat Lonneke toch wel het een en ander had meegemaakt. Daarvoor hoefde zij slechts naar Nova te

kijken. Ik kan haar speelgoed wel alvast uit de kast halen, dacht Berbel, in elk geval het kleurboek en de kleurstiften op de grote tafel leggen. Met een blik op de klok zag ze dat ze daar nog ruimschoots de tijd voor had. Het was pas halfeen en Lonneke had beloofd dat ze er tegen twee uur zouden zijn. Ze moest dus nog een poosje geduld hebben, wat lette haar om zolang op de bank te gaan liggen? Ze had een drukke werkweek achter de rug, het kon geen kwaad om een uurtje rust te nemen.

Ze had ronduit een hekel aan haar werk, met de beste wil van de wereld lukte het niet om vriendschappelijke banden aan te knopen met haar collega's en met haar cheffin stond ze haast op vijandelijke voet. Dat mens had altijd wel iets om over te vitten en zij, Berbel, was altijd de boosdoener. Ze moest er toch eens serieus over denken of het niet verstandiger was om van baan te veranderen. Misschien lag een schoenenwinkel haar beter of moest ze toch maar weer solliciteren bij een huisarts? Ach, wat zat ze nou te zeuren, het deed er immers allemaal niet toe. Want met of zonder collega's, alleen voelde ze zich hier toch. Ze kon hier gewoon niet aarden, ze zou nooit een Brabantse worden. Ze bleef om Lonneke en Nova, anders was ze allang rennend teruggegaan naar Groningen. Daar spraken ze haar taal, voelde men zoals zij voelde. Het voornaamste was dat ze Menso daar tegen zou kunnen komen.

Wonderlijk evengoed, bedacht ze, terwijl ze lekker languit lag, dat ze na al die jaren nog steeds naar hem verlangde. En niet zo'n beetje, maar met heel haar hart en ziel. Hoe zou het met hem zijn? Het enige dat ze zeker wist, was dat hij vandaag weer trouw op Digna zou passen. Met een mengelmoes van toewijding, medelijden en plichtsbesef. Ze moest hem vergeten en proberen naar andere mannen om te kijken. Ze deed er weleens een poging toe die echter meteen mislukte omdat er in heel Tilburg geen man als Menso rondliep. Op den duur zou zij wel een oude vrijster worden, misschien gedroeg ze zich nu al zo en konden haar collega's daardoor niets leuks aan haar ontdekken. Nou, ze gingen hun gang maar, het kon haar allemaal niks schelen.

Ze had gelukkig een lieve vriendin, Femke Cazemier. Zij belden elkaar bijna om de andere dag en steevast eens per jaar kwam Femke een paar dagen logeren. Dan stond zij met liefde haar slaapkamer aan Femke af en sliep ze zelf op een luchtbed in de huiskamer. Het zou fijn zijn als Nova eens bij haar mocht slapen, dan had ze haar even helemaal voor zich alleen. Ze had er weleens een balletje over opgegooid, tot dusverre was het er echter niet van gekomen. Daar zorgde Niels' moeder, Dora Timmerman, wel voor!

Mevrouw Timmerman was ontegenzeglijk een goed mens. Vanuit haar hart had ze het beste met Niels en Lonneke voor, bepaalde dingen pakte ze echter hopeloos verkeerd aan. En daar werd haar zusje de dupe van. Omdat Lonneke zich de hele tijd niet bij haar, Berbel, had beklaagd, had zij niet in de gaten gehad wat er zich precies afspeelde in huize Timmerman.

Toen de nood te hoog werd was Lonneke pas bij haar gekomen. Dat was vorige week op een avond gebeurd. Lonneke kwam weleens vaker op een avond met de bus naar haar toe, die keer had zij in een oogopslag gezien dat er iets aan de hand was. Ze had niet hoeven te vragen wat er was, Lonneke had nauwelijks op het tweezitsbankje gezeten toen ze verwijtend had gezegd: 'Waarom ben jij destijds dan ook in dit rottige, kleine flatje gekropen, Berbel!'

'Ik weet niet waar je heen wilt, kun je wat duidelijker zijn?'

'Ja, nou hoor… Als jij groter woonde, al had je maar één slaapkamer extra, dan kwam ik onmiddellijk met Nova bij jou wonen. Ik hou het bij Niels' moeder niet langer uit, het moet niet lang meer duren anders word ik gillend gek!' Daarna had Lonneke verteld wat ze jaren geleden ook al eens had aangetipt. 'Mevrouw Timmerman behandelt Niels en mij nog net als in het begin, als twee onmondige kinderen op wie zij moet passen. Ze wil gewoon niet inzien dat wij ouder en wijzer zijn geworden. We zijn nu volwassen, zo voelen we ons, zo willen we behandeld worden. Niels is inmiddels al twintig geweest, ik heb mijn negentiende verjaardag al gevierd! Niels is vader, ik ben moeder, maar over Nova hebben wij zowat niks te zeggen! Mevrouw Timmerman voedt haar op, zij regelt en beslist, maar ík ben Nova's mama, ík wil kunnen beslissen wat goed of niet goed is voor mijn kind!' had ze boos en opstandig gezegd.

Berbel had niet geweten wat ze hoorde en om Lonneke niet tegen mevrouw Timmerman op te zetten, had ze gevraagd: 'Overdrijf jij nu niet een beetje, Lonneke? Het lijkt mij vrij logisch dat Niels' moeder een beetje toezicht op jullie houdt. Je moet niet vergeten dat ze dat vanaf Nova's geboorte gewend is! Toen hadden jullie haar lieve zorg hard nodig. Ik vraag me af of het wel eerlijk is dat jij nu zo op haar afgeeft?'

Lonneke had haar een vernietigende blik toegeworpen. 'Ik vind het niet leuk, hoor Berbel, dat jij twijfelt aan wat ik zeg! Ik lieg niet, met geen woord! Niels en ik hebben ons erbij neergelegd dat we nog steeds niet bij elkaar mogen slapen terwijl we samen een kind hebben. Maar moeten we dan ook nog eens bewaakt worden alsof we aan niets anders denken dan aan dat waar mevrouw Timmerman blijkbaar doodsbang voor is? We houden van elkaar, zij heeft echter niet door dat wij elkaar vanuit oprechte liefde toch wel zoeken en weten te vinden. Mijn allergrootste bezwaar is echter dat mevrouw Timmerman nog altijd net doet alsof Nova haar kindje is. Echt waar, Berbel, ik overdrijf niet! Het zit soms in heel kleine dingen, de kleertjes die ik 's morgens voor haar klaarleg, bijvoorbeeld, deugen nooit. Als ik Nova douche of in bad doe, legt mevrouw Timmerman ondertussen snel andere kleertjes neer, die zij voor Nova heeft gekocht zonder te vragen of ik ze mooi vind. Nou, nee dus, want ze zijn echt hartstikke tuttig! Het gebeurt ook vaker dan me lief is,' had Lonneke geklaagd, 'dat ik bijvoorbeeld wil helpen met de afwas of zo, en dat mevrouw Timmerman zegt: 'Laat maar, ga jij maar een poosje met Nova spelen.' Alsof ik ook een kind ben! Ik wil niet langer zo behandeld worden, ik kan het gewoon niet meer aan!' Er hadden tranen over haar wangen gebiggeld, en snikkend had ze gesmeekt: 'Help me, Berbel, wil je me alsjeblieft helpen?'

Uit het veld geslagen had Berbel zich toen hardop afgevraagd: 'Wie ben ik dat ik jou zou kunnen helpen?'

Daarop had Lonneke gezegd: 'Jij moet een goed woordje voor ons doen bij Niels' ouders. Niels en ik willen trouwen, maar ook dáár wil mevrouw Timmerman niks over horen. Ze zegt dat we er nog steeds te jong voor zijn, maar dat is niet zo! We zijn eraan toe! Niels heeft al geopperd dat ik misschien weer zwanger moet worden, dat ze dan wel móét geloven dat het bittere noodzaak is. We móéten trouwen, we kunnen niet langer op deze manier verder. We zijn geen broer en zus van elkaar, zo ziet zij ons nog steeds, wij weten echter beter! Jij bent de enige die iets voor ons kan doen, je bent tenslotte mijn zusje. Jij hebt meer over mij te zeggen dan mijn toekomstige schoonmoeder. Als ze dat ooit wordt...'

'Hoe bedoel je dat nou weer?'

Lonneke had verdrietig gekeken. 'Ik ben soms zo bang dat ik geen moeder tegen haar zal kunnen zeggen, áls we tenminste ooit man en vrouw zullen worden. Ik krijg steeds meer een hekel aan haar en dat vind ik heel erg. Want ik ben niet vergeten hoe geweldig zij Niels en mij destijds heeft opgevangen. Maar nu is het allemaal even moeilijk, heel erg rottig...'

'Hoe reageert Niels' vader er dan op als jullie vragen of je mag trouwen? En zijn broers, ik neem aan dat die zich er toch ook wel mee zullen bemoeien?'

'Niels' vader houdt zich volgens mij uit gemakzucht op de vlakte. Hij zegt dat zijn vrouw weet wat ze zegt en doet en dat dat altijd goed is geweest. Zoals je weet is Jan-Willem onlangs getrouwd. Hij is niet meer thuis, maar woont lekker met zijn vrouw in een eigen huis. Op hem zijn Niels en ik stinkend jaloers! Nou, en Joost heeft verkering en wil graag gaan samenwonen, maar dat mag vanzelfsprekend ook niet. Hij is zesentwintig, hij zal vandaag of morgen ook wel gaan trouwen. Dat besluit kan hij zelf nemen, maar wij echter niet! Omdat wij enkele jaren jonger zijn, maar dat zégt toch helemaal niets! Wij willen bij elkaar zijn, om elkaar lief te hebben zoals het hoort en om zelf voor Nova te kunnen zorgen. Help je me, Berbel?'

Dat smeken van Lonneke had haar doen denken aan die keer bij pa en mam thuis, toen Lonnekes lippen geluidloos de woorden 'Help me', hadden gevormd. En net als toen had ze ook vorige week niet aan die noodkreet van haar zusje voorbij kunnen gaan. Ze had moed moeten verzamelen voordat ze op een avond naar huize Timmerman had durven bellen. Ze had Nanko Timmerman aan de lijn gekregen, hij had verteld dat zijn vrouw naar het zangkoor van de kerk was, en gevraagd of hij misschien een boodschap kon overbrengen. 'Nee, dat hoeft niet, ik kan net zo goed tegen u zeggen waar ik voor bel.' Vervolgens had ze Lonnekes klachten uitvoerig uit de doeken gedaan. Ze had het lange relaas besloten met: 'Ik mag me er misschien niet mee bemoeien, maar nu Lonnekes geluk ermee gemoeid is, kan ik het niet nalaten. Het is gewoon het beste dat Niels en Lonneke gaan trouwen, ik zie niet in wat daar nog op tegen kan zijn.'

Tot haar verbazing had meneer Timmerman daarop gezegd: 'Ik ben het al heel lang niet eens met de mening van mijn vrouw. Ik heb het niet nodig gevonden om dit aan de neuzen te hangen van Niels en Lonneke. En zo weten zij ook niet dat mijn vrouw en ik er ondertussen al ik weet niet hoeveel ellenlange debatten over hebben gevoerd. Tot dusverre geeft Dora zich helaas niet gewonnen. Lonneke heeft niet overdreven, zoals jij daarnet voorzichtig suggereerde, het is waar dat Dora Nova veel te veel voor zichzelf opeist. Ze gedraagt zich inderdaad alsof het haar kind is, een nakomertje waar ze met hart en ziel van houdt. Nou is daar niks op tegen, Dora zou de realiteit alleen wat beter in het oog moeten houden. Ik ben blij, Berbel, dat je hebt gebeld. Ik zal het er vanavond nog met mijn vrouw over hebben. Ze zal haar hoofd moeten buigen, want zo kan het niet langer. Het feit dat Lonneke bij jou haar hart uitstortte, zegt mij genoeg, Dora's ogen zullen er vermoedelijk ook door opengaan. Want één ding staat als een paal boven water: vanaf het begin heeft zij zich ingezet voor het welzijn van Niels en Lonneke. Zodra ze kan inzien dat zij nu verkeerd bezig is, zal ze schrikken van zichzelf en haar houding veranderen. Zo goed ken ik haar wel, het is alleen de vraag hoe ik haar de ogen open. Wat mezelf betreft moet ik bekennen dat ik te laks ben geweest. En hoewel ik geen kerel ben die met de vuist op tafel slaat, zal ik toch meer overredingskracht moeten gebruiken. Ik denk dat dit gesprek met jou daarvoor de juiste aanleiding is, ik had domweg een duwtje in de rug nodig!'

Ze hadden nog een poosje doorgepraat, en het telefoongesprek had haar grotendeels gerustgesteld. Nu bekroop haar opeens toch weer een zekere angst, want stel dat Dora Timmerman zich niet door haar man zou laten ompraten? Nadat Lonneke bij haar was geweest en ze haar nood had geklaagd, had ze niets meer van zich laten horen. Was dat niet een slecht voorteken? Het was nu bijna twee uur, ze konden elk moment voor de deur staan. Ze hoopte vurig dat Lonneke zou stralen van geluk en ze verlangde ernaar om Nova even te knuffelen. Kom nou, jongens, laat me niet langer in spanning!

Het was kwart over twee toen Lonneke haar zus ter begroeting kuste. 'Sorry dat we iets later zijn, maar beter laat dan nooit. Toch?'

'Grapjas!' zei Berbel lachend. Vervolgens begroette ze Niels, om dan verbaasd te vragen: 'Waar is Nova, je wilt me toch hopelijk niet vertellen dat je haar thuis hebt gelaten?'

Lonneke vertelde dat Nova ziek was. 'Dat maakt mevrouw Timmerman er tenminste van, in werkelijkheid is ze alleen maar verkouden. Ze heeft aldoor een loopneusje, maar geen verhoging. Ze had makkelijk even in en uit de auto mee gekund, maar dat vond Niels' moeder al helemaal onverantwoordelijk. Ze heeft het nog niet helemaal afgeleerd Nova voor zich te claimen,' besloot Lonneke. De pretlach om haar mond weerspiegelde in haar ogen.

Berbel merkte verbaasd op: 'Vergeleken bij je vorige klaagzang kijk je nu heel anders!'

Niels keek zijn meisje verliefd aan toen zij jubelde: 'Ja, maar alles ís anders geworden, daarom ben ik nu zo blij! En we hebben het aan jou te danken, Berbel, dat Niels' moeder nu inziet dat Nova óns kind is! Bedankt hoor, dat je met Niels' vader hebt gesproken!'

'Het is goed, vertel me liever wat er allemaal in jullie voordeel is veranderd!'

Lonneke stak geestdriftig van wal. 'In de eerste plaats is mevrouw Timmerman een heel ander mens geworden! Niet echt natuurlijk, maar zo komt ze nu op mij over. Ze zei behoorlijk timide dat ze niet wist wat ze de hele tijd verkeerd had gedaan, dat ze dat pas inzag toen haar man haar vertelde dat jij je zorgen maakte om mij. Ze huilde een beetje toen ze zei: "Ik wil jou niet tegen me in het harnas jagen, Lonneke, daar ben je me veel te lief voor. En juist omdat ik zoveel om je geef, bewaakte ik Nova als een moederkloek. Niet om haar van jou af te pakken, maar omdat ik ervan uitging dat ik niet goed genoeg voor haar kon zijn. Met de allerbeste bedoelingen deed ik alles precies verkeerd. Wat kan ik nog meer zeggen dan dat het me spijt?" Ze hoefde er geen woord aan toe te voegen,' zei Lonneke nu ernstig. 'Ik ben op haar toegesneld en heb haar in een knellende omarming gekust als was zij mijn echte moeder. Dat ging vanzelf, en zonder dezelfde remmingen zal ik haar over afzienbare tijd mama kunnen noemen. Dat is zo wonderlijk, want de laatste keer dat wij elkaar spraken maakte ik me daar nog zorgen over. Weet je nog, Berbel?'

Zij knikte bevestigend. 'Het spijt me… Die twee woordjes kunnen de diepste wateren overbruggen. Ze kunnen rechtzetten wat scheef is gegroeid. Ik denk hierbij ook aan pa en mam. Het is zo jammer dat zij dat hele eenvoudige waar ze zo ontstellend veel mee goed zouden maken, niet over hun lippen kunnen krijgen. Wat doe je overigens, stuur je hun een uitnodiging voor jullie trouwdag?'

Lonneke schudde van nee. 'Ik weet van tevoren dat ze mijn dag zullen bederven als ze zouden komen en zo niet, dan zou ik daar toch ook weer veel verdriet van hebben. Niels en ik hebben besloten om hun te schrijven of te bellen als alles achter de rug is. Lijkt jou dat ook niet het beste, Berbel?'

Deze zei bedachtzaam: 'Het is erg dat ik het zeggen moet, maar ik geef je groot gelijk. We kunnen het onderwerp pa en mam maar beter laten rusten, we doen er ons zelf verdriet mee. Vertel me maar wat jullie met Niels' ouders hebben besproken. Mogen jullie trouwen, want dat was immers het hete hangijzer?'

Niels nam het woord. Lonneke hing aan zijn lippen alsof ze de uiteenzetting voor het eerst hoorde. 'Doordat mijn vader de dingen diep omspitte, zag mijn moeder in dat zij wat losser met haar principes moest omgaan. Ik vind het nog steeds fantastisch dat pa voor zijn mening uit kwam waar wij bij zaten. Dat is voor mij het bewijs dat hij ons in ieder geval voor vol aanziet. Mam kleurde toen pa zei: "Stel eens, Dora, dat Lonneke bij ons kwam met de boodschap dat ze weer zwanger was! Daar heeft Lonneke tegen haar zus mee geschermd, maar door haar wanhoop zou het ernst kunnen worden. En dan waren niet zij, maar wij te ver gegaan. Als je volwassen mensen blijft zien als onmondige kinderen, leidt dat van hun kant tot verzet en zet je als ouders een hek open dat gesloten hoort te blijven. Daar kunnen wij Niels en Lonneke voor behoeden door toestemming te geven voor hun huwelijk. We kunnen niet blijven zeggen dat ze te jong zijn, bovendien wordt het tijd dat Nova de naam van haar vader krijgt. Nova Timmerman, is jouw schatteboutje met het dragen van onze naam dat niet echt een beetje van jou?"

"Ze zal zijn die ze hoort te zijn, mijn kleindochter. Het is goed, voor jullie geluk doe ik graag een stap terug. Vergeef me dat het me allemaal eerst voorgekauwd moest worden..."

Dat zei Niels' moeder,' zei Lonneke stralend. 'Ik hou nu weer net zoveel van haar als vroeger. Daarom heb ik er ook geen punt van gemaakt dat mevrouw Timmerman voordat we naar jou gingen net deed alsof Nova doodziek is. Ik begreep dat ze haar graag een middagje voor zichzelf wilde hebben en dat pleziertje gunde ik haar nu van harte. Het gaat nu weer allemaal vanzelf, heel soepel en ongedwongen.'

'O jongens, wat heerlijk om dit te horen!' zei Berbel uit de grond van haar hart. Ze keek bestraffend naar Lonneke toen ze vervolgde: 'Wat ik minder leuk vind is dat jij me de hele tijd in spanning hebt laten zitten! Je had best even kunnen bellen, dat was voor mij wel zo prettig geweest!'

Daarop verdedigde Lonneke zich. 'Ja, maar alles is niet in één keer gezegd! We hebben het er telkens weer over gehad en elke keer kwam er weer wat nieuws bij. Ik wilde er pas mee naar jou toe als alles rond was. Dat leek mij leuker voor jou. Je weet nog lang niet alles, ben je benieuwd naar wat wij nog meer te vertellen hebben?'

Berbel lachte. 'Ja, gekkie, natuurlijk! Ik schenk eerst nog eens koffie in of willen jullie liever iets anders?'

'Dat heb je goed geraden, Niels en ik zijn geen koffieleuten. We zijn gek op een grote mok warme chocolademelk, maar dat maak ik zelf wel voor ons klaar. Dan kun jij blijven zitten en naar Niels luisteren.'

Nadat Lonneke dit zo had bedisseld, verdween zij naar de keuken. Niels zei tegen Berbel. 'Je hebt dus al begrepen dat Lonneke en ik eindelijk mogen trouwen en het zal je niet verbazen dat we daar vaart achter zetten! We gaan meteen volgende week in ondertrouw en een gesprek aanvragen met onze predikant. En als we eenmaal getrouwd zijn, willen we dolgraag een broertje of zusje voor Nova, maar dat weten mijn ouders nog niet. Zij moeten niet te veel tegelijk te verwerken krijgen, ze hebben het nu al druk genoeg. Want toen wij met de hele familie om de tafel zaten, kwamen niet alleen onze problemen ter sprake. Mijn broer Joost kwam met het nieuws op de proppen dat hij en Marieke ook willen trouwen. Daar schrok mam niet van, ze was er al op voorbereid. Er komt voor mijn ouders natuurlijk heel wat kijken om twee huwelijken vlak achter elkaar gladjes te laten verlopen! En dat is nog niet alles, we moeten bovendien allemaal een huis hebben! Nou, daar hebben we het uitvoerig over gehad en het was heel ontroerend dat mijn moeder in deze kwestie een besluit nam. Ze doet nu werkelijk haar best om iets voor ons goed te maken, dat bleek wel toen ze zonder moeite bedisselde: "Joost en Marieke komen boven de zaak te wonen. Voor Niels en Lonneke moet pa zo snel mogelijk een makelaar in de arm nemen en hopelijk zal die man ook een leuk optrekje voor ons in de aanbieding hebben." Wat een nieuws, nietwaar? Tuiten je oren er niet van?'

'Dat valt wel mee,' zei Berbel lachend, 'ik sta er wel van te kijken dat jouw ouders zich uit de zaak terugtrekken. Is dat niet wat vroeg, krijgen ze daar geen spijt van?'

'O, dat heb jij dan verkeerd begrepen,' haastte Niels zich te zeggen. 'Wat het restaurant betreft houdt mijn vader de touwtjes zelf nog vast in handen, hoor! Om ruimte te maken voor Joost gaan ze alleen ergens anders wonen. Ik ben vreselijk benieuwd waar ze terechtkomen. Ze willen allebei zo dicht mogelijk bij de zaak blijven, dus zal het wel een appartement worden. Vrijstaande huizen zijn in de binnenstad immers schaars. Daar gaat de voorkeur van Lonneke en mij wel naar uit, wij willen het liefst ergens buiten de stad wonen. In een dorp staan veel mooiere huizen dan in het hart van een stad. Een huis met een tuin, dat willen wij met het oog op Nova en andere kinderen die we hopelijk nog zullen krijgen. Dan ga ik er een zandbak in aanleggen, voor mijn part een hele speeltuin, als mijn kinderen het maar naar hun zin hebben. Dat ik zelf op en neer zal moeten reizen heb ik er graag voor over. Dan zal ik een auto voor mezelf nodig hebben en pa kennende, zal ik die dan van de zaak krijgen. Het ziet er plotseling allemaal veelbelovend uit en alleen al voor Lonneke doet me dat goed. Zij was de laatste tijd niet meer gelukkig en dat zat mij behoorlijk dwars.'

Hij sloeg een paar goudeerlijke ogen op naar Berbel en even oprecht gemeend beloofde hij haar en zichzelf: 'Het is mijn plicht Lonneke gelukkig te maken. Ze heeft een rotjeugd gehad. Eerst bij haar ouders thuis, en later kon ze vanwege mijn stommiteit niet jong zijn omdat ze zwanger was. We zijn er allebei dankbaar voor dat we Nova hebben, niettemin ben ik niet vergeten waar Lonneke zich in die beroerde tijd zonder mij doorheen heeft moeten worstelen. Als jij er toen niet voor haar was geweest zou Lonneke het niet gered hebben. Heb ik jou daar eigenlijk ooit voor bedankt?' Hij keek Berbel vragend aan.

Zij wist hem gerust te stellen. 'Ik prijs mezelf gelukkig dat ik met eigen ogen mag zien dat jij steeds meer van mijn kleine zusje gaat houden. Mede daardoor heb ik jou in mijn hart gesloten. Als je om elkaar geeft is elke vorm van bedanken overbodig.' Berbel liep op hem toe, omvatte zijn gezicht met beide handen en ontroerd zei ze: 'Je bent een man naar mijn hart, Niels Timmerman. Lonneke kan het nergens beter krijgen dan bij jou!' Op het moment dat ze hem een zoen gaf kwam Lonneke binnen met twee mokken chocolademelk. Ze bleef ermee in haar handen staan en keek van de een naar de ander. 'Wat doen jullie innig? Volgens mij is het de eerste keer dat jullie elkaar op deze manier zoenen!'

'Dat denk jij,' zei Niels plagend, 'in werkelijkheid is er al heel lang iets gaande tussen Berbel en mij. Of wist je dat, bleef je daarom zo lang in de keuken om ons even een kans te geven?'

Lonneke stak haar tong tegen hem uit. 'Mispunt! In de keuken lag een Libelle met een artikel over vreemd gaan. Dat heb ik gelezen en ik vind het misselijk dat er stellen zijn die elkaar zo laaghartig bedriegen. Ik weet heel zeker dat wij zoiets nooit zullen doen. Waarom zoenden jullie elkaar eigenlijk?' liet ze er kinderlijk nieuwsgierig op volgen.

Niels schoot erdoor in de lach. Berbel beantwoordde haar vraag. 'Ken jij dat gevoel dan niet, dat je iemand die veel voor je betekent, het beste met een zoen kunt bedanken? Dat deed ik omdat ik het erg in Niels waardeer dat hij zo lief voor jou is.'

'O, was dat het? Dan is het voor mij geen nieuwtje, ik weet de hele tijd al dat jij daarom dol bent op Niels. Op de man met wie ik binnenkort eindelijk mag trouwen! Ik kan niet meer wachten, ik wou dat we morgen al naar het stadhuis konden gaan!' Ze verschoot van kleur en timide liet ze erop volgen: 'Ik realiseer me opeens dat ik me in jouw bijzijn niet zo moet laten gaan. Mijn trouwdag zal voor jou in het teken staan van verdriet. Jij zult dan aan Menso moeten denken, aan hoe mooi het allemaal voor jou had kunnen zijn. Als Digna er niet was. Waarom leeft zij almaar door terwijl ze goed beschouwd geen leven heeft? Zo iemand die alleen maar ademt, kan toch veel beter maar dood zijn?'

Berbel schrok. 'Lonneke houd je mond! Zoiets zeg je toch warempel niet!'

De terechtwijzing miste het gewenste effect, want Lonneke ging onverdroten door. 'Niet hardop, bedoel je, je mag het hooguit denken. Maar dat is toch precies hetzelfde! Nou, ik durf zonder gewetensbezwaren gerust nog een keer hardop te zeggen dat ik zou willen dat Digna haar ogen voorgoed sloot. Ik vind het heus wel zielig dat ze dat ongeluk gehad heeft en zo, maar verder heb ik niks met haar. Ik ken haar niet persoonlijk, jou ken ik echter des te beter. Ik wil alleen maar heel erg graag dat jij gelukkig wordt met Menso, en zolang Digna leeft is dat uitgesloten. Het is toch logisch dat ik dat jammer vind voor jou?'

Berbel werd boos en verbolgen viel ze uit: 'Hou er onmiddellijk over op, Lonneke! Hier word ik echt niet goed van, kijk dan, ik heb er kippenvel van op mijn armen!' Ze schudde vertwijfeld haar hoofd, net alsof ze zich op deze manier wilde ontdoen van vreemde gevoelens in haar die ze niet kon benoemen. Ze kon ook nog niet weten dat ze binnenkort vol ontsteltenis zou moeten terugdenken aan dit moment en aan wat Lonneke in volle onschuld over Digna had gezegd.

12

Die dag kwam Berbel van haar werk thuis en gewoontegetrouw haalde ze eerst de krant uit de bus die aan de binnenkant naast de voordeur bevestigd was. Ze schrok toen ze, behalve het Nieuwsblad van het Noorden, een rouwkaart te voorschijn trok. Haar gedachten schoten onmiddellijk naar haar ouders, en in allerijl zond ze een schietgebedje naar boven: laat het niet waar zijn, alstublieft!

In de huiskamer smeet ze achteloos haar jas op een stoel. Haar handen trilden toen ze de envelop openmaakte. In één oogopslag las ze een naam die niks van doen had met haar ouders, een zuchtje van verlichting ontsnapte aan haar lippen. 'Digna...' fluisterde ze voor zich uit en vervolgens vlogen haar ogen over de kaart. Vanwege de emoties die ze niet onderdrukken kon, las ze in eerste instantie flarden van de tekst: De begrafenis heeft in besloten kring plaatsgevonden. Hoe, heeft plaatsgevonden, is ze dan al begraven, en wanneer dan? Op die vraag kreeg Berbel antwoord toen ze de kaart beter las en ze de daarop vermelde data in haar hoofd prentte. Ze kon het nauwelijks bevatten, maar het stond er toch echt duidelijk dat Digna een paar dagen geleden al begraven was.

Uit de andere datum begreep ze dat Digna overleden was op de zondag dat Lonneke haar mond voorbijgepraat had. Was Digna op dat moment al gestorven of was ze stervende geweest? Hè, bah... dit was voor haar een ronduit lugubere gewaarwording. Had je mond dan ook gehouden, Lonneke! Berbel liet haar ogen weer over de kaart dwalen en opnieuw sprak ze de naam hardop uit. 'Digna. Digna Albersma...' Ze herinnerde zich dat Menso die naam eens had genoemd, maar daarna was ze Digna's achternaam vergeten. Dat deed er nu niet meer toe. Digna was er niet meer, ze was uit haar lijden verlost. Wat dat betreft, moest Berbel toegeven, had Lonneke gelijk met haar opmerking dat dit voor Digna het beste was. Digna was thuis gehaald.

Hoe zou Menso dit verlies verwerken? Ze vermoedde dat hij zich de eerstkomende zondagen geen raad zou weten met zijn tijd. Arme Menso, hij had plotseling niets meer om voor te zorgen. Er was geen plicht meer die hem riep of dwong, geen medelijden om zich aan over te geven. Zou het raar zijn, vroeg Berbel zich af, dat haar gedachten en gevoelens eigenlijk alleen maar naar Menso uitgingen? Sprak daar egoïsme uit, of kwam het louter vanwege de zegswijze: het hemd is nader dan de rok? Ze kende Digna alleen maar uit de verhalen over haar, maar Menso kende ze door en door. Het lag toch voor de hand dat zij het meest met hem te doen had?

Opnieuw bestudeerde ze de kaart en nu pas ontdekte ze dat Menso in de linkerhoek ervan een persoonlijk krabbeltje voor haar had toegevoegd: Veel liefs, maar bel me niet! Ze schrok ervan en vroeg zich af waarom ze hem niet mocht bellen. Had hij dan geen troost nodig? Of maakte hij haar ermee duidelijk dat hij juist haar niet nodig had in zijn verdriet om Digna? Was met haar heengaan zijn liefde voor haar, Berbel, in hem gestorven? Dat kon ze zich niet voorstellen, dat wilde ze niet geloven. Wat zou ze nu verschrikkelijk graag even bij hem willen zijn om hem te strelen en te troosten. Bel me niet, die waarschuwing had voor Menso een betekenis die zij moest respecteren.

Bel me niet... Berbel zou later bij geen benadering kunnen zeggen hoe lang die drie woordjes in haar hoofd hadden rondgespookt. Ze lieten haar niet los, ze bleef ermee bezig totdat zij ze op een dag hardop uitsprak: 'Bel me niet!' Toen was het plotseling net alsof de inhoud ervan een totaal andere betekenis kreeg. Die haar niet verontrustte, maar een fijn lachje om haar lippen legde. Nee, lief mens, ik zal je niet bellen, wees maar gerust!

Het werd vrijdagavond toen Berbel weloverwogen besloot om Femke te bellen. Het was alweer maanden geleden dat Femke haar had verteld dat ze het wat kalmer aan ging doen. Sindsdien stond ze op zaterdag niet meer zelf in de bakkerswinkel, maar deed ze een beroep op een vrouw die wel graag iets wilde bijverdienen. Femke kon met een gerust hart de winkel aan haar overlaten. De vrouw kwam van halfnegen tot halfeen, daarna werd de winkel gesloten. Femke had de reden ervoor aan haar, Berbel, uitgelegd. 'Ik heb overwegend vaste klanten, die hun brood op zaterdag snel in de ochtenduren komen halen. 's Middags druppelt er nog weleens iemand binnen, maar voor mij loont het niet de moeite om daarvoor open te blijven.' Ze kon dus met een gerust hart haar vraag aan Femke voorleggen, bedacht Berbel en ondertussen had ze het nummer al ingetoetst.

'Met Femke Cazemier.'

'Hai Femke, met mij, Berbel.'

Voordat ze verder kon gaan zei Femke blij verrast: 'Dit lijkt op te-lepathie, want ik zat net aan je te denken en besloot je te gaan bel-len. Op hetzelfde moment gaat de telefoon en ben jij het! Het is haast niet te geloven, maar wel fijn om je stem weer even te mogen horen. Weet je overigens al wat er gebeurd is?'

Hier viel Berbel haar in de rede. 'Digna is overleden, ik kreeg een rouwkaart van Menso. Ik heb even gewacht met jou erover te bel-len, want ik stond voor een nogal moeilijke vraag die ik eerst wilde oplossen. Ik ben eruit gekomen en nu is mijn vraag aan jou of je een logee kunt gebruiken? Het is maar voor een nachtje, ik ben van plan om morgen naar je toe te komen en zondagmiddag weer terug te gaan. Als het je niet schikt moet je het gewoon eerlijk zeggen, hoor Femke!'

'Wil jij wel eens even niet zo raar doen, mal wicht! Natuurlijk ben je van harte welkom, ik verheug me er al bij voorbaat op! En we zul-len ongestoord kunnen babbelen, want Tjeerd is het weekend niet thuis. De ouders van Sabine hebben voor een lang weekend een va-kantiehuisje gehuurd op Terschelling. Ze zijn vanochtend vertrok-ken en ik vind het aardig van hen dat Tjeerd ook mee mocht. We zullen dus fijn met z'n tweetjes zijn, wat mij betreft mag je vanavond nog komen!'

'Nee, dat red ik niet. Ik pak morgenochtend een van de eerste trei-nen, je ziet me wel verschijnen. Zullen we dan nu ophangen en mor-gen verder praten?'

'Ja, dat is goed. Je moet me alleen nog even vertellen of er een be-paald doel zit achter het logeerpartijtje bij mij. Ik heb namelijk zo'n stil vermoeden dat Menso ermee te maken heeft. Ben je van plan naar hem toe te gaan als je hier bent, Berbel?'

Zij hield zich wat op de vlakte. 'Daar hebben we het nog over, maar liever niet via de telefoon. Kun jij je geduld nog heel even bewaren, Femke?'

Deze zei dat dát haar geen moeite zou kosten, maar het tegenover-gestelde was waar. Ze was werkelijk stiknieuwsgierig naar dat wat Berbel niet zeggen wilde. Ze ging ermee naar bed en stond ermee op. En dat was die zaterdagmorgen al vroeg, want voor haar gevoel kreeg ze het even net zo druk als een hoentje. Ze moest links en rechts nog wat opruimen, het logeerbed moest worden opgemaakt en ze moest boodschappen doen. Ze wilde vanavond een voortreffelijke maaltijd op tafel kunnen zetten waar Berbel van zou smullen. Als ze er de tijd voor kreeg, wilde ze de voorbereidingen ervoor ook nog graag treffen.

Femke haastte zich en vanwege haar drukdoenerij vloog de tijd voorbij en voordat ze er erg in had stond Berbel bij haar voor de deur. 'Welkom, welkom,' zei Femke verheugd lachend, 'kind, wat ben je lekker vroeg! De koffie is nog aan het doorlopen, maar als jij je jas uitdoet en een plekje zoekt, kan ik je daarna trakteren op een pittig bakje!'

Kort hierna zat Berbel daar inderdaad van te genieten, met de tompoes daarna had ze meer moeite. Femke zag haar geworstel met het gebaksvorkje en lachend zei ze: 'Er liggen servetjes op tafel, pak hem maar gewoon in je hand! Ze zijn overheerlijk, ze vliegen bij mij als warme broodjes over de toonbank, maar met een vorkje krijg je er zonder knoeien bijna geen fatsoenlijk stukje af.'

Berbel deed wat haar geadviseerd werd. Ze had de laatste hap nauwelijks doorgeslikt toen ze haar ogen opsloeg naar Femke. 'Heb jij in de krant gelezen dat Digna overleden is, of heb je het hier in de buurt opgevangen?'

Femke vertelde dat ze het uit de krant had gehaald, waarna ze vervolgde: 'Ik heb gehoord dat de kapsalon een paar dagen gesloten is geweest, verder merkten we er hier niets van. Maar ja, dat is ook niet zo verwonderlijk, want Digna woonde niet hier. Bovendien vermoed ik dat ik zowat de enige ben die wist dat Menso een meisje had dat een zwaar ongeluk had gehad. Ik weet van jou dat Menso niet over haar sprak, dat het personeel in de kapsalon niets van haar bestaan af wist?'

'Hij heeft het inderdaad niet aan de grote klok gehangen,' zei Berbel. 'Hij heeft een keer tegen me gezegd dat hij op bepaalde fronten geleefd werd. Dat niemand in deze omgeving het wist, dat niemand het weten mocht. Behalve ik dan. Ik heb nu zo met hem te doen, Femke...'

'Dat is begrijpelijk,' vond zij en in één adem stelde ze de vraag die haar al zo lang bezig had gehouden. 'Wat doe je, ga je hem opzoeken?'

Berbel vertelde over de rouwkaart die ze had ontvangen. 'In een hoekje ervan schreef Menso dat ik hem niet bellen mocht. Daar heb ik het best een tijd moeilijk mee gehad. Totdat ik opeens bedacht dat hij me niet verboden had om naar hem toe te komen! En dat ga ik doen omdat ik niet anders kan. Ik moet hem even zien en spreken, ik moet met eigen ogen zien hoe hij eraan toe is. Vanavond, als de salon gesloten is en hij de gelegenheid heeft gehad om uit te rusten, ga ik naar hem toe. Het is toch niet meer dan normaal, Femke, dat ik nu meer dan ooit naar hem verlang? Ik ken hem, ik wéét gewoon dat hij troost nodig heeft.'

'In vind het vrij logisch dat jij iets voor hem wilt betekenen nu hij het moeilijk heeft. Je houdt immers nog onverminderd van hem?'

'Ja. Hoe langer we van elkaar gescheiden zijn, hoe meer ik van hem ga houden. Ik denk altijd aan hem, zelfs op mijn werk word ik soms zomaar overvallen door heimwee. Ken je dat gevoel?'

Femke knikte en ernstig kijkend zei ze: 'Het is alweer een aantal jaartjes geleden dat Rob mij verliet, vergeten zal ik hem echter nooit. Het is waar dat de allerscherpste kantjes ervan afslijten, wat overblijft is verlangen. Dat formuleerde jij goed. Ik word ook nog regelmatig overvallen door verlangen, door een soort heimwee naar hem. Dat is beslist geen prettig gevoel. En mijn vurige wens om hem nog één keer te mogen zien, kan niet vervuld worden. Mijn lieve Rob is niet meer, Menso Wortelboer echter wel! Natuurlijk moet jij naar hem toe gaan, een van jullie beiden zal nu immers de leiding moeten nemen? Ga jij maar gerust voorop, daar heeft Menso alleen maar profijt van. In bepaalde gevallen, Berbel, moet een vrouw zich de sterkste tonen. Als ze in moeilijkheden verkeren willen mannen het er namelijk weleens bij laten zitten, al zullen ze dat vanzelfsprekend nooit toegeven! In elke man schuilt nog het jongetje dat hij eens was, daar ben ik van overtuigd. Menso is vast geen uitzondering op de regel, het is nu aan jou om het hulpbehoevende jongetje in hem de helpende hand toe te steken. Dat zal jou geen moeite kosten. Toch...?'

'Nee, dat niet, maar er spelen andere factoren mee waar ik me zorgen over maak. Ik ben bang dat Menso zal denken dat ik blij ben met het heengaan van Digna en dat ik daarom zo snel al naar hem toekom. Dat doe ik louter voor hem, het is niet zo dat Digna's dood mij niets doet.'

'Natuurlijk niet!' zei Femke begrijpend. 'We weten dat er leven na de dood is, maar dat wil niet zeggen dat je iemand dood wenst. Met betrekking tot Digna ligt het voor jou echter een tikkeltje anders, vind ik. Je maakt mij tenminste niet wijs dat jij om haar dood treurt.

Je hebt haar niet persoonlijk gekend, je hebt de hele tijd enkel medelijden met haar kunnen hebben. Ik vind het bewonderenswaardig
dat Menso haar tot het allerlaatste toe trouw is gebleven. Nu Digna
echter bij God is, is er niks op tegen dat Menso zou zeggen: nu ben
ik vrij om Berbel lief te hebben. Zo liggen de feiten immers, waarom
zou je daar dan omheen draaien?'
Berbel keek haar met grote ogen aan. 'Tjonge, ik weet niet wat ik
hoor! Je lijkt mijn zusje wel, Lonneke praatte bijna net zo! Daar had
ik het al moeilijk mee, maar nu jij er ook al zo over schijnt te denken kan ik me slechts verweren door te zeggen dat ik een verschrikkelijk grote egoïste zou zijn als ik blij was met het feit dat Digna er
niet meer is. Het zou zijn alsof ik van de veronderstelling uitging dat
Digna een weg voor Menso en mij heeft vrijgemaakt. Zo durf ik niet
te denken en ik weet haast zeker dat Menso ook met dit soort dingen worstelt. Want daarom mag ik hem niet bellen, daarom zal hij
zich lam schrikken als ik opeens voor hem sta. Want dat wil hij ook
niet. Hij durft mij niet onder ogen te komen en hoewel ik verschrikkelijk naar hem verlang, zie ik er nu toch tegen op hem te ontmoeten.'
Femke had ondertussen opnieuw koffie ingeschonken, en schoof een
schaaltje bonbons onder Berbels handbereik. Dat ze zich niet van
haar stuk liet brengen bleek toen ze oordeelde: 'Jullie steken allebei
je kop in het zand, met eerlijk zijn tegenover jezelf en elkaar zou je
meer bereiken. Tot dusverre hebben jullie allebei geen mooi leven gehad. Menso heeft zich jarenlang opgeofferd voor Digna, de stakker,
jij deed hetzelfde voor Lonneke. Nou, en...'
Verder kwam Femke niet, want Berbel onderbrak haar. 'Ik héb me
niet voor Lonneke opgeofferd, zo heb ik het nooit gevoeld, zo wil ik
het niet zien! Ik heb haar alleen maar geholpen en dat ging vanzelf
omdat ik van haar houd. Toe, Femke, geloof dat nou en gebruik dat
nare woord opoffering niet meer!'
'Goed, goed, word alsjeblieft niet boos! Ik drukte me verkeerd uit en
dat spijt me. Dan zal ik je een vraag stellen, ken jij de zegswijze: wie
goed doet, goed ontmoet?'
'Ja, natuurlijk, die is zo oud als de weg naar Rome. Maar wat wil je
daarmee zeggen?'
'Menso en jij hebben allebei goed gedaan. Misschien wel meer dan
er van je gevraagd werd? Daar kan ik geen zinnig antwoord op ge-

ven, dat weet God alleen. Zijn goedheid kennende, weet ik wel haast zeker dat Hij er geen bezwaar tegen heeft dat jullie nu samen verder gaan. Het zou ook nog best zo kunnen zijn dat Hij Digna heel bewust bij zich thuis heeft geroepen. Zijn bedoelingen zijn voor ons mensen ondoorgrondelijk, dus wie weet?'

Berbel glimlachte. 'Jij weet het mooi te brengen, maar ik moet er eerst met Menso over praten. Ik moet wel bekennen dat ik er opeens een beetje anders over ga denken. Ik vraag me nu af of Lonneke en jij het misschien eerlijker durven inzien dan ik...? Het is ook allemaal zo moeilijk, het is een uiterst gevoelige kwestie. Kunnen we het niet eerst een poosje over iets anders hebben, Femke? Je hebt me in korte tijd met zo enorm veel bestookt dat mijn hoofd ervan tolt.'

'Dat was niet de bedoeling. Voor je eigen bestwil is het echter wenselijk dat je het een en ander op je laat inwerken. Denk erover na, Berbel, en praat er openlijk over met Menso. Eerlijk en rechtstreeks. Het kan heus geen kwaad om in bepaalde gevallen man en paard te noemen. En dan gaan we het nu over wat anders hebben, of zou je het leuk vinden om de stad in te gaan? Dan kunnen we daar tussen de middag een hapje eten, voor vanavond heb ik zelf wat lekkers klaargemaakt. Zeg het maar, wat doen we?'

'Ja, ik zou wel dolgraag weer eens in mijn eigen stad willen rondkijken,' bekende Berbel. 'Dan ga ik vast en zeker even bij schoenenwinkel Doornbosch naar binnen. Ik ben erg benieuwd of de vaste staf daar nog hetzelfde is. Remco, Annemarie en Wiert, ik zou niet weten wanneer ik voor het laatst iets van hen heb gehoord. In het begin belden we nog weleens, maar van lieverlee verwaterde het contact. Het is best wel jammer dat het zo gegaan is,' besloot Berbel.

Femke kon niet nalaten op te merken: 'Ja, vooral omdat jij al zo schrikbarend weinig mensen om je heen hebt.'

Berbel nam het voor Menso op. 'Vanwege zijn jarenlange verplichtingen jegens Digna heeft Menso ook geen vriendenkring kunnen opbouwen. Door de week had hij het er te druk voor en zondags had hij zijn verplichtingen. Hij staat nu echt alleen in het leven, hij heeft alleen zijn ouders.'

'Nou zijn we precies waar we wezen moeten,' opperde Femke met een hoofdknikje. 'Jullie zijn allebei twee eenzame zielen, het wordt de hoogste tijd dat jullie harten verwarmd worden. Door oprechte liefde. En nogmaals, dat moet van de vrouw uitgaan. Geef Menso

waar hij recht op heeft, dan zul jij krijgen waar je al zo lang naar verlangt. Dit moest ik nog even kwijt, nu hou ik erover op. Ik heb je alleen iets willen aanreiken, het is nu aan jou om ermee te doen wat
jou goeddunkt.' Toen ze merkte dat Berbel in hevige tweestrijd verkeerde, gaf ze het gesprek handig een wending. 'Je mag mijn fiets vanavond wel lenen, hoor! Dan is het maar een klein stukje, te voet is
het nog een hele afstand.'

'Het is lief aangeboden,' zei Berbel, 'maar ik was van plan de bus te
nemen. Recht tegenover de salon is een halte waar ik kan uitstappen,
dat doe ik liever. Het is behoorlijk koud, met dit winterweer lokt een
avondlijke fietstocht me helemaal niet.'

Daar had Femke begrip voor en niet veel later zaten ze naast elkaar
in de bus die hen naar het hart van de stad zou brengen. Op de Grote Markt stapten ze uit en daar trok Berbel zich niets aan van de mensen toen ze haar armen wijd spreidde en quasi- theatraal riep: 'O,
mien eig'n stad, ik hol van die!' Ze lachte ondeugend naar Femke.
Zij was de ernst zelve toen ze opperde: 'Je probeert er een grapje van
te maken, maar in werkelijkheid doet het je meer dan goed om weer
thuis te zijn!'

'Je hebt gelijk, zo is het precies,' bekende Berbel. 'Het is ook zo lang
geleden dat ik hier was. Nadat ik naar Tilburg ben vertrokken ben
ik niet meer terug geweest.'

Ondertussen wandelden ze op hun gemakje naar de Herestraat en
daar bleef Berbel zowat voor elke etalage staan. Het kostte de nodige tijd en op een gegeven moment vond Femke het welletjes. 'Ik wil
geen spelbreekster zijn, maar ik moet echt verschrikkelijk nodig naar
de wc. We moeten even ergens wat gaan eten, dan kan ik mijn nood
tenminste lenigen.' Ze zetten de pas erin en ze wilden juist bij restaurant Frigge naar binnen gaan toen Berbel haar naam hoorde noemen.

'Kijk nou toch eens, daar heb je Berbel!'
Berbel bleef staan en ietwat verbouwereerd keek ze in het gezicht van
Marcus van Gijzel. Ze kleurde licht toen ze zei: 'Hallo, hoe is het?'
Marcus kreeg geen tijd de vraag te beantwoorden, want Femke kwam
tussenbeide. 'Praten jullie maar verder, ik ga bij Frigge vast een plek-
je voor ons zoeken!'

Berbel snapte waar Femkes haast vandaan kwam, ze knikte begrijpend en keerde zich weer naar Marcus. Ze zag dat hij een jongetje

van een jaar of twee aan de hand had en belangstellend vroeg ze: 'Ik neem aan dat dit je zoon is?'

'Nou en of! Hij is mijn grootste trots!' Marcus maakte een hoofdgebaar naar de kledingzaak waar ze voor stonden en vervolgde: 'Mijn vrouw is daarbinnen aan het snuffelen, en aangezien er voor mij niets ergers bestaat dan kleren bekijken en passen, loop ik hier een beetje met mijn ziel onder de arm. Ik kijk er echt van op dat ik jou tegenkom, want volgens mij is het pas de tweede keer sinds we uit elkaar zijn gegaan. Dat hou je toch niet voor mogelijk? We wonen in dezelfde stad en je ziet elkaar niet of nauwelijks.'

Om redenen die ze zelf niet zo gauw een naam kon geven, had Berbel er geen zin in om hem te vertellen dat zij al jaren geleden de stad had verlaten. Ze glimlachte enkel om wat hij had gezegd. Ze wist niet wat zij tegen hem moest zeggen en verzon iets. 'Je ziet er goed uit, je bent niet veel veranderd.'

Hij keek bedenkelijk. 'Nou... Ik ben ondertussen anders wel vader geworden van dit mooie kind en de tweede is op komst! Dan blijf je toch echt niet de jongen die je eens was, hoor! Maar jij bent ook ouder geworden en ook wat wijzer, Berbel? Of sloof jij je nog steeds uit voor je zus en loop jij jezelf nog altijd op klompen voorbij? Tjonge, wat ging jij ver in die tijd! Ik zie dat je geen trouwring draagt, je bent dus nog steeds alleen. Ergens doet het me deugd dat er meer mannen zijn zoals ik die niks zien in een vrouw die zich enkel opoffert voor een familielid. Daar bedanken mannen voor, ik was dus geen uitzondering op de regel!'

Vanwege de toon die hij aansloeg kon Berbel zich niet langer inhouden. Ze zei ietwat uit de hoogte: 'Lonneke staat allang op eigen benen, zij is heel goed terechtgekomen, ze heeft mijn hulp niet meer nodig. Dat wij uit elkaar gingen had volgens mij een andere reden, maar die doet er niet meer toe. Ik ben achteraf alleen maar blij dat het destijds zo gegaan is. En mocht het je interesseren, dan kan ik je zeggen dat ik... binnenkort ga trouwen.' Zo, de leugen was eruit. Berbel had er geen spijt van, want Marcus keek haar verrast aan.

'Zo...? Gunst, daar hoor ik echt van op!' Hij trok met zijn schouders en het bleef de vraag of hij besefte wat hij zei, of dat hij Berbel opzettelijk een schop na wilde geven. 'Nou ja, je moet maar zo denken, uiteindelijk past er zelfs op het scheefste potje nog wel een dekseltje.'

Met de grootste moeite lukte het Berbel om een 'lief' lachje te voorschijn te toveren. 'Ik ga er weer vandoor, het beste, Marcus.' Ze keerde zich om en terwijl ze restaurant Frigge zowat binnenvluchtte, voelde ze zich hopeloos terneergeslagen. Op de roltrap naar boven vermande ze zich. Stel je niet aan, je laat je toch zeker niet door die arrogante klier uit het veld slaan! Nee, maar waarom deden bepaalde mensen dan zo gemeen? Marcus had haar openlijk vernederd en dat deed zeer. Ze kon er niet tegen, ze zou zelf nooit iemand in het openbaar voor schut zetten. Je kon toch onder alle omstandigheden gewoon vriendelijk zijn. Dat kostte niks, en je bereikte er beduidend meer mee. Hè, bah... Ze voelde zich nu opeens verdrietig, Marcus had haar dag behoorlijk verpest. Daar mocht ze echter niet aan toegeven, ze was het aan Femke verplicht om aangenaam gezelschap te zijn. Met de zucht die Berbel slaakte begroef ze manhaftig het lelijke en probeerde ze het goede boven te halen. Dat lukte wonderwel en toen ze kort hierna op Femke toe liep, lag er een lachje om haar lippen.

Het ontging Femke dat Berbels ogen er niet aan merdeden, zij opperde onwetend: 'Dat was eventjes een leuke ontmoeting voor jou, nietwaar? Een oude vlam terugzien doet toch altijd wel iets met je.' Berbel besloot voor Femke te verzwijgen dat het anders verlopen was dan zij vermoedde. 'Ik kan me niet voorstellen dat ik ooit verliefd op die man ben geweest, dat ik met hem heb samengewoond. Brr, als ik eraan denk moet ik er gewoon van griezelen. Heb je al iets besteld?' vroeg ze om zo snel mogelijk van onderwerp te veranderen.

Femke nam de kleine kaart die ze al bestudeerd had nog eens in haar handen. 'Wat denk je van een kopje soep met bijvoorbeeld een tosti? We moeten echt een karige lunch gebruiken, anders blijf ik vanavond met pannen vol eten zitten.'

Berbel vond het goed. Zij dacht niet aan het eten van vanavond, maar aan haar aanstaande ontmoeting met Menso. Er voer een schokje door haar heen toen ze met schrik bedacht: daar heb ik me helemaal op gefixeerd, maar stel dat Menso niet thuis is? Het kon ook nog eens zo zijn dat hij op haar bellen niet opendeed, omdat hij geen bezoek verwachtte en kon denken dat het iemand met een collectebus was of zo. Ze hád hem nog niet gezien en gesproken, het moest allemaal nog...

Femke legde een hand op die van Berbel. 'Kom, meisje, niet wegdromen! Ik kan wel raden bij wie je in gedachten was, je moet je dag echter niet laten bederven door ongeduld. Geloof mij maar, het is eerder zover dan je denkt!'

Lieve Femke, dacht Berbel vertederd, ze denkt dat ze gedachten kan lezen, dat ik vol ongeduld uitkijk naar wat er komen gaat, maar zo dacht ik even niet. Opnieuw legde ze een lach om haar mond. 'Zullen we straks toch maar een toetje nemen? Ik weet nog dat ze hier heerlijk ijs hebben, wat denk je van een grote sorbet? Ik trakteer!'

'O, maar dat kun je wel snel vergeten, hoor!' zei Femke zeer beslist. 'Jij bent vandaag míjn gast! Ik zou me schamen als ik jou je beurs liet trekken. Ik kan wel nagaan dat die niet tot de nok toe gevuld is, ook al klaag je er nooit meer over.'

Berbel schoot in de lach. 'Je bent dus niet vergeten dat ik vroeger een armoedzaaier was! Dat is echter verleden tijd, tegenwoordig kan ik me aardig redden! Ik heb weliswaar geen gigantisch inkomen, niettemin heb ik er de laatste jaren elke maand iets van kunnen sparen. Een enkele keer zelfs vijftig euro, het blijft meestal bij een tientje per maand, maar alle kleine beetjes helpen. Ik heb nu een spaarpotje en daar ben ik ontzettend blij mee!'

'Je bent er zuinig op, bedoel je,' verbeterde Femke. 'Zo zuinig dat je er geen cent van af durft te nemen!'

'Hoe kun jij dat nou weten?'

'Omdat ik mijn ogen niet in mijn zak heb.' Femke noemde de naam van een kledingzaak en ging verder. 'Denk je dat ik niet gezien heb dat toen we daarvoor stonden, jij zowat van kleur verschoot bij het zien van die ene jas die in de etalage hing? Zuinig als je voor jezelf bent, kocht je hem niet, maar liep je ervoor weg. Maar dat geeft niet, als jouw tweede moeder mag ik je gerust een keer verwennen en daarom krijg je hem straks van mij. Nee, nee, tegensputteren helpt je niet, ik heb mijn besluit allang genomen. Wacht maar af, de dag is nog niet om!'

De dag was inderdaad nog niet om, en vanwege de gezelligheid was Berbel het nare incident met Marcus algauw vergeten en lette ze ook niet op de tijd. Die vloog echter om en voordat ze er erg in had, werd het voor haar tijd om datgene te ondernemen waarvoor ze naar Groningen was gekomen.

'Die jas staat je geweldig goed en hij is ook nog eens stukken warmer dan de jas die je droeg toen je hier kwam,' zei Femke die avond toen Berbel haar nieuwe jas aantrok. 'Vergeet niet de bijpassende sjaal om te doen, want het is koud. We liepen vanmiddag al te kleumen, maar nu de wind ook nog eens behoorlijk is toegenomen, zal het buiten snerpend koud zijn. Nou, lieverd, ik wens je voor straks alle sterkte, en al het geluk van de wereld!'

'Dank je,' zei Berbel, 'ook nog eens voor de prachtige jas waar ik verschrikkelijk blij mee ben. Voor het heerlijke eten, voor alles. Je bent een schat, Femke...' Ze sloeg haar armen om Femke heen en kuste haar. Zoals een dochter haar moeder kust.

Om niet te laten merken hoezeer dat haar ontroerde, zei Femke: 'Ja, het is goed, ga nu maar. Straks mis je de bus nog met je getalm!'

Dat was niet het geval en andere passagiers konden niet zien hoe opgelaten de jonge vrouw zich voelde die onafgebroken naar buiten zat te staren. En al evenmin konden ze weten dat Berbel in alle stilte schietgebedjes naar boven zond: Laat Menso thuis zijn, geef dat hij me niet voor de deur laat staan...

Het loopt altijd anders dan een mens van tevoren denkt of vermoedt. Daar kwam Berbel achter toen ze uit de bus stapte. Ze stak niet meteen over, maar bleef als gebiologeerd naar de kapsalon staan staren. Naar de steile trap opzij ervan die naar het woongedeelte leidde. Hoe mooi was de tijd geweest toen ze die trap zonder schroom mocht beklimmen. Hoe heerlijk was het geweest om voor Menso te koken en samen aan tafel te zitten. Dan koffiedrinken, meestal nog een wijntje en praten. Ze hadden ontzettend veel gepraat, maar ook veel verzwegen. Dat ze van hem hield had ze lang, heel lang vóór zich weten te houden. Menso... ach, Menso...

De adem stokte in haar keel toen ze op dat moment iemand de trap af zag komen. Een man die ze uit duizenden zou herkennen. Het was de man die zij boven alles liefhad, nu ze hem zag voelde ze dat in elke vezel van haar lichaam. Hij keek niet op of om toen hij beneden was, maar zette meteen de pas erin. Hij liep diep weggedoken in de kraag van zijn jas, met zijn rug iets voorovergebogen. Net alsof hij een last droeg die te zwaar was en toch ging hij zo te zien heel doelbewust op pad. Had hij dan een afspraak? Waar ging hij heen, wachtte er ergens iemand op hem?

Terwijl Berbel zich dat afvroeg, maakten haar voeten zich los van de grond en zette ze zich in beweging. Ze stak haastig over en volgde hem op veilige afstand. Toen hij om een hoek van een straat verdween, moest zij haar tempo versnellen om hem niet uit het oog te verliezen. Waar ga je zo doelbewust heen, Menso? Op die vraag kreeg Berbel antwoord toen ze kort daarna zag dat hij het park inliep. Hetzelfde park waar zij eens was overvallen door een angstaanjagende schurk die bij nader inzien een ontzettend lieve jongen bleek te zijn. Berbel voelde niet hoe koud het was, in haar gloeide een warm kacheltje. Toen ze het park ook inliep, merkte ze dat de paden bevroren waren waardoor er onder haar voeten telkens iets knerpte. Het waren afgewaaide takjes die onder haar voeten braken. Ze besloot op het gras naast het pad te gaan lopen. Menso mocht niet horen dat hij vanaf een veilige afstand gevolgd werd, ze wilde onopgemerkt zien waar hij heen ging. Soms, in de duisternis tussen twee lantaarnpalen in, was ze hem even kwijt, maar gelukkig dook hij in een volgende lichtstraal weer op. Als ze hier alleen liep, zou ze vast doodsbang zijn, maar in Menso's aanwezigheid voelde ze zich wonderlijk veilig. Opnieuw was hij weer even een vage schim in de duisternis, bij de volgende lantaarn hield hij halt en liet hij zich neerzakken op de bank die eronder stond.

Berbel bleef stokstijf staan. Ze zou later bij geen benadering kunnen zeggen hoe lang ze naar het tafereel had staan staren dat haar dieptriest maakte. Menso zat roerloos, diep voorovergebogen, met zijn handen tussen zijn knieën geklemd. Als hij daar lang zo blijft zitten zal hij bevriezen, schoot het door Berbel heen. Ze zette zich in beweging en liep geruisloos over het gras, met een wijde boog op de bank toe. Ze stond erachter toen ze zacht herhaalde wat ze daarnet gedacht had. 'Je zult bevriezen als je daar zo stil blijft zitten...'

Menso moest eerst van heel ver weg weer bij zijn positieven komen voordat hij verdwaasd omkeek naar de stem die hij dacht te herkennen. Toen hij Berbel zag staan veerde hij met een schok omhoog en kwam hij naar haar toe. Vlak voor haar staand sprak hij aangedaan haar naam uit. 'Berbel...? Maar dit kan helemaal niet, ik moet dromen. Of gek worden, dat zou me trouwens niet verbazen. Ben je het echt, Berbel?'

'Ja... voel maar.' Ze wipte op haar tenen en drukte een vederlicht zoentje op zijn mond. 'Geloof je het nu?'

'Nee,' zei hij zonder aarzelen. 'Er is iets gaande dat ik niet bevatten kan, want wat hier gebeurt kan in werkelijkheid niet bestaan. Jij woont in Tilburg, bovendien zou het een godswonder zijn als wij elkaar voor de tweede maal in dit park zouden ontmoeten.' Hij nam haar van top tot teen op alsof ze inderdaad een geestesverschijning was.

Berbel glimlachte om de verdwaasde blik in zijn ogen. 'Het heeft niets te maken met een wonder of wat ook, ik heb gezien dat je het park inliep en ben je toen gevolgd.'

'Waarom dan? Hoe wist je...'

Berbel onderbrak hem. 'Door middel van een kaart heb je me laten weten dat Digna overleden is. Dat weet je toch wel, dat je me dat bericht gestuurd hebt?'

'Ja, natuurlijk. Ik heb ze heus nog wel op een rijtje, al twijfel ik daar soms aan. Ik had op de kaart geschreven dat je me niet bellen mocht!'

Het klonk als een verwijt dat Berbel deed opmerken: 'Daar heb ik me immers keurig aan gehouden! In plaats van een telefoontje ben ik naar je toe gekomen. Want dát, Menso, had je me niet verboden!'

'Slim meisje, stout meisje!'

Voor het eerst zweemde er een lach om zijn mond die Berbel meer dan goed deed. 'Ik krijg het koud, zullen we naar jouw huis gaan en daar verder praten?'

'Ga je met me mee dan...?'

'Ja, vanzelfsprekend! Ik ben toch zeker niet voor niets helemaal naar Groningen gekomen?'

'O ja, je hebt er natuurlijk een hele reis voor moeten maken. Kom maar, bij mij thuis is het warm.'

Naast elkaar lopend verlieten ze het park. Dat Menso nog steeds niet helemaal zichzelf was, merkte Berbel aan zijn manier van doen. Hij liet niet merken dat hij blij was haar te zien, hij legde geen arm om haar heen, hij had haar nog niet gekust. Zou hij dan toch niet meer van haar houden, zou hij niet willen dat ze bij hem was?

Opeens hoorde ze weer de stem van Femke in haar oor, flarden van wat zij gezegd had: 'Mannen willen het er weleens bij laten zitten. Het uiten van liefde moet voornamelijk van de vrouw komen.' Berbel werd er niet alleen door gerustgesteld, maar ze bracht Femkes advies tevens in de praktijk. Zc stak een arm door die van Menso en vleide haar hoofd tegen zijn bovenarm. Ze genoot er stilletjes van om zo dicht bij hem te zijn.

Ze kon niet weten dat Menso dacht: ga niet verder dan dit, maak het niet moeilijker dan het al is. Ik ben een vent met alle gevoelens van dien... Onhoorbaar slaakte hij een moedeloze zucht, daarna vroeg

hij: 'Hoe zit het eigenlijk, moet je vanavond nog terug naar Brabant?'
'Nee, gelukkig niet! Ik ben de hele dag al bij Femke, vannacht logeer
ik bij haar. Morgen reis ik in de loop van de dag weer af. Dat wordt
in ieder geval na kerktijd, ik verheug me er al bij voorbaat op om een
dienst bij te wonen in mijn eigen, vertrouwde kerk. Misschien kunnen we samen gaan?' vroeg ze argeloos.
Daarop bromde Menso: 'Ik weet het niet, Berbel, wat wij nog wel of
niet meer samen mogen doen. Het is allemaal anders geworden.'
'Ik heb je nog niet gecondoleerd met het verlies van Digna. Dat doe
ik dan hierbij...'
'Dank je.'
Het vervolg van de wandeling werd zwijgend afgelegd. En vanwege
Menso's houding durfde Berbel zich even later in de huiskamer niet
spontaan te uiten, waardoor ze stilletjes dacht: wat is alles me hier
vertrouwd, lief en eigen. Ze ging in een hoekje van de bank zitten,
Menso nam plaats in een stoel ertegenover. 'Moet ik koffie zetten of
zullen we een wijntje nemen?'
'Dat laatste lijkt me een goed idee,' zei Berbel zacht. 'Ik geloof na-
melijk dat we allebei wel een hartversterkertje kunnen gebruiken.
Voel jij je ook zo opgelaten, Menso?'
'Ja... Je had beter niet kunnen komen.' Hij stond bruusk op en kort
hierna zette hij een glas wijn voor Berbel neer, zijn eigen glas hief hij
naar haar op. 'Proost dan maar, al weet ik niet waarop.'
'Waarom doe je zo vreemd, Menso? Zo ken ik je helemaal niet. Als
je echt liever wilt dat ik wegga moet je dat gewoon eerlijk zeggen.
Dan ga ik terug naar Femke. Maar niet voordat je hebt gezegd waarom je doet alsof je een hekel aan me hebt, terwijl ik er nog steeds van
uitga dat je nog van me houdt. Vergis ik me dan zo in jou?'
'Mijn gevoelens voor jou staan nog recht overeind. Ik hou zo mogelijk nog meer van je dan toen je uit mijn leven verdween,' bromde
Menso. Hij sloeg zijn ogen op naar Berbel en zij werd week van de
gekwelde blik die hij haar zond. Ze begreep hem niet toen hij aangedaan zei: 'Ik ben niet meer de man van wie jij onvoorwaardelijk
ging houden, ik ben een... ploert. Als je wist hoe scheef ik in elkaar
steek zou je niets meer met mij te maken willen hebben. Begrijp je?'
'Nee, natuurlijk niet. Je spreekt in raadsels. Ik zou het op prijs stellen als je die voor me zou willen oplossen. Het heeft met Digna te
maken, vermoed ik, of heb ik het mis?'

'Je slaat de spijker op zijn kop. Sinds haar heengaan schaam ik me voor mezelf. Ik kan je verzekeren dat dat geen prettige gewaarwording is!'

'Weet je dat mensen zich soms enorm in zichzelf kunnen vergissen en dat jij daar nu volgens mij druk mee bezig bent? Jij vormt je een akelig scheef zelfbeeld. Waarom toch, Menso?'

'Ach, Berbel, dat wil jij niet eens weten... Ik heb je verboden mij te bellen, ik dacht dat je er automatisch uit zou begrijpen dat je me niet moest opzoeken. Dat was me liever geweest. Omdat ik wist dat ik tegen jou geen toneel kan spelen, zoals ik dat doe tegenover anderen die me minder dierbaar zijn. Je bent echter gekomen en nu wil jij dat ik open kaart speel. Jij bent puur, heel eerlijk, ik besef nu dat ik net zo tegen jou zal moeten zijn. Dat is ook het beste, realiseer ik me, want zodra je alles weet zul je tenminste weten met wat voor een gemene kerel je te doen hebt. Goed dan, alleen voor jou zal ik het boetekleed aantrekken, dan ben je in elk geval niet voor niets gekomen.'

Hij keek haar verloren aan toen hij eraan toevoegde: 'Het is verdraaid moeilijk, ik weet even niet waar ik moet beginnen...'

Berbel had diep medelijden met hem. 'Begin maar met het overlijden van Digna,' adviseerde ze zacht, 'want volgens mij ben jij toen met jezelf in de knoop geraakt. Heeft ze geleden op het laatst, Menso?'

Berbel had niet in de gaten hoezeer ze hem te hulp schoot met die vraag. 'Nee, God zij dank niet. Ze is overleden aan een hartstilstand, ze ging even slapen en is niet meer wakker geworden. Zolang ze nog opgebaard stond, had ik medelijden met haar. Ik miste haar, wilde het liefst aldoor bij haar zijn. Toen ze in haar witte kist lag was ze heel mooi, net een engel. Het lange, blonde haar lag weelderig om haar stille gezichtje. Dat beeld zal ik niet vergeten, maar waarom dan zoveel andere dingen wel? Nadat ze begraven was verdween Digna al snel uit mijn gedachten. Ik kon alleen nog maar aan jou denken, naar jou verlangen. Toen ik me daarop betrapte, kon ik er niet onderuit en moest ik toegeven dat ik blij was dat ze er niet meer was. Hoor je wat ik zeg, Berbel? Ik was blij dat Digna dood was! Is dat dan niet verschrikkelijk? Zoiets kan toch alleen een vent gebeuren die van geen kanten deugt? Durf jij nu zonder te liegen nog te beweren dat je van me houdt, dat is immers uitgesloten!'

'Ik denk, Menso,' zei Berbel bedachtzaam, 'dat ik nog veel meer van je zal moeten houden, omdat jij mij en mijn liefde hard nodig hebt.

Je bracht het misschien een beetje te direct, daar is jouw zielenstrijd echter niet minder om. Ik heb het er ook best moeilijk mee gehad, maar dankzij Femke durf ik de realiteit nu onder ogen te zien. Als ik nu aan Digna denk, kan ik alleen maar zeggen dat ik blij ben dat zij uit haar lijden is verlost. Hoor je dat ik ook het woord blij gebruik? We zouden ons pas moeten schamen als we niet blij waren voor haar dat ze nu bij God mag zijn en dat het haar aan niets meer ontbreekt! Ik kan dit zeggen omdat Femke vandaag behoorlijk op mij heeft ingepraat. Daarvóór haalde ik er van alles bij, net als jij, maar volgens Femke stak ik daarmee enkel mijn kop in het zand.'

Ze sloeg haar ogen op naar Menso, bestudeerde bedachtzaam zijn gezicht en zei toen: 'Als jij het woord blij veranderde in dankbaar, denk ik dat alles in jou veel rustiger zou worden. Jij hebt geen enkele reden tot zelfverwijt of schaamte, want je bent tot het allerlaatste goed voor Digna geweest. Nou, en wie goed doet, goed ontmoet, zegt Femke. Daar wil ik maar al te graag in geloven. Ik denk, Menso... dat wij het domweg niet durven te geloven dat met het heengaan van Digna onze tijd gekomen is. Sorry, dat ik zo lang aan het woord was en dat het meeste dat ik gezegd heb, me is voorgekauwd door Femke...'

De blosjes die zich op Berbels wangen aftekenden vertederden Menso. 'Je stem heeft me de hele tijd als muziek in de oren geklonken, alles wat je zei heb ik zo gulzig ingedronken alsof ik was uitgedroogd. Dat jij beweert dat onze tijd eindelijk gekomen is... was het mooiste dat ik uit jouw mond hoorde. Je hebt mij er de ogen mee geopend, mijn schaamte weggenomen. Het is een overweldigend goed gevoel dat die opeens niet meer in me is. Ik kan je ervoor bedanken, ik zou je liever een vraag willen stellen.' Op haar vragend gezicht naar hem opgeheven, vroeg Menso bijna plechtig: 'Wil je met me trouwen, Berbel...?'

Voordat zij antwoord kon geven was Menso naar de bank gelopen. Nu trok hij haar omhoog en sloot haar vast in zijn armen. Hij zoende haar lang en vol op de mond en zonder zijn lippen van de hare los te maken bromde hij: 'Zeg ja, zeg alsjeblieft ja!'

Berbels ogen waren vochtig, haar lippen trilden. 'Hoe zou ik nee kunnen zeggen tegen jou, de man die ik al zo verschrikkelijk lang liefheb? Ik hou van je, Menso, met heel mijn hart en ziel...'

'Ik ook van jou, meisje. Hoe denk je dat ik anders zo gauw over mijn

schaamte jegens Digna heen kon stappen? Jij hebt me de realiteit laten inzien, dankzij jou durf ik nu te stellen dat ik me noch voor God noch voor Digna hoef schamen. Bedankt, lieve schat, voor je wijze woorden, ook al kwamen die grotendeels uit de mond van Femke.'
Menso lachte breed. Ernstig vervolgde hij: 'Mijn ouders, mijn vader vooral, hebben mij hetzelfde proberen duidelijk te maken. Hij kreeg geen vat op me, jij echter wel. Wat liefde al niet vermag! Ik sta nu al te popelen van ongeduld om jou aan mijn ouders voor te stellen. Wil je dat wel geloven?'
'Ja, van jouw kant bekeken wel, maar ik kan me er nog niet zoveel bij voorstellen. Het lijkt mij eerlijk gezegd doodeng om kennis met hen te moeten maken...'
'Dat is dan onterecht, want mijn ouders zijn begripvolle, lieve mensen. Digna was mijn moeders lieve meisje, daar valt niet aan te tornen. Maar dat wil niet zeggen dat er nu in het huis van mijn ouders geen warm plekje is voor jou, hoor Berbel!'
'Als jij het zegt zal het wel zo zijn, ik moet het echter nog ondervinden. In de toekomst zal ik mijn best doen om hun duidelijk te maken dat het zeker niet mijn bedoeling is om Digna's plekje in te nemen. Ik vermoed nu al dat ik in jouw ouderlijk huis Digna's aanwezigheid zal voelen. Ook weet ik dat dat voor mij niet vervelend of meer dan dat zal zijn, dat hoop ik ooit te kunnen bewijzen...'
Berbel kon niet uitleggen wat ze daar precies mee bedoelde, want op dat ogenblik ging de telefoon. Menso pakte zijn mobieltje dat voor hem op tafel lag en al snel kwamen ze er achter dat het Femke was.
'Ik hoop niet dat je mij bemoeizuchtig vindt,' zei ze tegen Menso, 'want zo ben ik niet. Ik wil alleen even informeren of Berbel gezond en wel bij jou aangekomen is. Je weet het tegenwoordig maar nooit. Het wordt later en later, ik maak me een beetje ongerust.'
Menso stelde haar gerust en gaf de telefoon aan Berbel. Lachend zei ze: 'Mallerd, dacht je nou echt dat ik in zeven sloten tegelijk loop! Natuurlijk ben ik bij Menso en we hebben samen zoveel te bepraten dat ik de tijd erdoor vergat. Anders had ik jou allang gebeld en gezegd dat er van mijn logeerpartijtje bij jou niks terecht kan komen. Sorry daarvoor, maar ik hoop dat je begrijpt dat ik bij Menso wil blijven?'
'Ach, kind, je kon me geen mooier nieuws brengen. Het betekent immers dat jullie elkaar weer gevonden hebben. Dan hang ik snel weer

op, jullie kunnen nu geen stoorzender gebruiken. Veel geluk, lieverd, heel veel geluk!' Voordat Berbel het wist had Femke de verbinding al verbroken. 'Lief hè van Femke om zo bezorgd om mij te zijn,' zei ze tegen Menso.

Hij sloeg een arm om haar heen, kuste haar en keek haar indringend aan. 'Meen je wat je tegen Femke zei? Blijf je echt bij mij, Berbel?'

'Jazeker! Wij hebben een schade van lange jaren in te halen, het lijkt mij wenselijk om daar meteen maar mee te beginnen. Ik wil geen dag meer van je gescheiden worden en toch zal ik terug moeten naar Tilburg, want daar staat mijn huis, en daar heb ik mijn werk. Hoe moet dat nou allemaal, Menso?'

Hij wist haar probleem heel gemakkelijk op te lossen. 'We gaan maandag, als de salon gesloten is, met mijn auto naar Tilburg om zoveel mogelijk van je spullen op te halen. En als we daar dan toch zijn, gaan we meteen even langs de woningstichting om de huur van de flat op te zeggen, en bij V&D langs om te zeggen dat zij zich voort aan zonder jou zullen moeten redden. Het wijst zich straks wel vanzelf wat we allemaal moeten doen. Voor mij is slechts één ding belangrijk, dat jij mijn vrouw wordt! Moet ik daar nog lang op wachten?' Hij keek haar plagend aan.

Het deed Berbel goed dat Menso nu weer helemaal zichzelf was, de man op wie zij in de nabije toekomst vol vertrouwen mocht leunen. 'We zullen even moeten wachten tot Lonneke en Niels getrouwd zijn, maar daarna zijn wij meteen aan de beurt! Wat gaan we opeens een mooie tijd tegemoet, hè Menso? Alles wat grauw leek is plotseling zonovergoten. Hoe kunnen we ooit dankbaar genoeg zijn voor zoveel geluk?'

'Er komt nog veel meer bij!' voorspelde Menso, 'want wat zou jij denken van een paar prachtige kinderen van mij?'

Berbel keek dromerig toen ze haar liefste wens uitsprak. 'Ik wil op z'n minst drie kinderen van jou. Verder kan ik alleen maar hopen en bidden dat er in ieder geval één klein meisje bij is. Dat is voor mij van wezenlijk belang, want ik heb al een naam voor haar bedacht!' Op Menso's vragende blik zei ze zacht: 'Ons eerstgeboren dochtertje zal Digna genoemd worden. Ben je het daarmee eens?'

'Digna...' echode Menso schorrig. 'Je weet niet half hoeveel je me hiermee geeft.' Toen hij haar hartstochtelijk kuste, proefden ze elkaars tranen.

Op dit ogenblik liepen Berbel en Menso op de zaken vooruit, maar nauwelijks anderhalf jaar later werd hun beider wens vervuld. Toen vloeiden er louter gelukstranen. Omdat ze een gezond, mooi kindje hadden mogen krijgen en vanwege haar naam. Die was een eerbetoon aan haar die mede door de komst van dit nieuwe mensenkind niet vergeten zou worden.